이동원 목사 복음서 강해 전집 2

쉽게 풀어 쓴 마가의 복음 이야기(상)

이동원 목사 복음서 강해 전집 2
쉽게 풀어 쓴 마가의 복음 이야기(상)

지은이 | 이동원
초판 발행 | 2001. 4. 9
개정판 발행(전집) | 2025. 11. 26
등록번호 | 제1988-000080호
등록된 곳 | 서울특별시 용산구 서빙고로 65길 38
발행처 | 사단법인 두란노서원
영업부 | 2078-3333   FAX | 080-749-3705
출판부 | 2078-3331

책값은 뒤표지에 있습니다.
ISBN 978-89-531-5084-3 04230
SET 978-89-531-5082-9 04230

독자의 의견을 기다립니다.
tpress@duranno.com   www.duranno.com

두란노서원은 바울 사도가 3차 전도여행 때 에베소에서 성령 받은 제자들을 따로 세워 하나님의 말씀으로 양육
하던 장소입니다. 사도행전 19장 8-20절의 정신에 따라 첫째 목회자를 돕는 사역과 평신도를 훈련시키는 사역,
둘째 세계선교(TIM)와 문서선교(단행본·잡지)사역, 셋째 예수문화 및 경배와 찬양 사역, 그리고 가정·상담 사역 등을
감당하고 있습니다. 1980년 12월 22일에 창립된 두란노서원은 주님 오실 때까지 이 사역들을 계속할 것입니다.

이동원 목사 복음서 강해 전집 2

쉽게 풀어 쓴
마가의 복음 이야기(상)

이동원 지음

두란노

목차

사복음서와 사도행전 강해가 시리즈로 함께 출간되어 기쁩니다. 본래 사복음서 중에 제일 먼저 세상에 나온 것은 마가복음입니다. 마가복음과 누가복음은 예수님의 생애를 비교적 연대기적으로 소개합니다. 마태복음은 예수님의 천국(하나님 나라) 사상을 중심으로 전개됩니다. 그리고 요한복음은 예수님의 영성적 가르침을 주제별로 모아 소개합니다. 그냥 마태, 마가, 누가, 요한식으로 설교하다 보면 많은 중복을 피할 수 없습니다. 그래서 저는 설교할 때 이런 중복을 피하고자 노력했습니다. 그래도 사복음서의 중요한 부분들을 놓치지 않고 설교하고자 했습니다.

오늘 우리 시대는 점점 더 강해 설교를 피해 가는 경향을 보이고 있습니다. 그러면 자연스럽게 제목 설교 중심으로 설교할 수밖에 없습니다. 저는 제목 설교, 특히 주제별 설교도 필요하다고 믿는 사람입니다. 그러나 한 강단에서 오래 설교하려면 제목 설교는 곧 한계에 부딪히게 됩니다. 저도 담임 목회 기간에 종종 제목 설교를 시도했습니다. 그러나 곧 다시 강해 설교로 돌아오곤 했습니다.

이제 사복음서와 사도행전을 한데 묶어 출간하게 됨을 진심으로 감사하게 생각합니다. 사복음서와 사도행전의 유일한 주제인 우리 주님이 높이 드러나기만을 소원합니다. 그분만이 우리 시대와 다가오는 시대의 유일한 소망이심을 믿기 때문입니다.

한국 교회 강단에 복음의 생수가 넘쳤으면 좋겠습니다. 한 분, 예수 그리스도만이 우리의 구주요, 주님이심이 선포되기를 기도합니다. 이 사복음서와 사도행전이 한데 묶여 함께 한 주인이신 예수님을 영화롭게 하기를 바랍니다.

성역 55주년, 나이 80세를 맞이하며 신약을 여는 사복음서와 사도행전을 주께 올립니다. 이 시리즈가 출간되도록 도움을 준 분들에게도 감사를 드립니다.

지구촌 목회리더십센터 섬김이
이동원 목사

우리는 디지털 세상에 진입했습니다. 어떤 이는 설렘으로, 어떤 이는 당혹감으로 새 시대를 맞고 있습니다. 이러한 시대에서 가장 커다란 당혹감은 커뮤니케이션의 혼선이 아닐까 합니다. 우리는 너무 많은 정보에 노출된 채 선택의 길에 서 있는 것입니다. 또다시 우리는 심각한 가치관의 갈등을 맞게 된 것입니다.

이런 세상에서 우리는 해묵은 성경의 의미를 다시 묻습니다. 과연 성경의 이야기가 새 시대에도 복음일 수 있는가를 묻습니다. 과연 예수 그리스도 그분이 어제도, 이제도 동일하신 주님이라고 고백된다면, 그분의 이야기는 이제도, 내일도 복음이어야 할 것입니다.

신약성경은 그분의 이야기를 복음의 이야기로 선언합니다. 그리고 네 명의 기자를 동원하여 그분의 이야기를 우리에게 전달합니다. 이 네 개의 이야기 중 마가의 이야기는, 다른 세 명의 기자에 비해 이야기 전달 방식이 쉽고 명확합니다. 또한 대부분의 신학자는 마가복음의 이야기가 역사적으로 우선한다고 봅니다.

마가에게는 현대를 느끼게 하는 디지털적인 그 무엇이 있습니다. 그는 매우 직설적인 언어로 빠르게 예수님의 이야기를 전개합니다. 그를 통해 우리는 진부하지 않은 복음의 이야기를 듣습니다.

마가의 복음 이야기는 본래 설교로 전달된 것입니다. 설교와 논문은 형식상 적지 않은 차별성이 있습니다. 현장감 있고 역동적인 반응의 체계 안에서 스피커는 청중을 만나야 합니다. 따라서 이 책의 구성에 영향을 끼친 많은 인용의 출처가 생략되어 있습니다.

저는 이 설교의 모든 내용에 독창성을 주장하지 않습니다. 따라서 이 설교에 영향을 끼친 모든 믿음의 선진들께 감사를 표하는 바입니다.

세상은 급변하지만 변하지 않는 복음, 이 복음의 이야기 안에서 당신을 만나는 것, 이 한 가지 소망으로 이 책은 태어나게 되었습니다. 복음이 희망이고, 복음이 능력이라고 믿기 때문입니다.

오늘의 세상이 굶주려 하며 듣고 싶어 하는 이야기, 바로 그 구원의 이야기를 위해 우리는 이제 마가의 안내를 받고자 합니다. 그리고 그의 눈과 귀에 각인된 그분의 이야기를 듣고자 합니다.

처음 이 이야기에 귀를 기울여 준
지구촌 가족들에게 사랑을 보내면서
이동원 드림

-
"하나님의 아들 예수 그리스도의 복음의 시작이라 선지자 이사야의 글에 보라 내가 내 사자를 네 앞에 보내노니 그가 네 길을 준비하리라 광야에 외치는 자의 소리가 있어 이르되 너희는 주의 길을 준비하라 그의 오실 길을 곧게 하라 기록된 것과 같이 세례[침례] 요한이 광야에 이르러 죄 사함을 받게 하는 회개의 세례[침례]를 전파하니 온 유대 지방과 예루살렘 사람이 다 나아가 자기 죄를 자복하고 요단강에서 그에게 세례[침례]를 받더라 요한은 낙타 털옷을 입고 허리에 가죽띠를 띠고 메뚜기와 석청을 먹더라 그가 전파하여 이르되 나보다 능력 많으신 이가 내 뒤에 오시나니 나는 굽혀 그의 신발 끈을 풀기도 감당하지 못하겠노라"(막 1:1-7).

1

상징적인
그리스도인

광야 가운데
복음을 선포하는 삶을 살라

그리스도인의 모델, 세례(침례) 요한

신앙생활 초기에 한 외국인 선교사님이 우리말로 하는 설교를 들은
적이 있습니다. 그 설교의 대지는 간단히 세 가지였는데, 세월이 많
이 흐른 지금도 제 마음속에 정확히 각인되어 있습니다. 선교사님
은 아주 서툰 한국말로 더듬거리면서 '선한 사마리아인의 비유'에
대해 설교하셨는데, 이 비유 속에 세 부류의 사람이 있다고 말씀하
셨습니다. 첫째는 없어야만 했던 사람, 둘째는 있으나 마나 했던 사
람, 셋째는 꼭 필요했던 사람입니다.

　없어야 했던 사람은 누구일까요? 바로 강도입니다. 여리고로 가

는 길에 나타났던 강도는 없었으면 좋았을 사람입니다. 두 번째로, 있으나 마나 했던 사람은 누구일까요? 강도 만난 사람을 보고도 그냥 지나쳤던 레위인과 제사장입니다. 그들은 높은 사회적 신분과 영향력을 가지고 있었지만, 하나님이 보시기에는 있으나 마나 한 사람들이었습니다. 고통 받고 상처 받은 사람들에게 전혀 도움이 되지 않는, 사회의 진정한 빛과 소금이 될 수 없었던 사람들입니다. 그러나 꼭 필요했던 사람이 있었습니다. 바로 강도 만난 사람을 들쳐 업고 주막으로 가서 실제적인 도움을 주었던 선한 사마리아인입니다.

저는 역사의 한때에 꼭 있어야만 했던 한 사람의 이야기를 나누려고 합니다. 그는 '세례(침례) 요한'이라 불린 사람입니다. 예수님은 그를 가리켜, '여자가 낳은 자 중에 가장 큰 자'라고 하셨습니다. 일찍이 여자가 낳은 사람 중에서 그보다 위대한 사람은 없다는 것입니다. 그를 얼마나 높이 평가한 말입니까?

그는 예수님보다 앞서 와서 그분을 증거했던 사람이며, 어떤 의미에서는 구약과 신약의 분수령을 이루었던 사람입니다. 또한 옛시대가 지나가고 새로운 시대(신약 시대)가 밝아 올 때 예수 그리스도를 증거했던 최초의 전도자요, 최초의 증인입니다. 또한 모든 시대를 초월한 상징적인 그리스도인이라 할 수 있습니다. 저는 그가 참 그리스도인의 진정한 모델이라고 말하고 싶습니다.

그러면 도대체 어떤 면에서 그가 오늘을 사는 우리에게 표본이 될 수 있을까요? 우리는 마가복음 서론을 통해 이 중요한 질문을 같이 생각해 볼 수 있습니다.

"복음의 시작이라"

첫째, 세례(침례) 요한은 자신의 소명을 분명히 알고 있었던 사람입니다. 그는 자기가 무엇 때문에 태어났으며, 왜 거기에 있는지를 분명히 알았습니다. 그의 소명이 무엇이었습니까? 바로 복음을 증거하는 것이었습니다. 복음이 무엇입니까? 기쁜 소식(Good News)입니다. 무엇이 기쁜 소식입니까? 들려오는 소리마다 우울하게 하고 좌절하게 만드는 나쁜 소식들 가운데 우리에게 가장 기쁜 소식은 무엇일까요? 그 기쁜 소식은 한마디로 '예수 그리스도'입니다. 예수님이 바로 기쁜 소식입니다.

"하나님의 아들 예수 그리스도의 복음의 시작이라"(막 1:1).

마가복음이 열리는 1장 1절은 대단한 서론입니다. 이 첫 문장처럼 감동적인 서론을 만나기는 정말 어렵습니다.
"외롭게 고기를 잡는 노인 하나가 있었다."
위의 내용은 헤밍웨이(Ernest Hemingway)가 200번을 고쳐 쓴 것으로 유명한 《노인과 바다》의 첫 문장입니다. 하지만 이 세상에서 가장 위대한 첫 번째 줄을 말해 보라면 저는 성경이라고 하겠습니다.

창세기는 "태초에 하나님이 천지를 창조하시니라"로 시작됩니다. 그런데 저는 창세기 1장 1절보다 더 위대할 수 있는 말씀이 마가복음 1장 1절이라고 생각합니다.

창세기 1장 1절은 창조의 시작, 창조의 선언입니다. 그에 비해 마가복음 1장 1절은 창세기 1장 1절을 압도합니다. 새로운 창조의 시작을 알리고 있기 때문입니다. '우리 인생은 어떻게 새로워질 수 있을까? 무의미한 인생, 좌절에 빠진 인생, 혼란하고 불안하며 혼돈 가운데 있는 인생이 어떻게 새로워질 수 있을까?'라고 질문하는 인류에게 성경은 이렇게 대답합니다.

"하나님의 아들, 예수 그리스도가 복음의 시작이다. 예수 그리스도가 기쁜 소식의 시작이다."

박해 가운데 고백된 복음

마가복음은 어떤 배경에서 쓰였습니까? 신학자이자 목회자였던 존 팀머(John Timmer)는 그의 책 《마가복음》(기독교문서선교회 역간)의 서론을 이렇게 시작하고 있습니다.

주후 64년경이었습니다. 로마에 엄청난 화재가 발생하여 전 도시를 휩쓸었습니다. 화재가 진화되어 갈 무렵, 로마시의 상당한 지역이 완전히 잿더미로 변해 버렸습니다. 얼마 되지 않아 로마

전역에 악성 소문이 떠돌기 시작했습니다. 네로 황제가 불을 지르도록 명한 장본인이라는 것이었습니다. 물론 정부 당국은 이를 일축해 버렸지만, 소문은 잠잠해지지 않고 오히려 불길처럼 솟아오르기 시작했습니다. 희생양을 찾으려고 했던 정부는 마침내 그리스도인들을 제물로 삼았습니다. 많은 그리스도인들이 로마의 방화 혐의로 체포되어 구금되거나 처형되었습니다. 살아남은 그리스도인들은 카타콤의 깊은 동굴로 숨어들었고 더러는 목숨을 보존하기 위해 해외로 흩어졌습니다. 그런데 이런 일련의 사건이 일어난 직후에 작은 책자 하나가 사람들 사이에 건네어지기 시작했습니다. 이 소책자는 이렇게 시작하고 있었습니다. "하나님의 아들 예수 그리스도 복음의 시작이라." 그 책이 바로 마가복음이었던 것입니다.

쫓기면서도, 박해를 받으면서도, 흩어지면서도 잠잠할 수 없었던 소식, 인생에서 결정적인 손해를 보면서도, 재산을 잃어버리면서도, 카타콤의 깊은 동굴 속으로 숨어들면서도 도시 전체에 알리고 싶었던 기쁜 소식은 '하나님의 아들, 예수 그리스도가 복음의 시작'이라는 사실이었습니다. 그들은 복음만이 1세기의 소망이라고 믿었습니다. 마가복음은 이렇게 시작되었습니다.

그렇다면 복음의 초점은 무엇일까요? 복음의 초점은 '예수'입니다. 예수가 구원이시기 때문입니다. 예수가 소망이시기 때문에 그렇습니다. 예수 그리스도, 그분이 복음의 시작이라는 이 위대한 선포로 마가복음은 시작됩니다.

변화된 마가

'하나님의 아들, 예수 그리스도'라는 위대한 신앙 고백을 생각할 때
떠오르는 인물이 누구입니까? 예수님의 제자 가운데 이 위대한 고
백으로 주님께 기쁨을 드렸던 사람이 누구입니까? 바로 베드로입니
다. 예수님은 십자가 고난을 눈앞에 두고 3년 동안 삶을 나눈 제자
들에게 물으셨습니다.

"사람들은 나를 누구라고 하느냐? 너희들은 나를 누구라고 하느
냐?"

이때 베드로가 나서서 대답했습니다.

"주는 그리스도시요, 살아 계신 하나님의 아들이십니다."

'그리스도'라는 말은 '기름 부음을 받은 분', 즉 '하나님이 기름을
부어 주시어 특별한 소명을 가지고 이 땅에 구세주로 와 우리를 죄
에서 구원하고 용서하며, 새로운 생명과 천국의 영원한 소망을 주
신 분'이라는 뜻입니다. 베드로는 예수님이 그러한 그리스도시요,
살아 계신 하나님의 아들이라고 고백했습니다. 구약 시대부터 메
시아는 하나님의 아들로서 오신다고 예언되었는데, 예수님이 바로
그리스도요, 하나님의 아들이라는 것입니다.

그런데 지금 본문에서 누가 동일한 고백을 하고 있습니까? 마가

복음을 기록한 마가입니다. 성경에는 마가와 베드로의 심상치 않은 관계가 기록되어 있습니다. 베드로전서 5장 13절을 보십시오. 사도 베드로는 베드로전서를 마무리하면서 편지의 마지막에 이렇게 기록하고 있습니다.

"택하심을 함께 받은 바벨론에 있는 교회가 너희에게 문안하고 내 아들 마가도 그리하느니라."

여기 바벨론 교회는 아마도 바벨론 포로에 의해 성벽이 쌓아진 이집트 카이로교회를 바벨론에 있는 교회라고 부른 것입니다. 그런데 여기서 베드로가 마가를 어떻게 부르고 있습니까? '내 아들'이라고 부릅니다. 마가는 사역 초기에 바울과 함께 다녔습니다. 그런데 잘못해서 바울에게 버림을 받았습니다. 바울은 마가 같은 사람을 도저히 데리고 다닐 수 없다며 바나바와 다투기까지 합니다. 그러나 마가는 나중에 변화됩니다. 바울이 감옥에서 최후의 편지인 디모데후서를 쓸 때 마가를 데려오라고 부탁하면서 "그가 나의 일에 유익하니라"(딤후 4:11)라고 말합니다. 마가가 변한 것입니다. 바울이 멀리한 마가를 바나바와 베드로가 품고 양육해서 또 한 명의 위대한 제자로 만든 것입니다.

회개의 선포자, 요한

기독교 신앙의 정수인 '주는 그리스도시요, 살아 계신 하나님의 아들'이라는 베드로의 위대한 신앙 고백이 마가복음의 첫머리에서 동일하게 선포되는 것을 볼 수 있습니다.

'예수가 복음이고 소망이며, 유일한 살길이다.'

'예수만이 생명이며, 그가 바로 약속된 하나님의 아들 메시아다.'

'예수 그리스도가 하나님의 아들'이라는 고백이 얼마나 소중했는지, 1세기의 그리스도인들은 서로 만났을 때 자신이 그리스도인이라는 것을 알리기 위해 물고기 표식을 사용했습니다. 물고기를 의미하는 '익투스'는 '예수 그리스도 하나님의 아들 구세주'라는 희랍어의 머리글자를 따서 만든 것입니다.

이 위대한 복음을 처음으로 선포한 사람이 바로 세례(침례) 요한입니다.

> "선지자 이사야의 글에 보라 내가 내 사자를 네 앞에 보내노니 그가 네 길을 준비하리라"(막 1:2).

그는 메시아가 오실 때 사람들이 그를 받아들일 수 있도록 준비시키고 길을 닦은 사람이었습니다. 예수님이 소망이고 구원이시라면, 사람들로 하여금 예수 그리스도를 받아들이게 하는 것보다 더 중요한 일이 어디 있겠습니까? 예수님을 받아들이게 하는 가장 중요한 준비가 있다면 그것은 죄로부터 돌이키는 회개입니다.

사람들이 왜 예수님을 받아들이지 못합니까? 교회마다 예수가 생명이고 구원임을 외치며 증거하고 있는데, 우리 이웃들이 그것을 받아들이지 않는 가장 중요한 이유는 무엇이라고 생각합니까? 여러 가지 이유가 있을 수 있겠지만, 가장 중요한 한 가지는 죄가 좋아서라고 할 수 있습니다. 죄를 즐기기 때문입니다.

죄에 대해 고민하고 죄에서 떠나기를 원하는 사람 그리고 죄로부터 정결해지기를 원하는 사람은 결국 한 가지 대답 앞에 직면하게 됩니다. 그것은 예수님만이 용서해 주실 수 있다는 사실입니다.

"피 흘림이 없은즉 사함이 없느니라"(히 9:22).

달리 용서받을 수 없던 우리의 죄를 담당하고 십자가에서 보배로운 피를 흘리신 예수 그리스도, 그분만이 우리의 구원이요, 우리 죄 사함의 근거인 것을 믿으십시오.

광야에서 외치는 자의 소리 인생

그래서 요한은 외쳤습니다.

"회개하라!"

사람들의 마음이 그리스도를 향하도록 준비시켰던 요한은 자신의 소명을 이렇게 말합니다.

"나는 광야에서 외치는 자의 소리다."

오늘도 잡다한 소리가 들려오고 있습니다. 1세기의 예루살렘에도 수많은 소리가 들려왔습니다. 그러나 그 소리는 많은 사람에게 실망만을 안겨 주었습니다. 사람들을 좌절하고 불안하게 만들었습니다. 오늘은 어떻습니까? 우리의 귀를 가득 채우는 소리들, 텔레비전과 미디어를 켤 때마다 그리고 지나가는 사람들에게 귀 기울일 때마다 들려오는 잡다한 소리는 우리를 얼마나 좌절하게 만듭니까?

그러나 광야에서 외치는 자의 소리가 있습니다. 요한은 하늘로부터 메시지를 듣고 이렇게 외칩니다.

"보라, 하나님의 어린양을! 하나님의 어린양이 되어 우리의 죄를 담당하고 십자가에 달리기 위해 이 땅에 오신 예수 그리스도, 그분만 바라보라. 그가 구원이시다!"

이것은 복음이요, 희망이며 구원이었습니다. 광야에서 이를 외쳤던 요한은 자신이 바로 이 사명을 위해 이 땅에 왔다는 사실을 분명히 알고 있었습니다.

당신은 무엇 때문에 살고 있습니까? 구원받은 모든 사람이 이 땅에 존재하는 이유는 무엇입니까? 장사도 하고 취직도 하며 직업도 가지고 살고 있지만, 그리스도인이라고 하면서 무엇 때문에 사는지에 대한 고백이 없다면 우리는 진정한 그리스도인이라고 할 수 없습니다. 우리는 예수님 때문에 삽니다. 예수님이 우리를 구원하고 우리의 새로운 삶의 소망이 되셨다면, 우리는 예수님을 증거하기 위해 사는 것입니다. 그저 우리끼리 즐기라고 주님이 우리를 구원해 주신 것이 아닙니다. 편안하게 살라고 아름다운 건물을 주신 것이 아니라는 뜻입니다.

우리는 죄와 사망에서 구원해 주신 예수님의 은혜를 입었고, 새로운 소망과 삶의 의미를 깨닫게 되었기 때문에 그리스도를 증거하지 않고는 견딜 수 없습니다. 주님을 증거하기 위해 소리쳐 외치는 것, 요한은 바로 이 사명을 알고 있었던 것입니다. 자신의 소명을 알고 있었기에 그는 우리의 귀감이 됩니다.

교회에 다니면서 전도 한번 못 해 본 사람이 있습니다. 그들은 아직 예수님을 위한 소리가 되어 보지 못한 사람입니다. 그들은 그리스도인이 아니거나 단지 교회에 출석하는 교회의 회원일 뿐, 거듭나지 못했거나 병든 그리스도인일 것입니다. 당신은 어느 쪽입니까?

소명을 위해 사는 단순한 삶

둘째, 요한은 자신의 소명을 위해 단순한 삶을 선택한 사람입니다.

> "요한은 낙타 털옷을 입고 허리에 가죽띠를 띠고 메뚜기와 석청을 먹더라"(막 1:6).

낙타 털옷을 입었다고 하면 무슨 생각이 듭니까? 낙타 털옷에서 밍크코트가 연상됩니까? 낙타 털옷은 팔레스타인 땅에 살고 있던 당시의 가난한 서민들이 선택할 수 있는 유일한 옷이었습니다. 그리고 좀 괜찮게 사는 사람들은 장식한 띠를 두르고 있었는데, 요한이 두른 가죽띠라는 것은 장식이 없는 가장 보편적이고 단순한 허리띠였습니다. 또한 메뚜기는 당시 팔레스타인의 가난한 서민들이 가장 애용했던, 단순하고 간편한 먹거리라 할 수 있습니다. 날개와 다리를 뗀 다음 삶거나 구워서 먹었는데, 팔레스타인의 서민들이 가장 손쉽게 구할 수 있는 음식이었습니다. 후식이라 할 수 있는 석청은 야생의 벌꿀로 그들이 흔하게 취할 수 있는 영양식이었습니다.

이런 요한의 모습에서 어떤 이미지가 느껴집니까? 그는 왜 이렇게 살았을까요? 한마디로 말하면, 그것은 그가 취할 수 있는 가장 단순한 삶의 모습, 곧 '심플 라이프 스타일'(Simple Life Style)이었습니다.

초대 교회 때부터 중세에 이르기까지 우리가 존경했던 하나님의 사람들이 사모한 삶의 양식이 있다면 바로 이 '심플 라이프'입니다. 요한은 왜 이런 삶을 살았을까요? 복음 증거라는 더 중요한 목적을 위해 가장 단순한 삶에 만족하기를 원했던 것입니다. 그가 사는 곳은 광야였습니다. 광야가 그의 삶의 자리였습니다. 본문을 보면 '광야'라는 단어가 여러 번 강조되는 것을 알 수 있습니다.

"광야에 외치는 자의 소리가 있어"(막 1:3).

"광야에 이르러 죄 사함을 받게 하는 회개의 세례[침례]를 전파하니"(막 1:4).

"성령이 곧 예수를 광야로 몰아내신지라"(막 1:12).

"광야에서"(막 1:13).

이스라엘 백성이 애굽 땅을 떠나자마자 들어간 곳이 어디였습니까? 광야였습니다. 가나안을 가기 위해 반드시 거쳐야 했던 곳이 광야였습니다. 광야야말로 오늘 이 땅에 살고 있는 그리스도인들이 있어야 할 삶의 자리를 가장 상징적으로 표현하는 말이라 할 수 있습니다. 예수님을 믿는 순간 우리는 광야로 나온 것입니다.

우리는 광야를 지나고 있는 나그네입니다. 나그네에게 적합한 삶의 형태는 무엇이겠습니까? 나그네가 만약 순례의 길을 가는 도중에 큰 집을 짓고 거기에 집착한다고 생각해 보십시오. 그가 어떻게 목적지를 향해 갈 수 있겠습니까? 나그네가 자신이 입고 있는 화려한 옷에 집착한다면 어떻게 앞으로 나아갈 수 있겠습니까? 나그네다운 삶의 형태를 가져야 합니다.

믿음으로 사는 나그네 인생

위대한 믿음장인 히브리서 11장에서, 기자는 우리의 선배들이 추구했던 삶의 모습을 소개하고 있습니다. 믿음의 조상 아브라함과 이삭과 야곱의 생애를 소개하면서, 그들은 장막에 거하는 것을 즐거워했다고 쓰고 있습니다. 아브라함은 큰 집을 지을 수 있을 만큼 부유한 사람이었습니다. 성경은 그가 많은 재물과 가축을 거느리고 있었다고 말씀하고 있지만, 그는 장막으로 만족했습니다. 왜냐하면 그는 나그네였기 때문입니다.

아브라함이 장막으로 만족했던 이유는 하나님이 지으실 영원한 터, 하나님이 경영하실 그 성을 바라보았기 때문이라고 히브리서 11장은 말합니다. 그리고 계속해서 우리도 외국인이요, 나그네에 불과하다고 말합니다. 우리의 나라라고 고백할 수 있는 곳이 있다면 그곳은 천국이며, 우리는 바로 그 천국의 시민인 것입니다. 그러므로 우리는 외국인이요, 나그네입니다. 나그네면 나그네답게 살아야 합니다.

여행 다닐 때 제일 귀찮은 것이 무엇입니까? 짐입니다. 저는 아내와 여행할 때마다 딜레마에 빠집니다. 하나는 아내와 다니니까 너무 좋다는 것이고, 또 하나는 짐이 너무 많아져서 불편하다는 것입니다. 혼자 다닐 때는 늘 가방이 하나입니다. 아주 조그마한 여행용 가방 하나만 들고 다닙니다. 가방을 두 개 든 적이 없습니다. 그런데 아내와 함께 다니면 상황이 조금 달라집니다. 그러면 제가 잔소리를 합니다.

"여보, 심플 라이프로 삽시다. 무얼 그렇게 복잡하게 갖고 다녀요?"

"당신은 남자라 그렇죠."

어쩌면 제가 여자들의 삶을 잘 모르기 때문인지도 모르겠지만, 어쨌든 나그네에게 무엇이 그리 많이 필요하겠습니까? 나그네에게는 단순한 삶만이 있을 뿐입니다.

우리가 요한에게서 배워야 할 가장 감동적인 삶의 제목은 '단순한 삶'입니다. 원대한 소명을 위해, 인생의 진정한 목적을 위해 단순한 삶으로 만족했던 그를 본받아야 합니다. 그렇다면 요한의 삶이 오늘을 사는 우리에게 던지는 교훈은 무엇입니까?

들러리의 기쁨

우리가 요한을 상징적 그리스도인이라고 말하는 세 번째 이유가 있습니다. 그것은 그가 그리스도를 높이기 위해 자신을 철저히 낮추는 삶을 선택했다는 사실입니다.

> "그가 전파하여 이르되 나보다 능력 많으신 이가 내 뒤에 오시나니 나는 굽혀 그의 신발 끈을 풀기도 감당하지 못하겠노라"(막 1:7).

'내 뒤에 오시는 이가 나보다 큰 분이다. 나는 그의 신발 끈을 풀기도 감당할 수 없다. 그가 주인이고, 나는 종이다'라고 고백하면서, 그는 모든 시선을 철저히 그분에게만 돌렸습니다. 요한복음에서는 더욱 감동적인 고백을 들을 수 있습니다.

"그는 흥하여야 하겠고 나는 쇠하여야 하리라"(요 3:30).

역사의 무대에 등장하신 예수님을 바라보면서 그가 남긴 고백입니다. 인기 없는 사람의 입에서 이런 말이 나왔다면 당연히 타당하다고 할 수 있습니다. 그러나 요한이 그 당시 가졌던 영향력을 생각해 보십시오. 본문에도 그가 어느 정도의 영향력을 끼치는 사람이었는지가 암시되어 있습니다.

"온 유대 지방과 예루살렘 사람이 다 나아가 자기 죄를 자복하고 요단강에서 그에게 세례[침례]를 받더라"(막 1:5).

온 유대 지방과 예루살렘이 그의 영향력 아래 있었던 것입니다. 얼마나 많은 사람이 그에게 세례(침례)를 받았을까요? 학자에 따라 다르지만, 어떤 성경 학자는 요한에게 세례(침례)를 받은 사람이 약 30여만 명은 된다고 추정합니다. 제가 1년 동안 몇 명에게 세례(침례)를 줄 수 있겠습니까? 이 한 사람이 끼쳤던 영향력을 생각해 보십시오. 얼마나 큰 인기입니까?

그런데 어느 날 예기치 못했던 사태가 발생합니다. 그가 이렇게 세례(침례)를 주면서 오실 예수님을 증거했는데, 바로 그 예수님이 나타난 것입니다. 그러자 요한을 따르던 사람들이 예수님께로 가기 시작했다고 성경은 말씀합니다.

쉽게 말하면 이런 상황입니다. 제가 여기서 목회를 잘하고 있는데, 어느 날 갑자기 예수님이 오셔서 바로 옆 동네에 교회를 개척한 것입니다. 당신이라면 어느 교회로 가겠습니까? 예수님이 오셔서 바로 옆에 교회를 개척했는데도 이리로 오는 사람은 사이비입니다. 그리로 가야 합니다. 그러면 제 심정이 어떻겠습니까? 예수님을 따라 성도들이 옮겨 가는 것이 좋긴 하지만, '그래도 그렇지, 그 많은 곳 중에 왜 하필이면 이리로 오셨습니까' 하는 마음이 생기지 않겠습니까? 이와 비슷한 상황에서 요한의 기막힌 고백이 나옵니다. 요한의 제자들이 "선생님, 섭섭하지 않습니까? 사람들이 다 예수님을 따라갑니다"라고 했을 때 요한은 이렇게 대답했습니다.

"만일 하늘에서 주신 바 아니면 사람이 아무것도 받을 수 없느니라 내가 말한바 나는 그리스도가 아니요 그의 앞에 보내심을 받은 자라고 한 것을 증언할 자는 너희니라 신부를 취하는 자는 신랑이나 서서 신랑의 음성을 듣는 친구가 크게 기뻐하나니 나는 이러한 기쁨으로 충만하였노라"(요 3:27-29).

요한은 "야, 신랑이 신부를 만나서 기뻐하는 모습을 봐라! 나는 들러리란 말이야! 나는 들러리의 기쁨으로 충만해 있어!"라고 말합니다. 올바른 주제 파악을 하고 있습니다. 그는 자기가 있어야 할 자리를 알았던 사람입니다. 철저하게 그리스도를 높이기 위해 자신을 낮출 수 있었던 사람, 그가 요한이었습니다.

"나귀가 착각하면 쓰겠는가?"

제가 설교할 때마다 자주 소개하는 인물 가운데 코리 텐 붐(Corrie Ten Boom)이라는 네덜란드 출신의 할머니가 있습니다. 그녀는 나치의 박해 속에서 살아남아 감동적인 간증으로 세계적인 전도자의 역할을 감당했습니다. 이분이 가는 유럽의 곳곳마다 큰 부흥이 일어났습니다. 그녀가 미국을 방문했을 때에도 가는 도시마다, 교회마다 사람들이 미어지도록 모여들었습니다. 그녀의 메시지와 간증이 끝나고 나면 사람들은 끝없는 박수갈채를 보내곤 했습니다.

그런데 이상하게도 그녀는 기뻐하는 기색이 전혀 없었습니다. 이를 보고 궁금히 여긴 어느 신문 기자가 물었습니다.

"코리 여사님, 정말 기쁘지 않으십니까?"

이때 코리 여사가 그 유명한 대답을 했습니다.

"나귀가 착각하면 쓰겠는가?"

무슨 뜻입니까? 종려 주일에 예수님이 예루살렘에 입성하실 때, 사람들은 박수갈채를 보내며 '호산나' 하고 환호성을 질렀습니다.

그것은 예수님을 향한 갈채였습니다. 예수님에 대한 기다림이었습니다. 메시아에 대한 기대였습니다. 그런데 나귀가 그것을 자기에게 보내는 박수로 착각해서는 안 된다는 말입니다.

무대 뒤로 사라져도 행복한 인생

요한은 철저하게 그리스도를 높이기를 원했던 사람이었고, 자신의 증언처럼 광야에서 외치는 소리였습니다. 소리의 사명은 메시지를 전달하는 데 있습니다. 전달한 다음에는 침묵합니다. 그것이 요한의 생애였습니다. 예수님이 무대 위에 올라 드디어 공생애 사역을 시작하시자, 요한은 곧 무대 뒤로 퇴장합니다. 그리고 순교의 제물이 되어 감동적인 생애를 마감합니다. 헤로디아의 딸의 아름다운 춤의 대가로, 그의 목은 잘려서 소반에 담겨집니다.

감옥에 있던 요한이 사람을 보내어 예수님께 이런 질문을 했습니다.

"오실 그분이 당신입니까?"

그도 인간인지라 한번 확인하고 싶었던 것입니다. 이때 예수님이 어떤 대답을 들려주십니까?

"너희가 가서 듣고 보는 것을 요한에게 알리되 맹인이 보며 못 걷는 사람이 걸으며 나병 환자가 깨끗함을 받으며 못 듣는 자가 들으며 죽은 자가 살아나며 가난한 자에게 복음이 전파된다 하라 누구든지 나로 말미암아 실족하지 아니하는 자는 복이 있도다"(마 11:4-6).

그것은 메시아의 사인이었습니다. 이 소식을 들었을 때 요한이 무슨 생각을 했겠습니까?

'맞았어. 내가 증거했던 그분이 참으로 메시아였어! 나는 그분을 증거했단 말이야. 그렇다면 내게 이제 무슨 소원이 더 있단 말인가!'

그리스도를 증거하고 그분을 높여 드리고, 사람들이 그리스도를 통해 새로운 삶을 찾는 이 놀라운 모습을 보면서 그는 행복하게 죽을 수 있었습니다. 이것이 그리스도인의 모습입니다.

당신은 어떻습니까? 복음이 없는 세상, 기쁜 소식이 없는 세상에서 예수님이 당신의 기쁨과 구원이 되어 주신다면 한평생 그분을 높이며 살겠다고 고백할 수 있겠습니까? 그 소명을 위해 단순한 삶에 만족하며, 주님을 높이고 자신을 낮추어 사는 그리스도의 메신저가 되기를 바랍니다.

우리는 예수님 때문에 삽니다.

예수님이 우리를 구원하고

우리의 새로운 삶의 소망이 되셨다면,

우리는 예수님을 증거하기 위해 사는 것입니다.

"요한이 잡힌 후 예수께서 갈릴리에 오셔서 하나님의 복음을 전파하여 이르시되 때가 찼고 하나님의 나라가 가까이 왔으니 회개하고 복음을 믿으라 하시더라 갈릴리 해변으로 지나가시다가 시몬과 그 형제 안드레가 바다에 그물 던지는 것을 보시니 그들은 어부라 예수께서 이르시되 나를 따라오라 내가 너희로 사람을 낚는 어부가 되게 하리라 하시니 곧 그물을 버려 두고 따르니라 조금 더 가시다가 세베대의 아들 야고보와 그 형제 요한을 보시니 그들도 배에 있어 그물을 깁는데 곧 부르시니 그 아버지 세베대를 품꾼들과 함께 배에 버려 두고 예수를 따라가니라"(막 1:14-20).

2

예수께서
하시고자 하는 일

복음은 내려놓음을 통해
전파된다

변질된 메시지

청년 시절 교회에서 자주 하던 게임이 있었습니다. 열 사람이 한 줄로 앉은 후 제일 앞에 있는 사람이 귓속말로 옆 사람에게 한 문장을 전달합니다. 그 사람은 다음 사람에게 귓속말로 그 말을 전달합니다. 이런 식으로 계속 전해 주면서, 처음 말이 나중에 얼마나 변질되었는지를 확인하며 즐기는 놀이였습니다. 한번은 제가 첫 번째 자리에 앉아 말을 만들어 전달했습니다. 저는 옆 사람에게 귓속말로 "너는 썩 좋은 놈이야. 너는 썩 좋은 놈이야"라고 했습니다. 열 사람이 다 말을 전달받은 뒤 마지막 사람이 뭐라고 했는지 압니까?

"너는 속 좁은 놈이야."

'썩'이 '속'으로 변했고, '좋은'이 '좁은'으로 변했습니다.

이 게임은 본래의 메시지를 보존하는 것이 얼마나 힘든지를 보여 줍니다. 이런 사례가 기독교 기관에서 종종 발생하는데, 대표적인 경우가 미션 스쿨입니다. 한국의 연세대학교, 이화여자대학교 그리고 많은 고등학교가 처음에는 얼마나 좋은 기독교적 신념을 가지고 시작했습니까? 그런데 지금 이 학교들에서 복음의 분위기, 기독교적 정신을 읽을 수 있습니까? 기독교 정신으로 세워진 학교라는 사실 외에는 아무것도 남지 않았습니다. 그 본래의 메시지가 다 상실되고 있습니다. 저는 이런 바람직하지 못한 비극이 학교뿐 아니라 교회 안에서도 일어날 수 있다고 생각합니다.

교회가 주님이 부탁하신 그 명령을 수행하려면, 주님이 이 땅에서 하시고자 했던 일이 무엇인지 확인해 볼 필요가 있습니다.

예수께서 하신 일, 복음 전하기

이 땅에 오신 예수님께서 정말 하시고자 했던 일이 무엇일까요? 우리는 본문에서 그 대답을 확인할 수 있습니다. 30년 동안 개인적인 시간을 보내고 30세 되던 해부터 공적인 사역을 시작하면서 주님이 첫 번째로 선포하신 메시지와 행하신 일은 그분이 무엇을 위해 이 땅에 오셨는지를 명확하게 보여 줍니다. 본문에서 우리는 주님이 하신 사역의 정체성을 두 가지로 요약해 볼 수 있습니다. 첫째는 복음을 전하는 일이고, 둘째는 복음을 전하는 일꾼을 만드는 일이었습니다. 이 두 가지 일을 위하여 오셨다는 사실이 본문에 아주 분명하게 나타납니다.

첫째는, 복음을 전하는 일입니다. 본문 14절은 이렇게 시작됩니다.

"요한이 잡힌 후."

예수님을 증거하기 위해 왔던 사람이 요한이었는데, 본문은 그가 잡혀서 더 이상 활동하지 못하게 되었다고 말씀합니다. 이것은 이제 그의 사역이 종결되었다는 의미입니다. 요한은 무대에서 퇴장하고, 이와 동시에 예수님이 등장하십니다. 옛 시대가 지나가고 새로운 시대가, 구약 시대가 지나가고 신약 시대가 밝아 오는 것입니다.

드디어 예수님이 말씀을 시작하십니다.

"때가 찼다."

본문에는 때를 나타내는 매우 독특한 희랍어 '카이로스'(kairos)가 사용되었습니다. 이 단어는 그냥 흘러가는 시간을 말하는 것이 아니라 결정적인 시간을 의미합니다. 많은 경우에 '카이로스'가 영어 성경에서는 '크라이시스'(crisis, 위기)라는 단어로 번역됩니다. 위기라는 단어는 본래 하나님이 당신의 뜻을 이루기 위해 역사 속에 간섭하시는 어떤 결정적 시간을 말하는 데 쓰입니다. 그 '때'가 찼다,

곧 주님이 일하시는 때가 되었다고 말씀하신 것입니다.

그러면 주님은 무엇을 하기 위해서 오셨습니까? 본문 14절을 보십시오.

> "요한이 잡힌 후 예수께서 갈릴리에 오셔서 하나님의 복음을 전파하여"(막 1:14).

무엇을 전파하셨다고 했습니까? 복음입니다. 바로 그 일을 위해 예수께서 오셨습니다. 하나님의 복음을 전파하기 위해 오셨습니다. 복음은 신약성경이 기록되던 1세기 당시에 그다지 생소한 단어가 아니었습니다. 당시 전 세계를 통치하고 있던 로마 황제 가이사, 즉 카이사르(Caesar)는 자기가 통치하는 속국에 전령을 보냈는데, 그 전령이 가져오는 메시지를 복음이라고 했습니다. 사람들은 흥분하면서 가이사의 메시지에 귀를 기울였습니다. 그것은 좋은 말로 포장되었지만, 대부분은 식민지의 사람들을 실망시키는 내용이었습니다. 세금이 올라간다든지 부역을 해야 한다든지 하는 소식이었기에 기쁘기는커녕 슬픈 경우가 많았습니다. 그래서 당시 사람들은 복음이라는 말에 흥분하지 않았습니다.

마가복음의 기자인 마가는 예수 그리스도께서 전하신 메시지가 가이사의 것과는 다르다는 것을 차별적으로 보일 필요가 있었습니다. 그래서 14절을 보면 그냥 복음, 곧 가이사의 복음이 아닌 하나님의 복음, 하늘과 땅을 창조하고 만물을 날마다 새롭게 하시는 그 하나님의 복음을 예수 그리스도께서 선포하셨다고 했습니다. 복음의 내용은 무엇입니까? 15절을 보십시오.

> "때가 찼고 하나님의 나라가 가까이 왔으니 회개하고 복음을 믿으라"(막 1:15).

때가 찼고 하나님 나라가 가까웠다는 것이 복음입니다. 그 당시 전 세계는 로마에 속해 있었습니다. 로마는 가이사가 지배하는 가이사의 나라였습니다. 여기서도 이 세상 나라와 하나님 나라를 대조하려는 마가의 의도가 엿보입니다. 계속해서 소유격이 강조되고 있는 것에 주목하십시오. 하나님의 복음과 하나님 나라, 이것은 가이사가 통치하는 나라는 분명 아니었습니다. 가이사는 '팍스 로마나'(Pax Romana)의 기치 아래 당시 로마가 지배하고 있던 모든 세계에 평화를 약속하고 있었습니다. 그러나 사람들은 이 약속에도 불구하고 공허했으며, 계속 불안했습니다.

그러면 하나님이 통치하시는 나라가 가까웠다고 선포하는 것은 과연 무슨 의미였을까요? 예수님은 바로 하나님 나라를 가져오신 것입니다. 그분은 하나님 나라의 왕이십니다. 그분이 통치하시는 그곳이 바로 하나님 나라입니다. 예수님을 왕으로 모시는 모든 사람마다, 예수님을 왕으로 인정하고 그분의 통치를 수용하는 모든 삶의 영역마다 이제 하나님의 통치를 경험하게 될 것이라는 소식이 복음입니다. 의로운 하나님이 다스리시면 거기에 의가 있을 것입니다. 평화의 하나님이 다스리시면 거기에 진정한 평화가 있을 것입니다. 하나님이 통치하시는 나라, 그 나라가 바로 하나님 나라였습니다.

그러나 이런 복음의 선포에도 불구하고 아직도 많은 사람이 기쁜 소식을, 하나님의 통치를 경험하지 못하고 있는 이유는 무엇일까요? 하나님이 우리를 다스리신다는 것을 경험하지 못하고 있는 이유가 무엇일까요? 이유는 딱 하나입니다. 회개하지 않았기 때문입니다. 회개를 거절하고 있기 때문입니다. 하나님의 통치를 수용하고 그분의 다스림을 받으려면 회개해야 합니다. 회개란 무엇입니까? 방향을 전환하는 것입니다. 지금까지 살아왔던 인생이 좋다면 회개할 필요가 없습니다. 그냥 살면 됩니다. 무엇 때문에 하나님이 필요하고, 예수님, 성령님이 필요하겠습니까? 그러나 그렇게 살아서는 안 됩니다. 달라져야 합니다. 방향 전환을 해야 합니다.

왜 사람들이 복음을 깨닫지 못하고 하나님 나라를 경험하지 못했는지를 묻는다면 한마디로 사람들이 죄를 즐겼기 때문이라고 대답할 수 있습니다. 죄 가운데 있는 것이 좋았기 때문입니다. 죄에는 쾌락이 있습니다. 그러나 죄악이 주는 쾌락에도 불구하고 성경은 이렇게 말씀합니다.

"죄의 삯은 사망이요"(롬 6:23).

죄의 대가는 사망이요, 파멸입니다. 하나님의 진노입니다. 예수님께서 이 세상에 하나님 나라를 가지고 오셨다는 것은 이런 의미에서 복음입니다. 그러므로 죄로 어두워진 이 세상이 끊임없이 들어야 할 메시지가 있다면 그것은 '죄의 삯은 사망'이라는 것입니다.

사람들은 죄를 즐기며 그것을 행복이라 착각하고 있습니다. 그러나 그대로 가면 파멸과 멸망뿐입니다. 죄의 삯은 사망입니다. 하나님의 진노가 기다리니 돌이키십시오. 그리고 예수님을 왕으로 영접하십시오. 예수님을 메시아로, 구원의 주님으로 영접하십시오. 그러면 하나님이 우리를 다스려 주실 것입니다. 하나님이 우리를 통치하실 것입니다. 하나님의 의와 평화와 거룩이 임할 것입니다. 참으로 예수님의 통치를 받으면 우리의 죄가 용서됩니다. 그리고 하나님의 영원한 생명을 경험하게 될 것입니다.

하나님 나라가 가까웠습니다. 예수님은 바로 이 복음을 전하기 위해 오셨습니다. 이 땅의 교회가 주님의 교회가 되려면 그 본래의 복음을 전해야 합니다. 우리는 끝까지 복음을 전해야 합니다. 변질되지 않는 이 복음을 전해야 합니다.

예수가 왕이며 구주이십니다. 그분이 하나님이십니다. 그분의 통치함으로 우리가 죄 사함을 받고 새로운 삶을 살 수 있다는 사실을 믿으십시오.

세상을 변화시킬 사람 만들기

둘째로, 예수님이 와서 하고자 하셨던 것은 복음 전할 사람을 만드는 일이었습니다. 예수님은 복음을 전하는 데서 멈추지 않고 복음을 계속해서 전할 사람을 세우기 원하셨습니다. 그래야만 복음이 그들을 통해서 오는 세대에 계속 전해질 수 있기 때문입니다. 땅끝까지 그리고 주님이 다시 오시는 날까지 말입니다. 그래서 주님은 제자를 부르십니다.

> "갈릴리 해변으로 지나가시다가 시몬과 그 형제 안드레가 바다에 그물 던지는 것을 보시니 그들은 어부라"(막 1:16).

마가복음만 읽으면 여기서 시몬과 안드레가 예수님을 처음 만나는 것처럼 보일 수 있습니다. 그러나 요한복음 1장을 살펴보면, 시몬과 안드레는 벌써 예수님을 만났습니다. 시몬과 안드레는 형제인데, 안드레가 예수님을 먼저 만났습니다. 안드레가 예수님을 만나고는 너무 좋아서 자기 형제에게 예수님을 소개하고 싶어졌습니다. 그래서 시몬 베드로를 데리고 예수님께로 왔습니다. 그러고 나서 한 1년쯤 지났습니다. 이미 두 제자는 예수님을 알았고, 예수님도 이 두 제자를 알고 계셨습니다. 그럼에도 불구하고 그들의 삶에는 아직 어떤 변화도 나타나지 않았습니다.

예수님은 이 두 사람을 생각하고 계셨습니다. 그리고 이들을 통해서 복음을 전해야겠다고 생각하셨습니다. 그들은 아직도 고기 잡는 생업을 계속하고 있었습니다. 그때 예수님은 고기를 잡고 있는 그들 곁에 다가가 이렇게 말씀하십니다.

"나를 따라오너라. 내가 너희로 사람을 낚는 어부가 되게 하겠다."

굉장한 충격이었을 것입니다. 우리는 이 말씀을 잘 아니까 대수롭지 않게 생각할지 모릅니다. 하지만 베드로와 안드레는 이 말을 처음 듣고 얼마나 충격을 받았겠습니까? 사람을 낚다니 말입니다. 고기 잡는 것도 필요한 일이고 좋은 직업이지만, 그들은 그보다 더 높은 부르심을 받고 있었습니다. "하나님 없이 살고 있는 사람들을 낚는 일, 그들을 만나 복음을 전해 주고 하나님의 사람으로 변화시키는 일, 그래서 마침내 세상을 변화시키는 일에 너희들을 쓰고자 한다. 이 일을 위해서 나를 따라오너라"라고 예수님은 말씀하셨습니다.

그분을 따라가기 위해 그들은 지금까지 하던 일에서 손을 떼야만 했습니다. 굉장한 변화였습니다. 어부에게는 밥줄과도 같은 그물을 버렸습니다. 포기한 것입니다. 또 배를 버려두고 떠났습니다. 여기서 오해하지 말아야 할 것은, 예수님을 따라가기 위해 무조건 다 포기해야 되는 것은 아닙니다. 만약 배가 복음을 전하는 데 유익했으면 예수님은 그 배를 가지고 따라오라고 하셨을 것입니다. 그러나 그것이 예수님을 따라가는 일에 방해가 된다면 그들은 이 모든 것으로부터 손을 놓아야만 했습니다. 마가는 제자들이 주님의 부르심을 처음 받는 장면을 인상적으로 그리고 있습니다.

"곧 그물을 버려두고 따르니라"(막 1:18).

맨 처음 강조된 단어가 무엇입니까? '곧', '즉시로'입니다. 이것은 마가복음에서 많이 사용되는 단어 중 하나입니다. "나를 따라오라 내가 너희로 사람을 낚는 어부가 되게 하리라"라는 예수님의 말씀에 제자들이 어떻게 반응했습니까? "선생님, 사흘만 시간을 주십시오. 그러면 생각해 보겠습니다"라고 하지 않았습니다. 만약 이 제자들이 오늘날의 교인들과 비슷했다면 예수님의 부르심에 어떻게 응답했을까요? 교회에 나오면 손해일까, 이익일까를 따지며 계산해 보았을 것입니다.

'교회에 나갈 뿐 아니라 정말 깊이 헌신하는 하나님의 사람이 된다면 나에게 얼마만큼의 유익이 있을까?'

실리적인 계산 속에 사는 현대인들이 주님의 부르심 앞에 서게 된다면 선뜻 따라나설 이가 과연 얼마나 될까요?

그러나 저는 예수님이 처음부터 제자들의 성품을 잘 알고 뽑으셨다고 생각합니다. 계산할 줄 모르는 사람, 단순하나 열정적인 사람 그리고 무엇인가 정말 보람 있고 소중한 일을 위해 인생을 헌신하고 던지고 싶어 하는 사람, 저는 이런 사람들이야말로 예수 그리스도의 제자가 되기에 적합하다고 생각합니다. 그들은 그물을 버려두고, 더러는 배를 포기하고, 더러는 사랑하는 식구들과 잠시 이별하고는 그리스도를 따라가기 시작했습니다. 왜입니까? 더 높은 소명을 위해서입니다. 이 세상을 변화시키기 위해서입니다. 그리고 이 세상에 살고 있는 사람들을 변화시키기 위해서입니다.

하나님 없이 살고 있는 사람들을 하나님의 사람으로 변화시키기 위해 주님은 "내가 너희로 사람을 낚는 어부가 되게 하리라"라고 말씀하십니다. 예수님을 얼마나 제대로 따라왔는지 테스트할 수 있는 방법은, 우리가 과연 사람을 낚아 왔는지를 돌아보는 것입니다. 당신은 사람을 섬기고 변화시키는 일을 해 왔습니까? 복음을 전하며 그들의 영혼을 섬기고 있습니까? 그러면 예수님을 제대로 따라가고 있는 것입니다. 주님이 하시고자 한 일, 그것은 복음을 전하고 이 소중한 복음으로 세상을 변화시킬 사람을 만드는 것이었습니다.

진정한 헌신

오래전, 아주 특별한 일을 경험한 적이 있습니다. 제가 교회를 개척하고 목회를 시작한 이후 두 번째로 경험하는 일이었습니다. 교회 건물을 짓기로 결정할 때, 고통스러웠지만 깊은 기도 가운데 하나님의 만지심과 임재를 체험했던 순간이 있었습니다. 그 간증을 어느 주일 아침 설교 대신 성도들과 나눈 기억이 있습니다. 저는 그것이 마지막 간증이 될 거라고 생각했습니다. 그런데 그 이후 사흘 동안에 다시 특별한 일이 저에게 일어났습니다.

저는 늦게 자는 편입니다. 11시나 12시를 자주 넘기곤 합니다.

그 사흘 동안에도 거의 12시가 다 되어서 잠자리에 들었습니다. 그런데 주님은 사흘 동안 저를 어김없이 새벽 2시 반에 깨워 주셨습니다. 일어나 보니 고열이 나는 것이었습니다. 그때 제 아내가 몸살을 앓았기 때문에 저에게 전염된 것으로 생각했습니다. 그래서 일어나 약을 먹고 다시 잠을 청했습니다. 하지만 잠이 오지 않았습니다. 이상하게도 열은 나는데 머릿속은 깨끗하고, 그러면서 가슴은 무거웠습니다. 뒤척거리다가 다시 일어났습니다. '아, 하나님께서 나에게 말씀하고자 하시는 것이 있구나' 하는 생각이 순간적으로 스치고 지나갔습니다. 저는 거실로 나가 무릎을 꿇고 기도하기 시작했습니다.

그때 갑자기 며칠 전 우리 교회 스태프들과 나누었던 한 이야기가 강렬하게 되살아나기 시작했습니다. 월요일과 화요일 이틀 동안 스태프 수련회를 가졌는데, 이틀간 종일 교회 일을 토의하고 연말까지의 계획도 세우며 시간을 보내다가 화요일 저녁 7시쯤 모임을 마쳤습니다. 모임이 거의 마무리될 무렵 우리는 입당을 하면서 가졌던 선교 축제에 대한 평가를 하고 있었는데, 한 스태프가 저에게 이런 이야기를 했습니다.

"목사님, 우리 교회는 선교와 전도를 위해 헌신한 교회죠? 그런데 이번 선교 축제가 이상했다고 생각하지 않으세요? 물론 이사 오는 도중 교인들이 너무 지치고 힘들었다는 사실을 잘 이해합니다. 비가 와서 교통이 불편했다는 것도 이해합니다. 그러나 그 기본적인 창립 이념과 비전을 이루기 위한 선교와 전도 모임에 교인들이 얼마나 감격스러워하며 참여했다고 생각하십니까? 목사님, 혹시 말입니다. 우리 교회가 지난 4년 반 동안 사람을 많이 모으는 일에는 성공했을지 모르지만, 예수 그리스도의 복음을 위해 목숨을 거는 제자들을 만들지 못한 것은 아닙니까?"

그 이야기는 제 기분을 상하게 했습니다. 유쾌하지 않았습니다. 그런 상태로 그 회의를 끝냈습니다. 그런데 그다음 날인 수요일 새벽 2시 반에 잠에서 깨었을 때 그 이야기가 생각났습니다.

'우리 교회 안에 예수 그리스도를 위해, 복음을 위해 목숨을 걸 수 있는 교인이 얼마나 될까? 복음만이 유일한 소망이며 인생을 바꾸어 준 가장 위대한 사건이었다고 고백한다면, 그 복음을 위해 목숨을 던질 수 있는 교인들이 얼마나 될까?'

저는 그 새벽에 하나님께 말씀드렸습니다.

"하나님, 그 형제의 말이 맞는 것 같습니다. 우리 교회에 구경꾼과 관객은 많지만, 진정으로 그리스도께 헌신한 사람은 적을지도 모릅니다. 하나님, 어떻게 할까요?"

저는 계속 질문했습니다. 그날 새벽 내내 "어떻게 할까요?"라는 질문만 계속 던졌습니다. 그러는 동안 하루 종일 고열 증세가 계속되었습니다. 그럼에도 저는 하나님의 음성을 듣고자 애썼습니다. 제 태도가 하도 이상하니까 아내는 무슨 생각을 하느냐고 물었습니다. 저는 "하나님이 나에게 하실 말씀이 있는 것 같으니까 나 좀 가만 놔 둬요"라고 했습니다. 그런 상태로 꼬박 하루를 보내고 나서 잠을 청했습니다.

그러나 그 이튿날 역시 두 시간도 채 자지 못하고 2시 반쯤 되어서 눈이 떠졌습니다. 저는 다시 엎드려 기도했습니다. 그때 서서히 가슴속에서 들려오는 듯한 메시지가 있었습니다. "본격적으로 제자를 만들어라. 본격적으로 나의 제자들을 만들어라"라는 것이었습니다.

"하나님, 제가 제자 훈련한다고 성경 공부 프로그램도 만들면서 노력했는데, 그것 가지고는 안 되겠습니까?"

"부족하다. 정말 헌신된 제자를 만들어라. 정말 헌신된 제자를 만들어라."

"어떻게 할까요? 어떻게 해야 할까요?"

그러자 하나님은 제 마음속에 더 많은 생각을 주셨고, 금요일 새벽쯤 되어서 생각들이 정리되기 시작했습니다. 이윽고 마음이 뚫린 것 같으면서 평안이 밀려오기 시작했습니다.

평신도 리더십을 위한 제자 훈련

그 기도 속에서 하나님이 주셨던 정리된 생각을 저는 이렇게 실천했습니다. 먼저는, 교회의 스태프들과 목사님들, 전도사님들부터 철저한 제자 훈련에 돌입했습니다. 단순히 이론적인 것이 아니라, 정말 그리스도 앞에 자신을 드리기 위한 훈련을 시작했습니다. 그리고 얼마 안 있어 교회 평신도 리더십을 키우기 위한 제자 훈련을 시작했습니다. 목자 훈련과 자매 지도자들의 공부 모임을 수요일 아침마다 가졌는데, 이 모임은 단순한 강의 차원에서 벗어나 급진적인 변화를 추구하는, 정말 각자가 그리스도의 제자로서 삶을 드릴 수 있도록 훈련하는 모임이 되었습니다.

문제는 남자들이었습니다. 제자 훈련을 할 때 늘 마음에 걸리는 것은 누구와 더불어 시작하느냐는 것입니다. 소수의 사람을 뽑으면 편애라고 말할지도 모르기에 저는 교회에서 진행하는 몇 개의 성경 공부 과정을 이수한 분들을 우선적인 대상으로 삼았습니다. 무엇을 배웠느냐를 떠나서 말씀을 배우는 일에 자신들의 귀한 시간을 바쳤다는 것은 그들의 말씀에 대한 갈증을 잘 나타내 준다고 생각했기 때문입니다.

이렇게 해서 저는 처음으로 평신도 리더십을 세우게 되었습니다. 이전에는 평신도 리더십을 세우지 못했습니다. 안수 집사님도, 장로님도 세우지 못했는데, 그 이유는 모두의 본이 되는 사람이 나타나기를 기다려야 했고, 또 그분들을 구분하기가 어려웠기 때문입니다. 그러나 저는 제자 훈련을 통해 예수 그리스도의 복음이 자기 생애의 최우선 순위인 사람들 그리고 복음을 전하는 일과 복음을 전할 제자를 만드는 일을 삶의 최우선 과업으로 삼고 있는 사람들과 함께 새롭게 평신도 리더십을 만들어 가기 시작했습니다.

저는 예수 그리스도의 복음 앞에 자신의 생애를 걸 수 있는 사람들만이 교회의 지도자로 세워져야 마땅하다고 생각합니다. 교회의 모든 봉사자의 직분은 예수 그리스도를 자기 생애의 가장 중요한 우선순위로 삼고 있는 사람들이 차지해야 마땅하다고 생각합니다.

선교도 마찬가지입니다. 남·여선교회는 문자 그대로 선교와 전도를 위해 조직된 것이므로 당연히 선교와 전도에 헌신하는 것이 우선이라고 생각합니다. 하지만 간혹 각자의 자리에서 봉사하다가 그것을 사역의 전부로 생각하는 성도가 있지 않을까 하는 우려가 있습니다. 봉사의 일보다 훨씬 더 중요한 일은, 선교를 위해서 기도하는 것 그리고 실제로 잃어버린 영혼들에게 관심을 갖고 복음을 들고 나아가는 것입니다. 그렇게 기도하며 나아가는 사람이 없다면, 이것은 근본적으로 잘못된 것입니다.

그래서 저는 교회의 모든 평신도 리더십에게 둘 중 하나를 선택하게 했습니다. 우선은, 교사를 해야 한다는 것이었습니다. 교회학교 교사를 하면서 실제로 어린 영혼들을 붙들고 그들에게 복음을 이해시키고 그들을 하나님의 사람으로 만들기 위해 씨름하게 했습니다. 아니면 마을 목자로 수고하게 했습니다. 자신이 살고 있는 마을에서 주변의 사랑하는 이웃들과 더불어 말씀으로 씨름하는 일, 그들의 영혼을 가슴에 품고 복음을 전하는 일, 또는 직장에서 성경 공부 모임을 만들고 복음을 전하는 일을 구체적으로 하게 했습니다.

이를 위해 평신도 선교대학을 만들어 이런 일을 하고자 하는 사람들을 집중적으로 지원하고 양육했습니다. 그래서 사람들과 단순히 모여 앉아 시간을 보내는 사람이 아니라, 어딘가에서 잃어버린 영혼들을 위해 수고하고, 정말 예수 그리스도의 복음에 자기의 삶을 거는 사람들을 만들어 내기를 원했습니다. 이렇게 복음을 받아들이고 복음 안에서 일생이 변화되기 위해 노력하는 사람들과 더불어 교회를 만들어 가고자 했습니다.

성가대는 어떻게 할까 생각했습니다. 목회를 시작한 이래로 제 마음속에는 성가대가 언제나 커다란 숙제였습니다. 저는 성가대원 가운데 하나님을 향한 사랑과 예수 그리스도에 대한 애정을 가지고 정말 헌신적으로 찬양하는 사람이 많다는 사실을 알고 있습니다. 그런 반면에, 노래를 위해 노래를 부르는 사람이 있습니다. 이것은 사역이 아니라고 생각합니다. 언젠가 미국에서 이런 교회를 보았습니다. 목사님이 설교를 마친 후에 구원 초청을 합니다. 예수 믿을 사람 그리고 헌신할 사람을 초청하면, 앞에 나온 사람들을 위해 뒤에 있던 성가대원들이 한 사람씩 붙들고 기도해 주는 것이었습니다. 그리고 복음을 알기 원하는 사람들에게 하나님의 말씀을 펼쳐 들고 예수 그리스도를 소개하는 모습을 보았습니다. 저는 성가대원들이 이 일을 해야 한다고 생각했습니다.

이에 저는 성가대원들에게 맡은 부서에서 2부 성가대를 하고, 시간이 허락되면 또 다른 부서에 가서 교회학교 교사를 하라고 도전했습니다. 그것이 불가능하다면 주간에 마을 목자를 하라고 했습니다. 마을 목자를 시켜 주는 사람이 없거든 주변 사람들을 전도해서 영혼을 끌어안고 그들에게 복음을 전하는 일을 시작하라고 했습니다. 만약 성가대원들이 이렇게 영혼에 대해 진정한 애정을 갖고 복음을 위한 찬미를 부른다면 성가대가 존재해야 할 충분한 가치가 있다고 믿으며, 이 일에 함께 헌신하기를 원한다고 말했습니다. 그러면서 이런 성가대가 있다면 우리 교회는 마음을 다해 그 사역을 지원할 것이라고 했습니다. 그러나 이 방향으로 나아가지 않는다면 저는 성가대가 존재할 이유가 없다고 생각한다고 말했습니다.

이를 위한 헌신은 누구보다도 목회자에서부터 시작되어야 한다는 사실을 잘 알고 있었기에 저는 다시 한번 남은 인생을 오직 두 가지 목표만을 위해 바치겠노라 다짐했습니다. 첫째는, 복음을 전하는 일입니다. 주님이 본래 전하셨던 그 복음을 타협 없이 전하는 것입니다. 둘째는, 복음을 전하는 사람들, 제자들을 만들어 가는 일입니다. 이것이 예수님이 이 땅에 와서 하고자 하셨던 일이라 믿습니다. 저는 그것이야말로 우리 교회가 존재하는 목적이라고 굳게 믿었고, 그 밖의 다른 것을 위해서는 살아야 할 이유가 없다고 생각했습니다. 그래서 이것을 교회가 앞으로 나아갈 중요한 방향으로 삼았습니다. 이처럼 예수님이 하고자 하셨던 일, 그 일에 마음을 다하여 헌신하는 그리스도인이 되기를 바랍니다.

하나님 나라가 가까웠습니다.
예수님은 바로 이 복음을 전하기 위해 오셨습니다.
이 땅의 교회가 주님의 교회가 되려면
그 본래의 복음을 전해야 합니다.
변질되지 않는 이 복음을 전해야 합니다.

"그들이 가버나움에 들어가니라 예수께서 곧 안식일에 회당에 들어가 가르치시매 뭇사람이 그의 교훈에 놀라니 이는 그가 가르치시는 것이 권위 있는 자와 같고 서기관들과 같지 아니함일러라 마침 그들의 회당에 더러운 귀신 들린 사람이 있어 소리 질러 이르되 나사렛 예수여 우리가 당신과 무슨 상관이 있나이까 우리를 멸하러 왔나이까 나는 당신이 누구인 줄 아노니 하나님의 거룩한 자니이다 예수께서 꾸짖어 이르시되 잠잠하고 그 사람에게서 나오라 하시니 더러운 귀신이 그 사람에게 경련을 일으키고 큰 소리를 지르며 나오는지라 다 놀라 서로 물어 이르되 이는 어찜이냐 권위 있는 새 교훈이로다 더러운 귀신들에게 명한즉 순종하는도다 하더라 예수의 소문이 곧 온 갈릴리 사방에 퍼지더라"(막 1:21-28).

3

귀신이
무서워하는 것들

주님만이
이 세대를 이겨 낼 힘이시다

귀신은 존재하는가

우리가 어렸을 때 제일 무서워한 것은 귀신 이야기입니다. 어렸을 때는 왜 그리도 귀신 이야기가 많았는지 모르겠습니다. 옛날에는 화장실도 밖에 있어서 귀신 생각 때문에 화장실에 가는 것이 참 힘들었습니다. 그러나 어른이 되어서는 많은 사람이 더 이상 귀신을 두려워하지 않습니다. 과학의 혜택과 이성의 교육을 받았기 때문입니다. 그러나 정말 두려워해야 할 것은 사람들이 더 이상 귀신을 믿지 않게 되었다는 사실입니다. 왜냐하면 성경은 귀신의 존재를 가르치고 있을 뿐 아니라 그들의 맹렬한 활동을 계속해서 증언하고 있기 때문입니다.

영국의 옥스퍼드와 케임브리지대학교에서 오랫동안 가르쳤고 이 시대 최고의 그리스도인 지성인이라 일컬어지며 기독교 변증 신앙서를 출간한 C. S. 루이스(Clive Staples Lewis) 교수는 현대인들이 귀신에 대해 두 가지 극단적 편견을 가지고 있다고 말한 바 있습니다. 첫째는 귀신을 지나치게 믿는 것이고, 둘째는 아예 안 믿는 것입니다. 루이스는, 귀신을 지나치게 믿게 되면 그 두려움을 통해서 귀신이 지배하기에 아주 좋은 사람이 된다고 지적합니다. 반대로 귀신을 안 믿는 사람은 그야말로 귀신이 공략하기에 아주 좋은 대상이 된다고 지적합니다. 간첩이 없다고 믿는 나라야말로 간첩들이 활동하기에 제일 좋은 나라가 아니겠습니까? 귀신이 없다고 믿는 사람들은 귀신이 그들의 사고와 생각의 영역을 마음대로 조종할 수 있으니 귀신의 1차 공격 목표가 될 것입니다.

성경은 오늘 이 땅에서 벌어지고 있는 온갖 악한 일들의 배후에 악한 영들이 존재한다고 가르칩니다. 이 땅에서 일어나는 온갖 더러운 일들, 보기에도 흉하고 구토하게 만드는 사건들의 배후에는 소위 '더러운 영'(unclean spirit)이 존재한다고 성경은 말씀합니다. 이러한 영들을 총체적으로 가리켜서 '귀신'(demon)이라 합니다. 그리고 그 두목은 마귀인데, 마귀는 성경에서 항상 단수로 조명됩니다. 이런 귀신들과의 싸움, 마귀와의 싸움에서 승리하기 위해 제일 중요한 것은 귀신도 무서워하는 것이 있다는 사실을 아는 것입니다. 사람들이 귀신을 무서워하는 것처럼 귀신도 무서워하는 것이 있습니다.

오래전, 미국 LA에 갔을 때 그곳에 사는 교포 한 명이 정말 재미있는 이야기를 해 주었습니다. LA의 한국 교민들은 총기 사고가 많이 일어나는 까닭에 흑인들을 가장 무서워한다고 합니다. 그런데 흑인들이 제일 무서워하는 대상이 누구인지 압니까? 바로 히스패닉 계통의 멕시칸들입니다. 그런데 그 멕시칸들은 베트남 사람들을 제일 무서워하고, 마지막으로 베트남 사람들은 한국 사람들을 제일 무서워한다고 합니다. 베트남 전쟁에 참여했던 한국 군인들이 하도 무자비하게 그들을 괴롭혀서 한국 사람들을 제일 무서워한다는 것입니다.

귀신이 두려워하는 예수님

누구나 무서워하는 대상이 있듯이 귀신들도 무서워하는 대상이 있다고 성경은 가르칩니다. 본문은 예수님이 공생애를 시작하시던 초창기의 어느 안식일에 가버나움 지역의 한 회당에서 귀신 들린 사람을 만나는 장면입니다. 예수님과 귀신이 만나는 장면에서 우리는 귀신들이 무서워하는 대상들을 발견하게 됩니다. 그것이 무엇입니까? 첫째는, 예수님입니다. 귀신이 가장 무서워하는 분은 예수님입니다.

"나사렛 예수여 우리가 당신과 무슨 상관이 있나이까 우리를 멸하러 왔나이까 나는 당신이 누구인 줄 아노니 하나님의 거룩한 자니이다"(막 1:24).

그 앞 절을 보십시오. 귀신들이 소리칩니다.

"마침 그들의 회당에 더러운 귀신 들린 사람이 있어 소리 질러 이르되"(막 1:23).

여기서 우리는 귀신이 예수 그리스도에 대해 두 가지 사실을 알고 있는 것을 보게 됩니다. 첫째, 귀신은 예수님이 '하나님의 거룩한 자'라는 사실을 알고 있었습니다. '하나님의 거룩한 자'라는 표현은, 구약에서는 거의 예외 없이 메시아를 가리킬 때 쓰인 말입니다. 그러므로 이 말은 '당신은 하나님의 아들, 혹은 하나님의 거룩하신 아들, 보냄을 받은 메시아'라는 고백입니다. 즉 예수님이 기름 부음을 받고 이 땅의 사람들을 구원하기 위해 오신 약속된 메시아요, 구세주라는 고백입니다. 그것을 귀신들은 알고 있었습니다.

현대의 극단적 이성주의의 편견에 노예가 된 일부 자유주의 신학자들 중에는, 신학을 연구하면서도 예수님이 구세주라는 사실을 믿지 못하는 사람들이 있습니다. 귀신들이 자유주의 신학자들보다 훨씬 낫다는 것입니다. 신학적 견해에 관한 한 귀신들은 정통 신학자라고 할 수 있습니다. 예수는 구주요, 그리스도라는 사실을 분명히 알고 있었습니다.

이뿐 아니라 한 걸음 더 나아가, 자신들이 예수님에 의해서 멸망 당하리라는 사실도 알고 있었습니다. 예수님이 심판자이시고, 그분에 의해 자신들이 심판을 받아 멸망한다는 사실까지도 알고 있었습니다. 예수님은 구세주일 뿐만 아니라 심판의 주님이라는 사실을 정확하게 알고 있었던 것입니다. 귀신이 정말 귀신같이 알았습니다. 예전에 주일학교 어떤 반에서 선생님이 아이들을 모아 놓고 하나님에 대해 가르치면서 이렇게 말했다고 합니다.

"여러분, 하나님은 전지(全知)하세요. 하나님은 모든 것을 아세요. 하나님 앞에서는 아무것도 속일 수가 없어요. 여러분이 아주 구석에서 무엇을 해도 하나님은 다 아세요."

그러자 어떤 꼬마가 이렇게 말했다고 합니다.

"그러면 하나님이 귀신같이 맞히시는 거네요."

물론 귀신의 지식은 제한되어 있습니다. 귀신은 하나님처럼 전지하지 않습니다. 그럼에도 불구하고 귀신의 영적 지식은 인간의 지식을 능가합니다. 이 땅에 살고 있는 많은 사람은 예수님이 구세주요, 심판의 주님이라는 사실을 모르지만, 귀신들은 그것을 알고 두려워하고 있습니다. 정한 날에 예수님에 의해 멸망당할 운명이라는 것을 알고 있었기 때문입니다.

"하나님의 아들이 나타나신 것은 마귀의 일을 멸하려 하심이라"
(요일 3:8).

이 말씀처럼 예수님이 오신 것은 그들을 멸망시키기 위해서입니다. 예수님이 재림하시는 날은 마귀가 파멸하는 날이 될 것입니다. 그분은 심판의 주님이시기 때문입니다. 귀신들은 이 사실을 분명히 알았습니다. 그러기에 우리가 귀신의 세력을 이기고 그 공격에서 스스로를 보호할 수 있는 가장 중요한 비밀은, 예수님이 구세주요, 심판의 주님이라는 사실을 확신하는 것입니다.

귀신은 사람들이 이 사실을 알지 못하도록 공작을 꾸밉니다. 다른 것은 알아도 괜찮지만 이 사실을 아는 것은 사람들의 구원 문제와 직결되기 때문에 이것만은 막으려는 악령들의 집요한 공격이 지금도 계속되고 있습니다. 사람들로 하여금 예수님이 구세주라는 메시지를 믿지 못하도록 사탄과 악령들이 활동하고 있는 것입니다.

예수님은 구세주일 뿐만 아니라 역사의 마지막 승리자이십니다. 우리가 이것만 확신한다면, 잠시 고생하거나 어려움을 당해도 우리가 믿고 있는 예수님, 우리가 영접한 예수님이 우리 인생의 마지막 승리를 가져다줄 분이심을 확신하기에 다시 일어날 수 있을 것입니다.

"세상에서는 너희가 환난을 당하나 담대하라 내가 세상을 이기었노라"(요 16:33).

그분은 승리자이십니다. 우리는 승리자를 소유하고 있습니다.

그러기에 우리도 승리할 것입니다.

요한복음 17장 3절에 나오는 영생에 대한 예수님의 정의를 들어 보았을 것입니다. 영생이란 무엇입니까? 영생은 하나님과 하나님이 보내신 자, 예수 그리스도를 아는 것입니다. 예수 그리스도를 제대로 아는 것이 승리의 출발입니다. 사탄과 악령은 우리가 그것을 알지 못하도록 방해하고 있습니다. 그들이 제일 두려워하는 것은 우리가 예수님을 아는 것입니다. 그들은 나사렛 예수의 이름 앞에 벌벌 떨고 있습니다. 귀신들이 가장 무서워하는 존재인 예수의 이름을 아는 자에게 승리가 있을 것입니다.

귀신이 두려워하는 예수 그리스도의 말씀

귀신이 무서워하는 것은 둘째로, 예수 그리스도의 말씀입니다. 예수님은 어떻게 귀신 들린 사람을 해방시키셨습니까?

> "예수께서 꾸짖어 이르시되 잠잠하고 그 사람에게서 나오라 하시니"(막 1:25).

저는 귀신을 추방하는 기도 모임에 몇 번 가 볼 기회가 있었습니다. 귀신을 쫓아내는 사람들은 대개 "귀신아, 나오너라" 하고 악을 썼습니다. 그러자 어떤 귀신이 "안 나가!" 하고 소리를 치는 것이 아닙니까? 제 생각에 예수님은 아마도 소리치며 축사하지는 않으셨을 것 같습니다. "잠잠하고 나오라" 그러면 그냥 나갔을 것 같습니다. 귀신 들린 자가 어떻게 반응했는지 보십시오.

> "더러운 귀신이 그 사람에게 경련을 일으키고 큰 소리를 지르며 나오는지라"(막 1:26).

무엇이 그 사람을 해방시켰습니까? 바로 예수님의 말씀입니다. 이 말씀이 얼마나 위대합니까! 하나님은 바로 이 말씀으로 세상을 창조하셨습니다. "빛이 있으라"(창 1:3) 하시니 빛이 생겼습니다. 말씀이 창조의 능력이었습니다. 당신은 말씀으로 우주를 창조하신 그 하나님을 믿습니까? 하나님은 말씀으로 온 우주를 창조하셨을 뿐만 아니라 말씀으로 만물을 붙들고, 다스리고, 또 만물을 섭리하고 계십니다. 뿐만 아니라 하나님은 이 말씀으로 사람들을 구원하십니다. 하나님을 떠나 있던 인생들이 하나님의 말씀을 들을 때 소스라치게 놀라며 주 앞으로 달려옵니다. 예수님을 믿는 순간 죽은 영혼이 살아납니다. 말씀은 우리를 구원합니다. 그리고 이 말씀으로 하나님은 세상을 심판하실 것입니다. 하나님의 말씀에는 어마어마한 힘과 권세가 있습니다. 귀신들은 이것을 알기에 주님이 말씀하실 때 두려워했던 것입니다.

> "다 놀라 서로 물어 이르되 이는 어쩜이냐 권위 있는 새 교훈이로

다 더러운 귀신들에게 명한즉 순종하는도다 하더라"(막 1:27).

주님의 말씀은 단순한 설법이나 전통 종교들에서 이루어지는 교양 강좌 같은 것이 아니었습니다. 그 말씀은 사람들을 살렸고, 어둠의 영에 갇힌 사람들을 해방시켰습니다. 그 말씀은 권세요, 능력이요, 힘이었습니다. 놀란 사람들은 "이게 어찌 된 일인가! 참으로 권위 있는 새로운 교훈이다. 랍비들의 가르침과는 다르다! 저분의 말씀 안에는 힘이 있다!"라고 이야기하기 시작했습니다.

흔히 귀신을 쫓아내는 모임에 가 보면 찬송을 많이 부릅니다. 실제로 찬송을 부르면 귀신이 떱니다. 찬송에는 권능이 있기 때문입니다. 그런데 찬송의 어디에 권능이 있는 것일까요? 찬송의 멜로디에 권능이 있을까요? 아닙니다. 찬송에 권능이 있는 이유는 그 찬송이 메시지, 곧 하나님의 말씀을 담고 있기 때문입니다. 귀신들은 그 말씀을 두려워하는 것입니다. 성가대가 찬송할 때 그저 노래 부르듯이 하면 아무런 감동이나 힘이 없습니다. 찬송가 가사에 있는 하나님의 말씀을 믿고 부르기 시작하면 그때 그 찬양은 영혼들을 해방시키고 구원할 것입니다. 그 능력을 믿고 불러야 합니다. 찬송은 하나님의 말씀, 메시지를 가지고 있기 때문에 권능이 있습니다.

"너는 안 믿잖아!"

전도사 시절, 시골 교회에서 귀신 들린 한 사람을 데려다 놓고 축사를 시도한 적이 있었습니다. 그 사람을 앉혀 놓고 죽 둘러앉아서 찬송을 부르며 기도했는데, 그래도 안 나가는 것이었습니다. 그래서 성경을 계속 읽었습니다. 돌아가면서 성경을 읽는데, 시원찮게 믿고 있던 한 사람의 차례가 되자 조용하던 귀신이 갑자기 눈을 치뜨더니 "너는 안 믿잖아!" 하는 것입니다. 그 말에 이 사람이 큰 충격을 받았습니다. 이 사람은 "오, 주님, 용서해 주십시오" 하면서 엎드려 통회하며 회개했습니다. 귀신 때문에 부흥이 일어난 것입니다.

똑같은 설교를 들어도 어떤 사람은 인생이 변하고 달라지는데, 어떤 사람은 변화가 없는 이유는 무엇입니까? 믿지 않기 때문입니다. 말씀을 믿지 않는 사람에게는 설교 말씀이 능력을 발휘하지 못하고 아무 소용이 없는 것입니다. 히브리서 4장 2절을 보십시오. 왜 똑같은 설교 말씀을 듣는데 어떤 사람에게는 그 말씀이 축복과 유익이 되고, 어떤 사람에게는 그렇지 못한가에 대한 정확한 이유가 제시되어 있습니다.

> "그들과 같이 우리도 복음 전함을 받은 자이나 들은바 그 말씀이 그들에게 유익하지 못한 것은 듣는 자가 믿음과 결부시키지 아니함이라."

똑같이 복음 전함을 받았지만 들은 말씀이 어떤 사람에게는 유익이 되지 못한 것은 듣는 자가 믿음으로 말씀을 받지 않았기 때문이라고 합니다. 우주를 창조한 말씀, 사람들을 변화시키는 말씀, 거룩한 말씀을 신뢰하고 그것을 받을 때 이 말씀에서 능력이 나가는 것입니다. 이 말씀이 우리를 뒤집어 놓을 것입니다. 이 말씀이 우리를 새롭게 할 것입니다. 믿을 때 말씀은 능력이 됩니다.

예수님의 제자들이 귀신을 쫓아내지 못하고 쩔쩔매던 때가 있었습니다. 예수님께 와서 "선생님, 왜 우리는 쫓아내지 못했습니까? 우리도 귀신을 쫓아내고 사람을 변화시킬 수 있을까요? 과연 그런 일이 가능할까요?" 하고 물었습니다. 그들은 회의주의자가 되어 가고 있었습니다. 그때 주님이 던지신 놀라운 말씀을 기억하십시오.

"할 수 있거든이 무슨 말이냐 믿는 자에게는 능히 하지 못할 일이 없느니라"(막 9:23).

믿을 때 이 말씀이 능력으로 나타납니다. 믿을 때 이 말씀이 우리의 삶을 새롭게 할 것입니다. 귀신이 두려워하는 것은 바로 그리스도의 말씀이라는 사실을 기억하십시오.

귀신은 예수님과 관계 맺음을 두려워한다

셋째로, 귀신이 두려워하는 것은 예수님과 개인적으로 관계 맺는 것입니다. 귀신의 평생 소원은 예수님처럼 되는 것입니다. 하나님의 아들인 예수님처럼 자기도 대접받기를 원합니다. 자기도 예수님처럼 기적을 행했으면 해서 자꾸만 예수님 흉내를 냅니다.

예수님의 사역 가운데 최고의 절정은 하나님의 아들인 예수님이 사람의 몸을 입고 오신 사건입니다. 하나님이 인간이 되신 성육신은 참 신기한 사건이 아닐 수 없습니다. 기독교의 많은 교리 가운데 핵심이 되는 이 교리를 수용하지 않고는 누구도 그리스도인이 될 수 없습니다.

하나님이 인간의 몸으로 이 땅에 오셨다는 것은 중요한 진리입니다. 그래서 귀신은 예수님을 흉내 낼 수 없을까 궁리하다가 자기도 사람 속에 들어갑니다. 자기 거처, 자기 집을 갖기 원하는 것입니다. 마귀는 어디에 들어갈까 궁리하면서 여기저기 틈을 엿보고 다닙니다. 마귀에게 틈을 주지 말라는 말이 이런 뜻입니다. 틈만 주면 들어옵니다. 가룟 유다의 속에 사탄이 들어가자 예수님을 팔려는 마음이 생겼습니다. 갑자기 스승을 팔고 싶은 마음이 생긴 것입니다.

본문에는 귀신 들린 사람이 나옵니다. 그는 귀신에게 영향을 받은 것이 아니라 귀신에게 완전히 포로가 된(demon-possessed) 사람이었습니다. 신학자들은 이런 문제에 대해 치열한 신학적 논쟁을 벌입니다. 논쟁의 초점은 '구원받은 그리스도인도 귀신에 들릴 수 있는가'입니다. 이 문제에 대해 신학자들의 생각이 다 같은 것은 아니지만, 대부분의 복음주의 신학자들은 예수님을 영접하고 정말 구원받은 사람이라면 귀신의 영향과 공격은 받을 수 있을지언정 귀신에 들릴 수는 없다고 생각합니다. 예수님을 영접한 사람 속에는 예수님의 영인 성령님이 거하시고, 성령님이 계시다면 귀신이 그를 사로잡을 수 없다는 것이 그 이유입니다.

그럼에도 불구하고 믿는 사람이나 안 믿는 사람, 거듭난 사람이나 거듭나지 못한 사람 모두 귀신의 상당한 공격에서 자유로울 수 없는 것이 사실입니다. 예수님이 재림하실 때까지 귀신의 역사는 계속될 것입니다. 말세가 되면 사탄과 악령들의 활동은 더욱 활발해질 것입니다.

귀신이 무서워하는 것은 예수님이 다시 오시는 것입니다. 예수님만 오시면 같이 있을 수 없기 때문입니다. 본문에도 귀신 들린 사람이 뭐라고 소리칩니까?

"나사렛 예수여 우리가 당신과 무슨 상관이 있나이까"(막 1:24).

왜 무서워할까요? 예수의 영은 거룩하고, 더러운 영은 거룩한 영과 함께 있지 못하기 때문입니다. 깨끗한 사람과 함께 있으면 깨끗하지 못한 사람이 스스로 불안해하는 것과 같습니다. 그래서 예수의 영을 두려워하는 것입니다. 함께 있기를 원하지 않습니다.

재미있는 것은, 우리가 믿지 않는 사람들에게 전도할 때 많은 사람이 보이는 반응도 마찬가지라는 사실입니다.

"왜 나를 귀찮게 하느냐. 날 그냥 이대로 내버려 둬라. 너 혼자 믿고 날 그냥 내버려 둬라."

이것이 바로 귀신의 소리입니다. 예수와 상관되기를 원하지 않는 것입니다. 집을 뛰쳐나가는 자식들도 부모에게 이렇게 말합니다.

"엄마, 나 좀 내버려 둬. 뭘 하든지 상관하지 마."

사탄은 예수와 관계하는 것을 원치 않습니다.

귀신 들린 보통 사람

귀신에 대한 가장 보편적인 오해 중 하나는, 귀신에 들리거나 귀신에 영향 받는 사람은 특별한 사람이라는 생각입니다. 특별한 사람만 귀신 들리는 것이기에 자신은 귀신과 상관없다고 생각합니다. 찰스 콜슨(Charles Colson)이라는 교도소 전도자가 1961년 독일의 뉘른베르크에서 벌어진 나치 전범들에 대한 재판 광경을 묘사한 글을 읽고 저는 큰 충격을 받았습니다. 전범 중에서도 중요한 인물 중 한 사람인 아돌프 아이히만(Adolf Eichmann)이라는 나치 독일의 지도자가 있었습니다. 그가 아우슈비츠에서 얼마나 잔혹한 방법으로 얼마나 많은 유대인을 학살했는가를 증언하기 위해 예힐 디누르(Yehiel De-Nur)라는 유대인이 법정에 나왔습니다. 그리고 바야흐로 그를 확인하는 차례가 되었습니다.

"예힐 디누르 씨, 저기 서 있는 사람이 아우슈비츠에서 유대인 학살을 명령했던 장본인이 맞습니까? 당신이 그때 거기서 만났고 보았고 얘기를 했던 아이히만, 그 사람입니까? 가까이 가서 그의 얼굴을 확인하시죠."

가까이 가서 그의 얼굴을 보던 디누르는 그만 기절하여 쓰러지고 말았습니다. 그러고 나서 한참 후에 깨어났는데, 얼마 후 TV 방송에서 디누르를 인터뷰하며 그날 왜 기절했는지를 묻는 질문에 대한 그의 대답이 전 세계에 퍼졌습니다.

"나는 그 사람이 너무나 평범하다는 사실에 놀랐습니다. 그러나 아우슈비츠에서는 너무나 달랐습니다. 아우슈비츠에서는 굉장히 다른 사람이었습니다. 광기에 사로잡힌 인간이었지요. 광기가 빠지고 나니까 그저 평온한 사람이군요."

그다음에 한 말도 역시 유명해졌습니다.

"나는 그날 나 역시도 아이히만이 될 수 있다는 사실을 알았습니다."

그는 인간의 마음속에 있는 무서운 죄성을 폭로한 것입니다. 사탄과 악령의 영향을 받으면 누구나 예외 없이 한순간에 아이히만과 같이 되어서 광기에 가득 찬 삶을 살게 됩니다.

여기 무서운 악령의 공격이 있습니다. 어떻게 해야 우리가 악령의 공격에서 승리할 수 있을까요? 저는 요즘 특별히 악령들의 공격이 젊은이들 세대에 맞춰져 있다고 생각합니다. 젊은 세대들, 그들만 붙잡으면 인류의 미래가 사탄 편이 되기 때문입니다. 치열한 공격이 오늘의 젊은 세대들, 우리의 자녀들에게 퍼부어지고 있습니다. 사탄은 때로 전통종교라는 이름으로, 전통문화라는 이름으로, 때로는 유튜브와 SNS 같은 여러 매체를 통해 젊은이들에게 접근하고 있습니다. 그들의 영혼을 사기 위해서 접근하고 있는 것입니다.

오래전에 유행하던 농담 가운데 '만득이 시리즈'라고 있었는데, 귀신 농담이었습니다. 저는 그것을 단순한 농담이라고 생각하지 않습니다. 사탄의 전략이라고 생각합니다. 그 당시 하도 만득이, 만득이 해서 실제로 만득이 인형을 사 보았다가 깜짝 놀랐습니다. 그 속에는 만득이 부적이 포함되어 있었습니다. 이것은 은근히 젊은 사람들과 귀신과의 거리를 좁히려는 전략에 불과합니다.

이런 농담도 있었습니다. 하도 귀신이 쫓아다니니까, 만득이가 이것을 어떻게 떼어 놓나 생각하다가 군대에 가기로 결심합니다. 군대에 가니까 귀신이 괴롭히지 않았습니다. 어느 날 유격 훈련을 받게 되었습니다. 유격 훈련을 받는데 조교가 묻습니다.

"애인 있습니까?"

마땅한 애인이 없어 대답을 못 하고 있는데, 갑자기 뒤에서 만득이 귀신이 나타나더니 이렇게 말합니다.

"나라고 그래! 나라고 그래!"

이런 이야기들로 귀신의 이미지를 친근하게 만들어 접근시키지만, 그 배후에는 무서운 목표가 있습니다. 오늘날 얼마나 많은 젊은이가 자신의 영혼을 사탄의 제단 앞에 팔고 방황하고 있습니까? 우리 젊은이들의 영혼이 사탄의 포로가 되어 가고 있습니다. 구세군의 창설자인 윌리엄 부스(William Booth)는 이렇게 말했습니다.

"부모들은 빨리 손을 쓰기 바랍니다. 마귀가 여러분의 자녀들에게 죄를 가르치기 전에 자녀들에게 먼저 예수님을 가르치십시오."

그의 말은 이 시대에도 적중한다고 생각합니다. 어떻게 이런 악령들의 공격에서 자녀들과 우리 자신을 지킬 수 있을까요? 먼저 예수님을 알게 하십시오. 예수님의 말씀으로 무장시키기 바랍니다. 어릴 때부터 예수님을 구주와 주님으로 믿는 믿음 안에서 살게 하여 확고한 관계를 맺게 해 준다면 우리 자녀들은 승리할 것입니다.

동일한 방법은 우리 자신에게도 적용됩니다. 나아가 이 사탄과 악령의 공격으로 좌절하고 절망하여 주저앉아 있는 이웃에게 찾아가십시오. 나사렛 예수의 이름으로 그리고 예수님의 말씀의 거룩한 권세를 가지고 절망과 체념 속에 주저앉아 있는 우리의 젊은 세대들과 이웃들에게 말씀하십시오.

"잠잠하라. 귀신아, 나오라. 예수가 소망이시다."

그때 비로소 역사는 새로운 소망을 보게 될 것입니다.

얼마나 많은 주저와 방황이 우리의 자녀들을 붙들고 있습니까? 주님의 도움 없이는 자녀들을 기르기 어렵습니다. 악령들은 예수님을 두려워합니다. 그러므로 예수님을 증거하십시오. 예수님을 사랑하게 만드십시오. 예수님의 말씀 안에 살게 하십시오. 그 말씀을 든든히 붙잡으십시오. 교회만 나와서는 안 됩니다. 사탄은 우리가 교회에 다닌다는 것만으로 우리를 두려워하지 않습니다. 우리 안에 주의 말씀이 살아 있을 때, 그 말씀이 악령을 패배시킬 것입니다.

"회당에서 나와 곧 야고보와 요한과 함께 시몬과 안드레의 집에 들어가시니 시몬의 장모가 열병으로 누워 있는지라 사람들이 곧 그 여자에 대하여 예수께 여짜온대 나아가사 그 손을 잡아 일으키시니 열병이 떠나고 여자가 그들에게 수종드니라"(막 1:29-31).

4

예수께서 우리 집에
들어오시면

마음의 문을 열 때
복음이 들어온다

예수님이 다스리시는 집

한 부인이 가정생활이 너무 고통스러운 나머지 이런 기도를 했다
고 합니다.

"예수님, 저는 너무 아프고 고통스러워요. 저를 주님이 계신 하늘
나라로 보내 주세요."

너무나도 간절한 기도에 예수님이 그녀에게 나타나셨습니다.

"딸아, 네 소원에 응답해 주마. 세상을 떠나기 전에 네게 명하는
것을 다 지키면 네 소원을 들어주마."

"그렇게 하겠습니다, 주님."

"먼저, 네가 하늘나라로 가면 장례식이 행해질 텐데 네 집이 깨끗해야 하지 않겠느냐? 네 집에 오는 사람들을 위해서 청소를 좀 하려무나."

그래서 청소를 열심히 했습니다. 그러자 주님이 또 다른 것을 명하셨습니다.

"네 집 마당에 있는 이 조그만 정원을 너무 오랫동안 방치해 놓은 것 같구나. 장례식에 사람들이 와서 보고 '아이고, 풀도 못 베고 살았네' 하지 않겠느냐? 떠날 때 떠나더라도 정원을 한번 잘 가꾸어 놓고 떠나지 않겠느냐?"

"네, 그렇게 하겠습니다."

그녀는 그렇게 며칠 동안 꽃을 심고 정리하며 정원을 가꾸었습니다. 그러자 또 주님이 나타나 이렇게 말씀하셨습니다.

"떠나려니 아이들이 마음에 걸리지?"

"그렇습니다."

"자녀들이 엄마가 자신들을 정말 사랑했는지를 느낄 수 있도록 며칠 동안 여러 가지로 네 사랑을 표현해 보면 어떻겠느냐?"

"주님, 해 보겠습니다."

그래서 며칠 동안 자녀들을 열심히 안아 주고, 손도 잡아 주고, 음식도 특식으로 해 주려고 노력했습니다. 그러자 주님이 또다시 나타나 이렇게 말씀하셨습니다.

"마지막 한 가지가 더 있는데, 네 남편 생각만 해도 속상하지? 네 마음에 상처와 많은 고통을 준 남편이지만 네가 떠난 다음에 남편이 혼자 생각할 때 '그래도 참 좋은 여자였어' 하는 추억을 가질 수 있도록 딱 사흘만 남편이 무슨 소리를 해도 말대꾸하지 말고 열심히 남편을 향해 친절을 베풀면 어떻겠니?"

부인은 퉁명스럽게 "해 보겠습니다" 하고 대답하고는 사흘 동안 열심히 노력해서 말씀하신 대로 행했습니다. 이윽고 주님이 나타나 말씀하셨습니다.

"하늘나라에 갈 시간이 되었다. 하늘나라에 가기 전에 네 집을 쭉 돌아보려무나."

부인은 오랜만에 자기가 살아왔던 집을 쭉 둘러봤습니다. 잘 가꾸어진 아름다운 정원, 깨끗이 정돈된 집 그리고 며칠간의 노력으로 자녀들의 얼굴에는 전에 없던 웃음꽃이 피어났습니다. 그리고 남편은 한쪽 구석에서 매우 미안한 표정으로 앉아 있었습니다. 그런 자기 집 안의 모습을 바라보고 있자니 순간적으로 여인의 마음속에 '아, 내 집이 좋구나. 떠나기 싫다' 하는 생각이 들었습니다. 그 생각을 알고 예수님이 이렇게 말씀하셨습니다.

"네 집을 떠나고 싶지 않지?"

"주님, 솔직히 말해서 그렇습니다."

"네 집이 변하지 않았니? 왜 변했는지 알겠느냐?"

"잘 모르겠습니다."

"모르긴, 내가 하라는 그대로 네가 하지 않았느냐? 나의 말에 순종했을 때 네 집은 내가 다스리는 집이 된 것이다. 그리고 바로 이곳이 천국이 된 것이지."

참으로 아름다운 이야기가 아닙니까?

사건을 몰고 오시는 예수님

본문에는 예수님이 한 집에 들어가시는 장면이 나옵니다. 성경은 시몬과 안드레의 집이라고 말씀합니다. 시몬과 안드레는 형제입니다. 그날은 안식일이었다고 생각됩니다. 본문의 배경을 이해하기 위해 21절을 보십시오.

> "그들이 가버나움에 들어가니라 예수께서 곧 안식일에 회당에 들어가 가르치시매."

예수님은 안식일에 가버나움이라는 동네의 회당에서 말씀을 가르치셨습니다. 안식일에 회당에 찾아오는 랍비들에게 말씀을 전할 수 있는 기회가 주어졌는데, 예수님도 랍비였기에 말씀을 전하실 수 있었던 것입니다. 예수님은 말씀을 강론하셨고, 아마 가르치는 도중에 귀신 들린 사람이 갑자기 소리를 지르기 시작한 모양입니다. 그래서 귀신 들린 사람을 고치는 치유 사역도 함께 하시게 되었습니다. 회당 예배는 마침내 끝났고, 주님은 설교한 것만으로도 힘드셨을 텐데 또 귀신 들린 사람과 씨름하며 그를 고치느라 많은 에너지를 써서 피곤해지셨습니다. 본문의 이야기는 회당 예배를 마치고 나오시는 것으로 시작됩니다.

> "회당에서 나와 곧 야고보와 요한과 함께 시몬과 안드레의 집에
> 들어가시니"(막 1:29).

아마도 예수님은 특별히 시몬 베드로의 초대로 그 집에 가셨을 가능성이 큽니다. 그리고 회당과 시몬 베드로의 집은 아주 가까운 거리에 있었을 것입니다. 지금도 갈릴리에 있는 가버나움에 가 보면 '예수님의 마을'이라는 간판이 붙어 있는 곳이 있습니다. 물론 후대에 세워진 것이지만, 그곳에는 예수님 당시의 터 위에 다시 세워진 회당이 있습니다. 그리고 바로 옆으로 5-10미터 거리밖에 되지 않는 곳에 시몬 베드로의 집이 있습니다. 그러니까 회당 예배를 끝내고 베드로의 집에 들어가신 것입니다.

베드로는 예수님이 그동안 말씀을 전하고 귀신을 쫓아내느라 굉장히 피곤하실 테고, 게다가 점심시간도 넘겼으니 충분한 휴식과 드실 음식이 필요하다고 생각해 자기 집에 초청했을 것입니다. 그는 항상 먼저 저질러 놓고 나중에 생각하는 사람이었습니다. 그러니 아내와 의논도 안 하고 집에 초청했을 가능성이 큽니다. 아마 틀림없이 자기 아내보다도 장모님을 믿고 초청했을 것입니다. 제생각에 베드로의 장모님은 요리의 대가였을 것 같습니다. 장모님이 예수님께 음식을 대접해 드리면 예수님도 좋아하실 것이고, 또 장모님도 예수님을 만날 기회가 되지 않겠느냐는 생각에 자기 집

에 초청했을 것입니다.

베드로는 다른 제자들과 달리 아내를 데리고 전도하러 다니는 것을 유난히 행복하게 여겼던 것 같습니다. 바울 서신을 보면 사도 바울이 "우리가 저 베드로처럼 아내를 데리고 다닐 권리가 없겠느냐"(고전 9:5 참조)라고 말하는 것을 읽을 수 있습니다. 베드로는 틀림없이 아내만 보면 쩔쩔매는 남편이었을 것입니다. 아내가 너무 좋으니 장모님까지 모시고 살았을 것입니다. 이런 연유로 베드로는 예수님을 자기 집에 초대했을 것입니다.

그런데 집에 들어가자마자 의외의 광경이 펼쳐집니다. 장모님이 아파서 누워 있는 것입니다. 베드로는 그 사실을 몰랐을 것입니다. 갑자기 열병에 붙잡힌 것으로 생각됩니다. 베드로가 얼마나 당황하고 미안했을까요? 그래서 성경에 보면 베드로의 장모를 고쳐 달라고 한 사람이 베드로가 아니었음을 알 수 있습니다. 누가 요청을 했습니까?

"시몬의 장모가 열병으로 누워 있는지라 사람들이 곧 그 여자에 대하여 예수께 여짜온대"(막 1:30).

다른 사람들이 "이거 큰일 났네. 베드로의 장모님이 아파서 누워 계세요. 선생님, 어떻게 좀 해 주시겠습니까?" 하고 요청합니다. 예수님이 시몬 베드로의 집에 도착하시자마자 새로운 사건이 일어납니다. 예수님이 들어가시는 집에는 언제나 새로운 사건이 발생합니다. 그것은 좋은 일입니다.

예수님이 시몬 베드로의 집에 가신 사건을 살펴보는 데는 중요한 이유가 있습니다. 그것은 이 집에서 일어났던 기적이 동일하게 우리의 가정에서도 일어날 수 있다는 사실입니다. "집에 들어가시니"라는 표현은 매우 주목할 만한 것입니다. 만약 동일한 예수님이 우리의 집을 방문하신다면 어떤 일이 벌어질까요? 예수님이 우리의 가정에 들어오신다면 어떤 사건이 일어날까요?

문제를 해결하시는 예수님

첫째는, 문제가 해결됩니다. 우리가 산다는 것은 문제와 함께 살아간다는 의미입니다. 문제가 없는 삶이 있을까요? 문제가 없는 가정이 있을까요? 어떤 문제는 우리 스스로 만든 것인가 하면, 어떤 문제는 우리의 의도와 전혀 상관없이 밖에서부터 가정으로 불쑥 던져진 것일 수 있습니다. 한 문제가 지나가면 또 다른 문제가 우리 삶의 장에 엄습해 옵니다. 문제에 자유한 인생은 하나도 없습니다.

적극적 사고방식의 주창자인 노먼 빈센트 필(Norman Vincent Peale) 박사에게 어느 날 한 청년이 찾아왔습니다.

"선생님, 제가 다니는 직장은 너무나 문제가 많습니다. 제게 문제가 없는 직장 하나 소개해 주실 수 없겠습니까?"

필 박사는 그를 가만히 쳐다보다가 이렇게 대답했습니다.

"문제없는 직장이라고요? 아, 막 한 군데가 생각났소. 소개해 드리죠. 내 차에 타시오."

필 박사는 차에 청년을 태우고는 한참을 달렸습니다. 그렇게 한참을 달려 뉴욕 교외로 나가더니 한 공동묘지 앞에 섰습니다.

"형제여, 이곳이야말로 문제가 없는 직장이라오. 여기에는 아무런 문제가 없소."

산다는 것은 문제와 더불어 생활하는 것을 의미합니다. 문제는 피하려고 하는 사람들에게 새롭고 더 크게 닥칠 뿐입니다. 회피는 결코 해결이 아닙니다. 어떤 사람들은 문제가 닥치면 그것을 피함으로써 해결하려고 합니다. 어떤 사람이 자기를 괴롭히면 그 사람을 피하려고 합니다. 그러나 피하는 것은 해결책이 아닙니다. 어떤 사람들은 사람을 바꾸어서 해결하려고 합니다. 남편도 바꾸고 아내도 바꾸어 보려고 합니다. 그것이 해결일까요? 또 어떤 사람은 직장에 문제가 생기면 그곳을 떠나 버립니다. 도피가 해결일까요? 교회 생활하다가 조금만 어려움이 생기면 견디지 못하고 교회도 바꾸어 봅니다. 인생은 회피하는 사람에게 성공을 약속하지 않습니다.

그리스도인이 되면 왜 행복해집니까? 문제가 없어져서 행복해지는 것이 결코 아닙니다. 그리스도인들도 안 믿는 사람들과 마찬가지로 문제를 경험할 수밖에 없습니다. 그러나 그리스도인에게는 다른 행복이 있습니다. 그것은 우리가 문제의 해결자를 소유하고 있다는 사실입니다. 문제의 해결자가 우리와 더불어 계시다는 것을 믿으십시오.

당신은 예수가 곧 하나님이라는 것을 믿습니까? 그분은 전지하고 전능한 하나님이기에 모든 것을 하실 수 있다는 것을 참으로 믿는다면, 예수님이 우리와 더불어 함께 계신다는 사실을 믿는다면 무엇을 걱정합니까? 예수님을 안 믿는 불신자들의 삶을 생각할 때마다 저는 늘 긍휼히 여기는 마음이 생깁니다. 그들은 예수님 대신 자기 자신을 믿고 삽니다. 그런데 스스로를 책임질 수 없고, 자신에 대해서도 철저한 절망 속에 빠지게 되면 그들도 나름대로 누군가의 도움을 구합니다. 누구에게 가겠습니까? 하나님 비슷한 우상에게 가서 절을 하고 도움을 구합니다. 그러나 우상은 아무 대답도 들려주지 않습니다.

예수님의 어머니 마리아가 예수님을 데리고 갈릴리 가나의 혼인 잔치에 참석했던 적이 있습니다. 그런데 문제가 생겼습니다. 포도주가 떨어진 것입니다. 잔칫집에서 이것은 보통 문제가 아니었기에 사람들은 몹시 당황했습니다. 어쩔 줄 몰라 이리 뛰고 저리 뛰는 가운데 아무 걱정 없이 홀로 초연한 사람이 있었습니다. 누구였을까요? 물론 예수님도 걱정이 없으셨을 것입니다. 그런데 예수님의 어머니 마리아 또한 차분한 마음으로 거기 앉아 있었습니다. 그러면서 걱정하는 사람들에게 이렇게 말했습니다.

"예수에게 가서 부탁하세요. 그리고 그가 하라는 대로 하세요."

예수님의 어머니는 문제의 해결자가 그곳에 있다는 사실을 알았던 것입니다. 하늘과 땅의 권세를 가지신 분, 전능하신 하나님, 전지하신 하나님이 함께 계시는데 무엇을 걱정했겠습니까? 이것이 마리아가 누렸던 평화의 비밀입니다. 마찬가지로 해결자인 주님이 우리 집에 들어오시면 그 주님 앞에 구할 수 있지 않겠습니까? 그분이 해결해 주시지 않겠습니까? 전능한 하나님이 함께하실 때 그 문제가 얼마나 버티겠습니까? 해결될 것을 믿으십시오.

어떤 문제는 예수님을 받아들이는 순간 즉각적으로 해결됩니다. 예수님을 주인으로 인정하는 순간 눈 녹듯이 문제가 해결되는 모습을 저는 종종 봐 왔습니다. 그러나 어떤 문제는 해결이 지연될 수도 있습니다. 상당히 오랫동안 지연될 수 있습니다. 주님만이 아시는 감추어 둔 이유 때문에 해결이 지연되지만, 때가 차면 마침내 그 문제를 해결해 주십니다. 그분만이 아시는 어떤 이유, 어떤 섭리, 어떤 계획 때문에 당장은 아니더라도 결국은 우리의 문제를 해결해 주십니다. 또 어떤 때에는 우리가 원하는 방식으로 문제가 해결되지 않아서 왜 응답하시지 않느냐고 불평하게 되는 경우도 있습니다. 그러나 세월이 지나고 나면 '아, 그분이 이렇게 처리해 주시는 것이 더 나은 방법이었구나' 하고 더 나은 결과에 대해 감사하게 되는 경우가 많습니다. 분명한 것은, 주님이 해결해 주신다는 사실입니다.

> "구하라 그리하면 너희에게 주실 것이요 찾으라 그리하면 찾아낼 것이요 문을 두드리라 그리하면 너희에게 열릴 것이니 … 너희가 악한 자라도 좋은 것으로 자식에게 줄 줄 알거든 하물며 하늘에 계신 너희 아버지께서 구하는 자에게 좋은 것으로 주시지 않

겠느냐"(마 7:7, 11).

하나님이신 예수님, 그분이 우리 가정에 오셨습니다. 기뻐하십시오. 문제들이 해결될 것입니다.

사랑을 체험하게 하시는 예수님

둘째는, 예수님의 사랑을 경험하게 됩니다. 저는 이것이 문제 해결보다 더 좋은 것이라고 생각합니다. 기독교의 복음은 결코 일회적인 문제의 해결만을 약속하지 않습니다. 마치 서낭당에 가서 비는 일회적인 행위나 무당의 푸닥거리를 통해서 어떤 문제의 해결과 탈출을 구하는 것같이 단 한 번의 해결로 만족을 주고자 하는 것이 아닙니다. 예수님은 문제가 해결되었을 때 무당이 거래를 끝내듯이 그렇게 우리를 방치해 두고 마는 분이 아니십니다.

그분은 우리를 도울 때 언제나 인격적인 관계를 요청하십니다. 주님은 우리가 복음을 받아들이고 기도의 응답을 경험하는 과정에서 단순히 복음을 믿고 기도 응답을 체험하기만 소원하시는 것이 아니라, 당신이 누구인지 알게 되기를 바라십니다. 그래서 마침내 당신과 영원한 사랑의 관계 속에 들어가게 되기를 바라십니다. 그래서 예수님은 특이한 방법으로 베드로의 장모의 병을 고치십니다.

"나아가사 그 손을 잡아 일으키시니 열병이 떠나고 여자가 그들에게 수종드니라"(막 1:31).

마가복음의 기사만 읽어 보면 예수님이 환자를 어떻게 고치셨을까 참 궁금해집니다. "나아가사 그 손을 잡아 일으키시니"라고 되어 있는데, '잡아 일으키다'라는 우리말 표현은 왠지 과격해 보입니다. 저는 예수님이 "여인이여, 일어날지어다" 하고 말씀하심으로 앓고 있는 시몬의 장모를 고치시지 않았을까 생각합니다. 예수님은 귀신과 대결할 때 그리고 특별히 아주 무례한 사람들, 위선자들, 바리새인들과 대결할 때 외에는 과격한 행동과 언사를 사용하는 법이 좀처럼 없으셨기 때문입니다.

그런데 이 본문을 다른 복음서와 비교해 보면 아주 흥미롭습니다. 마태복음 8장 15절을 보십시오. 같은 사건을 마태는 어떻게 기록하고 있습니까?

"그의 손을 만지시니 열병이 떠나가고 여인이 일어나서 예수께 수종 들더라."

무엇이 다릅니까? '잡아 일으키시니'라는 말이 없습니다. 대신 '그 손을 만지시니'라고 되어 있습니다. 이것은 매우 부드러운 터치였으리라 생각합니다. 틀림없이 이렇게 하셨을 것입니다. 앓고 있는 시몬의 장모 곁에 가서 "아프시죠? 얼마나 아프겠습니까? 그렇지만 걱정하지 마십시오. 제가 도와드리겠습니다. 제 손을 잡고 일어나 보시죠" 하고 말씀하셨을 것입니다. 그리고 모든 것은 달라졌을 것입니다. 그것은 아주 겸허하고 부드러운 주님의 임재였을 것입니다.

"그리스도의 사랑이 우리를 강권하시는도다"

예수님은 왜 이런 방법으로 그녀를 고치셨을까요? 주님은 여러 가지 방법으로 병자들을 고치셨습니다. 교회에서 가끔 치유 사역을 하는 분들을 보면 늘 한 가지 방법만 사용하는데, 이를테면 "병마야, 떠나가라" 하는 식입니다. 꼭 그렇게 해야만 하는지 모르겠지만, 주님은 실로 다양한 방법을 사용하셨습니다. 어떤 때는 진흙을 이겨 눈에 붙이셨고, 어떤 때는 가만히 안아 주기도 하셨습니다. 어떤 때는 손도 대지 않고 말씀으로만 고치셨습니다.

그런데 말씀만으로 고칠 수 있는 분이 시몬의 장모의 경우에는 왜 손을 잡아 일으키셨을까요? 아마도 그 치유의 과정에서 주님의 사랑을 경험시키기를 원하셨기 때문인 것 같습니다. 순간적으로 다가온 병 앞에 그리고 끓어오르는 열기로 고통받고 있는 여인에게 주님은 특별한 임재를 보여 주신 것입니다. 손을 만져 주시는 그 순간, 그녀는 주님의 놀라운 사랑을 경험할 수 있었을 것입니다. 주님은 여인에게 바로 이런 반응을 기대하셨을 것입니다. 그것은 병을 고치는 것보다 더 중요하고 위대한 일이었습니다.

병만 고치는 것이 복음이 아닙니다. '하나님이 세상을 이처럼 사랑하사 독생자를 주셨다'는 사실이 복음입니다. 외아들을 주신 사건이 하나님의 사랑 때문이라면, 우리가 그 사랑을 경험하는 것은 다른 어떤 것보다 소중한 일입니다. 병을 고치는 것보다 주의 사랑을 경험하는 것이 훨씬 더 위대합니다. 병은 나았어도 또다시 재발할 수 있습니다. 사는 동안 질병은 떠나지 않습니다. 그러나 하나님의 사랑을 한 번 경험하면 하나님과 더불어 영원히 함께합니다. 그것이 위대한 것 아닙니까?

이 사랑을 경험하고 났을 때 바울은 복음의 전도자가 되어서 펄펄 끓는 열정으로 세계를 돌아다니며 이런 놀라운 고백을 하지 않았습니까?

"그리스도의 사랑이 우리를 강권하시는도다"(고후 5:14).

이 사랑이 우리를 강권하고 있습니다. 주님은 당신을 만나는 모든 사람이 당신의 사랑을 경험하기를 기대하십니다. 이것은 질병의 치유보다도 훨씬 좋은 것입니다.

목회하면서 자주 만나게 되는 사람들은 병을 치유 받았기 때문에 예수님을 믿게 된 이들입니다. 많은 사람이 예수 믿고 치유 받는 것을 보았습니다. 그런데 어떤 사람은 예수님을 믿어도 병이 낫지 않습니다. 예수님을 믿고 병 때문에 교회를 찾아와서 병 때문에 기도

합니다. 그러나 예수님의 이름을 부르기 시작했는데도 병이 낫지 않습니다. 그런 사람들이 계속 교회에 나와 예수님을 열심히 믿는 모습을 보면 놀라지 않을 수 없습니다.

한번은 제가 어떤 분에게 물어봤습니다.

"아니, 병도 안 나았는데 계속 믿으십니까?"

그러자 그분이 이렇게 대답했습니다.

"더 좋은 것을 얻었잖아요?"

기도하는 과정에서 그는 예수님과 그분의 사랑을 알게 된 것입니다. 복음의 영광을 알게 된 것입니다. 예수님을 영접하고 그 인생이 달라짐으로 새로운 천국의 소망을 얻게 되었습니다. 이것이 더 좋은 하나님의 사랑이 아니겠습니까? 비록 병은 아직 낫지 않았지만, 여전히 예수님을 붙들고 살아갈 수 있습니다.

예수님은 기쁨이고, 생명이고, 소망이라고 고백하며 살아가는 그리스도인이 되기를 바랍니다. 그럴 때 주님이 동일한 역사를 행하실 수 있습니다. 우리 가정이 예수님을 모시고 있음에도 불구하고 여러 가지 문제로 인해 고통받는 경우가 있습니다. 그러나 주님이 우리를 사랑하신다는 그 사실을 확신하고 있는 한, 우리는 승리할 것입니다. 우리는 하나님의 사랑 속에서 이 세대를 이기는 놀라운 능력을 체험하게 될 것입니다.

섬기게 하시는 예수님

셋째는, 우리가 섬기는 자가 됩니다.

> "나아가사 그 손을 잡아 일으키시니 열병이 떠나고 여자가 그들에
> 게 수종드니라"(막 1:31).

병이 치유되어 너무 기뻤던 이 여인은 그 치유의 감격 때문에 주변에 있는 사람들에게 수종 들기 시작했습니다. 마가복음에는 '그들에게 수종 들었다'라고 되어 있지만, 마태복음 8장 15절에는 "예수께 수종 들더라"라고 되어 있습니다. 자신을 고치신 주님인데 감사하지 않겠습니까? 어떻게 가만있겠습니까? "주님, 감사합니다. 해 드릴 게 뭐가 있을까요?" 하면서 즉각 일어나 식사를 만들기 시작한 것입니다. 그러면 예수님과 그분이 사랑하는 사람을 섬기고 봉사하는 이 여인의 섬김의 역사가 여기서 끝났을까요? 그렇지 않습니다. 여기 '수종 들다'라는 말의 헬라어 본래의 뜻은 '계속해서 수종 들다'입니다. 특별히 누가복음에 보면 주님을 만난 여인들의 지속되는 헌신과 봉사의 모습이 잘 묘사되어 있습니다.

> "그 후에 예수께서 각 성과 마을에 두루 다니시며 하나님의 나라
> 를 선포하시며 그 복음을 전하실새 열두 제자가 함께하였고 또한
> 악귀를 쫓아내심과 병 고침을 받은 어떤 여자들 곧 일곱 귀신이

나간 자 막달라인이라 하는 마리아와 헤롯의 청지기 구사의 아내 요안나와 수산나와 다른 여러 여자가 함께하여 자기들의 소유로 그들을 섬기더라"(눅 8:1-3).

주님을 섬겼던 많은 무명의 여인이 있는데, 저는 틀림없이 '다른 여러 여자'의 행렬 속에 시몬의 장모도 포함되어 있었을 거라고 믿습니다. 누가복음의 기사는 23장에도 계속됩니다. 억지로 십자가를 지고 걷는 구레네 시몬과 함께 예수님이 골고다의 길을 쓰러지고 넘어지며 걸어가실 때, 거기 울면서 예수님의 뒤를 따르던 여인들의 모습이 보입니다. 그들 중에 누가 있었을까요? 저는 시몬의 장모도 거기에 있었으리라고 생각합니다. 너무 지나친 상상입니까?

계속해서 누가복음 23장 55절을 보십시오. 예수님은 십자가에 달려 돌아가신 후 무덤에 안치되었습니다. 그때 성경은 이런 장면을 소개합니다.

"갈릴리에서 예수와 함께 온 여자들이 뒤를 따라 그 무덤과 그의 시체를 어떻게 두었는지를 보고."

예수님이 묻히신 무덤까지 와서 그분의 시체를 확인했던 여인들 대부분이 어디서 왔다고 했습니까? 갈릴리에서 왔습니다. 가버나움이 갈릴리 지역에 있다는 사실을 잊지 마십시오. 저는 거기까지 찾아왔던 여인들 속에 틀림없이 시몬의 장모가 있었으리라고 생각합니다.

이어서 그다음 장에는 부활의 아침이 밝아 옵니다. 주님이 부활했을 때 그 영광스러운 모습을 누구에게 가장 먼저 보이셨습니까? 여인들이었습니다. 주님은 다시 사셨고, 그 가슴 벅찬 부활의 소식을 나가서 처음으로 증거했던 여인들 중에는 시몬의 장모도 끼어 있었을 것이라고 생각합니다.

그녀는 "주님의 은혜를 받았어요! 주님의 치료를 받았어요! 주님의 구원을 체험했어요!" 하고 고백하는 것만으로 끝내지 않았습니다. 그 순간부터 자신의 평생을 걸고 섬겼습니다. 주님과 주님이 사랑하시는 사람들을 위해서 자기의 모든 것을 걸고 주님을 섬겼습니다. 이것이 바로 은혜를 받은 사람들의 증거입니다.

자신이 예수님을 믿게 되었다고 고백하는 사람 중에 삶에는 아무런 변화가 없는 사람을 많이 봅니다. 저는 구원받은 사람, 은혜 받은 사람의 삶에 나타나는 가장 현저한 변화의 증거는 섬김이라고 생각합니다. 너무 감격해서 주님을 섬기게 되는 사람, 주님이 사랑하는 사람들을 말없이 섬기게 되는 사람이 진정 구원받고 은혜 받은 사람들입니다. 이런 사람들은 변함없이, 끝까지 섬깁니다. 교회에서 봉사하는 어떤 사람들은 조금 어려운 일이 있으면 은혜 받지 못하고 봉사의 현장에서 금방 후퇴해 버립니다. 그러나 계속 관찰해 본 바에 의하면 정말 은혜 받은 사람, 주님의 구원과 치유와 기적의 은혜를 입었던 사람들은 끝까지 섬기는 것을 알 수 있습니다.

주님만 바라보고 끝까지 섬깁니다. 주님이 그 위대한 사랑을 주셨으니 자신도 변함없이, 끝까지 주님을 따라 섬긴다는 마음입니다. 저는 시몬의 장모도 그랬을 것이라 생각합니다.

최대의 효도, 최대의 자녀 사랑

저는 시몬의 장모가 자신의 일생을 돌이켜 보았을 때 무엇을 제일 감사했을까 생각해 보았습니다. 사위가 예수님을 초대함으로 질병과 고통 가운데서 그분을 만났고, 그분이 바로 구세주요, 메시아인 것을 깨달아 믿게 되었으니 사위에게 얼마나 고마웠을까요? 아마 사위를 업어 주고 싶었을 것입니다. 그러면서 그녀는 열심히 제자들을 도왔을 것입니다. 아마 예수님도 베드로는 예외로 "너는 아내를 데리고 따라다녀도 좋다"고 허락하신 것 같고, 그래서 베드로는 장모까지 모시고 열심히 따라다닌 것 같습니다. 베드로 편에서 볼 때 그것이 장모에게 해 드릴 수 있는 최대의 효도가 아니었을까 생각해 봅니다.

우리는 사랑하는 부모와 어르신들에게 가정 주간과 같은 날이 되면 아주 특별한 관심을 보이려고 애를 씁니다. 그러나 그것이 그들에게 얼마나 도움이 되겠습니까? 안 하는 것보다는 낫겠지만 말입니다. 우리가 부모에게 최선을 다해도 언젠가는 함께 갈 수 없는 시간이 오고야 맙니다. 부모와 함께 거닐 수 없는 죽음의 골짜기가 있습니다. 그곳에는 부모님 혼자 가야 합니다. 그러나 만약 그들에게 예수님을 소개했다면, 그들은 구원의 주님이신 예수님을 붙잡고 천국을 향하여 담대히 걸어갈 수 있을 것입니다. 이보다 더 위대한 효도가 어디 있겠습니까?

또 부모인 우리가 자녀를 위해 최선의 노력을 다한다 해도 언젠가는 그들이 우리의 슬하를 떠나는 날이 옵니다. 무엇인가를 해 주고 싶어도 손이 미치지 않아서 해 줄 수 없습니다. 그러나 그 사랑하는 자녀들에게 예수 그리스도를 소개했다면, 부모의 손이 미치지 않는 그 자리에서도 부모가 소개하고 만난 예수님의 이름을 함께 부르며 그분을 의지하고, 그분의 말씀을 통하여 하늘나라까지 승리하면서 걸어갈 것입니다.

사랑하는 부모에게 예수 그리스도를 소개하는 것보다 더 위대한 효도가 어디 있겠습니까? 이보다 더 위대한 증거가 어디 있겠습니까? 예수님이 우리 가정에 들어오시면, 그분이 우리의 사랑하는 가족들을 만나 주십니다. 물론 우리의 힘과 노력으로 사랑하는 자녀들과 부모를 생각하며 그들을 기쁘게 하는 시간을 가질 수 있습니다. 그러나 사랑하는 사람들에게 예수님을 알게 하는 것보다 더 위대한 일은 없습니다. 사랑하는 자녀들이 예수님을 만날 수만 있다면, 사랑하는 부모님이 예수님을 만날 수만 있다면, 그들은 예수님을 의지하며 평생을 살 것이고, 사망의 음침한 골짜기도 담대히 걸어갈 것입니다. 그리고 우리는 하늘나라에서 다시 만나게 될 것입니다.

그래서 예수의 사랑을 먼저 체험한 사람들은 이 복음을 가장 가까운 사람들에게 전하지 않고는 견딜 수 없는 것입니다. 자기와 가장 가까운 남편에게, 아내에게, 부모에게 그리고 자녀에게 먼저 예수님을 소개하지 않고는 못 견디는 것입니다.

"새벽 아직도 밝기 전에 예수께서 일어나 나가 한적한 곳으로 가사 거기서 기도하시더니 시몬과 및 그와 함께 있는 자들이 예수의 뒤를 따라가 만나서 이르되 모든 사람이 주를 찾나이다 이르시되 우리가 다른 가까운 마을들로 가자 거기서도 전도하리니 내가 이를 위하여 왔노라 하시고 이에 온 갈릴리에 다니시며 그들의 여러 회당에서 전도하시고 또 귀신들을 내쫓으시더라"(막 1:35-39).

5

예수님의
기도 생활

기도는 성도의
특권이요, 안식이다

"나와 같이 있어 주지 않을래?"

영국 런던에는 웨스트민스터 채플이라는 교회가 있습니다. 아주 유
명한 교회입니다. 이 교회에 캠벨 G. 몰간(Campbell George Morgan)이
라는 목사님이 계셨습니다. 그분 인생의 커다란 즐거움 중 하나는,
매일 오후 저녁 무렵 사랑하는 딸의 손을 잡고 런던의 하이드 파크
를 산책하는 일이었다고 합니다. 그런데 어느 해 크리스마스가 가
까워진 어느 날, 갑자기 딸이 며칠 동안은 아버지와 공원 산책을 갈
수 없다고 했습니다. 이유는 묻지 말라고 하면서 말입니다. 아버지
가 얼마나 서운했겠습니까? 그러나 몰간 박사는 그 이유를 성탄절

아침에야 알게 되었습니다. 아버지에게 성탄 선물로 드릴 슬리퍼를 만드느라 시간이 필요했던 것입니다. 성탄절 아침에 이 선물을 받으면서 몰간 박사는 사랑하는 딸에게 말했습니다.

"사랑하는 딸아, 너무너무 고맙다. 정말 고마워. 이것을 만드느라 얼마나 수고가 많았니? 그런데 정직하게 말하자면, 이 아빠는 슬리퍼 선물보다도 네가 나와 더불어 같이 손잡고 산책하는 것이 더 좋단다."

저는 하나님도 같은 마음을 가지시지 않았을까 생각합니다. 때로 우리는 하나님을 위해서 기를 쓰면서 일합니다. 그러나 어쩌면 그때 하나님이 이렇게 말씀하실지 모릅니다.

"나를 위해서 일하는 것도 좋지만, 나와 같이 좀 있어 주지 않을래?"

성경 학자인 A. W. 토저(Aiden Wilson Tozer)는 이렇게 말했습니다.

"열심 있는 그리스도인들이 범할 수 있는 가장 보편적인 과오는 하나님의 일에 너무 바빠 하나님과의 교제를 게을리하는 것이다."

열심히 성가대 활동을 하는 것은 아주 좋고 중요한 일입니다. 그러나 그 일에 너무 바빠서 하나님과의 교제 시간이 없다면 우리는 매우 중요한 것을 망각하고 있는 것입니다. 토저 박사는 계속해서 말합니다.

"이런 사람들, 즉 하나님과의 교제를 등한히 여기는 사람들은 조만간 하나님의 일에 대한 의욕조차 잃어버리고 시험에 들 가능성이 크다."

만약 하나님과의 교제를 게을리한다면 그 교제에서 얻어지는 충만함과 안식, 마음의 평안을 얻을 수 없으니 더 이상 하나님의 일을 계속할 수 없다는 말입니다. 우리는 그 일에 대한 의욕을 잃어버릴 수 있습니다.

저는 예수님이 짧은 생애를 살면서 놀라운 하나님의 사명인 구원 사역을 성취할 수 있었던 비결이 어디에 있었을까 생각해 보았습니다. 그러고 내린 결론은, 예수님의 기도 생활이 비결이었습니다. 물론 그분은 하나님인 동시에 사람이었기 때문에, 인성을 가진 사람으로서 기도 생활이 필요하셨던 것입니다. 본문을 보면 예수님이 하나님과 가지셨던 교제의 모범을 살펴볼 수 있습니다. 예수님은 어떻게 기도하셨을까요?

기도의 열망

우선, 예수님이 가지셨던 기도의 열망을 살펴보기 바랍니다. 그분이 하나님과 교제하는 것을 얼마나 열망하셨는지를 말입니다. 본문의 하루 전날인 안식일은 예수님에게 매우 바쁜 하루였습니다. 예수님의 안식일을 머릿속에 그려 보십시오.

> "그들이 가버나움에 들어가니라 예수께서 곧 안식일에 회당에 들어가 가르치시매"(막 1:21).

예수님은 안식일에 회당에 들어가서 설교하셨습니다. 그런데 설교 도중 한 사건이 일어납니다. 예배를 방해하는 귀신 들린 사람의 부르짖는 소리가 들립니다. 예수님은 그를 주목하며 그에게 들어갔던 귀신을 쫓아내는 축사 사역을 하셨습니다. 귀신과 대결하고 귀신 들렸던 자를 위해서 기도해 주는 것, 그것은 정말로 많은 에너지를 소모하는 일입니다. 그리고 예배는 끝납니다. 예수님에게는 안식이 필요했습니다. 그래서 베드로의 집으로 가십니다.

> "회당에서 나와 곧 야고보와 요한과 함께 시몬과 안드레의 집에 들어가시니"(막 1:29).

예수님은 안식을 위해 시몬과 안드레 형제의 집에 들어가셨습니다. 그러나 막상 들어가 보니 또 다른 사건이 기다리고 있었습니다. 시몬 베드로의 장모가 열병으로 누워 있는 것입니다. 예수님은 안식할 수 없으셨습니다. 사람들은 그 일로 도움을 요청했고, 예수님은 또다시 병자를 위해 기도하셨습니다. 또다시 당신의 에너지를 소모하며 기도하셨습니다. 그리고 그녀를 고치셨습니다.

이것이 그날의 마지막 사역이었을까요? 아닙니다. 사역은 계속됩니다. 안식일이 저물어 갈 무렵이었습니다.

> "저물어 해 질 때에 모든 병자와 귀신 들린 자를 예수께 데려오니"(막 1:32).

예수님이 시몬의 장모를 고치셨다는 소식이 퍼져 나간 것입니다. 이 소식이 퍼지자마자 병자들이 앞을 다투어 시몬의 집에 찾아오기 시작합니다. 병자가 얼마나 많이 모였는지, 마가 기자는 재치 있는 약간의 과장법을 사용합니다. 홍미 있는 이 표현을 주목해 보십시오.

"온 동네가 그 문 앞에 모였더라"(막 1:33).

문자 그대로 마을 안에 있던 온갖 병자들, 내과, 외과, 산부인과, 비뇨기과를 비롯한 별별 환자들이 총출동해서 시몬 베드로의 집 앞에 모여들었습니다. 예수님의 도우심을 받기 위해서 말입니다. 예수님은 어떻게 하셨습니까?

"예수께서 각종 병이 든 많은 사람을 고치시며 많은 귀신을 내쫓으시되 귀신이 자기를 알므로 그 말하는 것을 허락하지 아니하시니라"(막 1:34).

수많은 사람을 위해서 계속 기도하셨습니다. 안식일의 밤은 그렇게 저물어 갔습니다. 얼마나 바쁜 하루였겠습니까? 예수님이 얼마나 피곤하셨겠습니까? 그렇게 안식일이 지나고 이튿날 아침이 되었습니다. 우리가 만약 예수님처럼 그렇게 바쁜 하루를 보냈다면 그리고 다음 날 아침에 특별한 약속이 없다면 그 아침을 어떻게 맞이할까요? 보통은 '늘어지게 자자' 하고 생각할 것입니다. 그러나 성경은 예수님이 이튿날 아침에 무엇을 하셨다고 말씀합니까?

> "새벽 아직도 밝기 전에 예수께서 일어나 나가 한적한 곳으로 가사 거기서 기도하시더니"(막 1:35).

그처럼 바쁜 하루를 지낸 이튿날 새벽 오히려 미명에, 예수님은 일어나 기도하기 시작하셨습니다. 예수님에게 기도는 무엇이었을까요? 만약 기도를 의무로 생각했다면 그것을 수행하기란 어렵습니다. 그러나 예수님에게 기도는 특권이요, 안식이었으리라 생각합니다. 예수님은 기도하면서 쉬셨고, 새로운 힘을 얻으셨고, 지나간 하루의 스트레스를 극복하셨습니다.

저는 예수님도 인간성을 입고 오셨기 때문에 우리처럼 스트레스를 경험하셨으리라 생각합니다. 스트레스가 무엇입니까? 요즘 현대인들을 가장 괴롭히는 병이 스트레스라고 합니다. 누군가는 스트레스를, '외부로부터의 자극에 의해 사람의 몸과 마음의 균형이 깨진 상태'라고 정의했습니다. 아주 적절한 정의라고 생각합니다. 몸과 마음의 균형이 깨지게 되면 우리의 몸이 마음을 따르지 못합니다. 그래서 사람들은 허우적거리게 되는데, 그것이 스트레스입니다.

그런데 예수님은 이 스트레스를 기도로 극복하셨습니다. 기도하면서 쉬신 것입니다. 아무리 피곤해도 즐거운 일을 하면 피곤이 금방 극복되지 않습니까? 예수님에게 기도는 즐거운 일이었습니다. 어떤 사람에게는 기도와 예배가 아주 즐거운 일입니다. 예배드리고 나면 새 힘이 나지 않습니까? 예배에 오면 쉼이 있습니다. 그래서 어떤 성도는 깊은 잠에 빠지기도 합니다. 예배와 기도는 안식입니다. 예수님은 기도로 새 힘을 얻으신 것입니다. 하루를 바쁘게 보내고 피곤하여 잠자리에 들 때, 예수님은 벌써 이런 생각을 하셨을 것입니다.

'내일 아침에 일어나 아버지와 교제해야지.'

십일조 기도

저는 예수님의 이러한 모습을 볼 때 유명한 종교 개혁자 마르틴 루터(Martin Luther)의 이야기가 생각납니다.

"요즘 내가 바빠진다. 더 기도해야겠다."

그의 일지에 기록된 말입니다.

"요즘 내가 너무 바빠진다. 기도할 시간이 없다."

우리가 보편적으로 하는 이런 고백은 루터의 고백과 얼마나 다릅니까? 루터에게 기도란 바쁨과 바쁨이 가져다주는 피곤을 극복할 수 있는 새 힘이고, 용기의 공급원이었습니다. 실제로 루터는 매일 한 시간가량 기도했다고 합니다. 그런데 정말 바빠졌을 때는 두 시간씩 기도했다고 합니다. 보통 때 한 시간씩 기도하다가 정말 바쁜 일이 오게 되면 더 엎드려서 두 시간을 기도했다는 것입니다. 루터는 생애의 마지막이 다가왔을 때 하루 24시간 중에서 시간의 십일조를 드리려고 하루에 두 시간도 넘게 기도에 힘썼습니다. 왜 그랬을까요? 그에게 기도는 안식이었기 때문에, 능력이었기 때문에, 즐거운 일이었기 때문입니다.

예수님도 기도를 사모하셨습니다. 그분에게 아버지와의 만남은 육신이 사랑하는 어떤 사람을 만나는 일보다도 더 즐거운 사모함이었습니다. 시편 기자의 고백을 들어 보십시오.

"하나님이여 사슴이 시냇물을 찾기에 갈급함같이 내 영혼이 주를 찾기에 갈급하니이다"(시 42:1).

사람은 저마다 어떠한 열망을 가지고 일생을 살아갑니다. 이 순간 당신을 지배하고 있는 가장 강력한 열망은 무엇입니까? 어떤 사람은 부유해지기를 열망합니다. 어떤 사람은 인기를 얻는 것이 가장 큰 열망입니다. 또 출세하는 것이나 섹스의 쾌락을 누리는 것일 수도 있습니다. 당신의 가장 큰 열망은 무엇입니까? 주님의 열망, 주님을 지배하고 있었던 가장 커다란 열망은 하나님과의 교제였습니다.

'하나님을 만나고 싶다', '나를 창조하신 그 하나님의 깊은 임재 속에 들어가고 싶다', '깊은 기도를 경험하고 싶다', '살아 계신 하나님의 놀랍고 아름다운 임재 속에 들어가고 싶다', 이런 기도의 열망을 우리는 얼마나 갖고 있습니까? 주님이 가지셨던 것과 동일한 기도의 열망을 하나님께서 우리에게도 나누어 주시기를 바랍니다.

교제의 열망

두 번째는, 교제의 열망입니다. 본문에서 우리는 교제를 위한 주님의 계획을 볼 수 있습니다. 주님은 기도를 계획하셨습니다. 저는 주님이 피곤한 안식일을 마치고 하루를 마무리할 즈음에 틀림없이 이튿날 아침을 계획하셨으리라 생각합니다.

'내일 아침에 일찍 일어나서 내 사랑하는 하나님 아버지와 교제해야지.'

그렇습니다. 주님은 이처럼 기도의 교제를 위해서 적합한 시간과 장소를 결정하셨습니다. 의도적으로 계획하셨을 것입니다. 주님은 언제 기도하셨습니까? 아직 밝기도 전인 새벽에 기도하셨습니다. 어디에서 기도하셨습니까? 한적한 곳에서 기도하셨습니다.

"새벽 아직도 밝기 전에 예수께서 일어나 나가 한적한 곳으로 가사 거기서 기도하시더니"(막 1:35).

아직 밝아 오기 전의 새벽은 만물이 새로운 출발을 기다리며 잠들어 있는 여명의 시각, 장사꾼들의 떠드는 소리가 들리지 않는 시각, 술주정뱅이의 아우성도 들리지 않고 아이들의 치기 어린 소리도 없는, 세상의 온갖 시끄러운 소리가 잠잠한 때입니다. 얼마나 기도하기 좋은 시간입니까? 그리고 누구의 방해도 받지 않을 수 있는 골방처럼 아늑한 산자락의 한적한 곳, 주님은 미리 눈여겨보아 두었던 그곳에서 살아 계신 하나님 앞에 엎드리셨을 것입니다.

이렇게 일정한 시간, 혹은 최적의 시간을 구별하여 기도하는 것이 얼마나 중요한 일인지 모릅니다. 그렇다고 해서 본문을 지나치게 확대 적용한 나머지 '예수님은 일생 동안 새벽 기도하셨다. 그러니까 우리도 마땅히 매일 새벽 기도해야 한다'라고 주장하는 것은 올바른 해석이 아닙니다. 예수님이 그날 새벽 기도를 하신 것은 분명한데, 매일 새벽 기도를 하셨는지는 모르겠습니다. 물론 새벽 기도는 좋은 것입니다. 필요하고 유익하며, 거룩한 것입니다. 우리 신앙의 선배들은 새벽을 통해서 하나님의 영감을 얻고 놀라운 축복을 경험했습니다.

그러나 새벽 기도를 율법화시키지는 마십시오. 새벽을 통해서 유익을 얻는 것은 좋은 일이지만, 그렇다고 해서 새벽 기도 안 하는 사람을 정죄하지 말라는 말입니다. 어떤 사람은 새벽 기도에 와서는 누가 새벽 기도회에 나왔는지 검사하는 일에 유별난 관심을 보입니다. 그것은 새벽 기도를 율법적으로 접근하는 것이고, 전혀 유익이 없는 일입니다. 자기의 유익을 위해서 새벽을 활용하십시오. 새벽 기도는 좋은 것입니다. 그러나 그것으로 남을 정죄하지는 마십시오.

가끔 사람들은 새벽 기도파와 큐티파로 나뉘어서 싸우기도 하는가 봅니다. 큐티도 좋은 것이고 놀라운 축복이지만, 그것을 율법화시키지는 마십시오. 본질은 기도하는 것입니다. 어떻게 기도하느냐 하는 방식은 중요하지 않습니다.

저는 성도들이 더 열심히 새벽 기도회에 나오기를 바랍니다. 새벽에 나와 보았습니까? 새벽에 나와서 기도해 보십시오. 청명한 공기 속에서 맞는 새벽이 얼마나 좋은지 모릅니다. 저는 이 땅의 그리스도인들이 새벽 기도회에 열심히 참석하기를 바랍니다. 큐티도 열심히 하기를 바랍니다. 방식은 중요하지 않습니다. 본질이 중요합니다. 기도한다는 사실이 중요합니다. 그리고 기도할 때는 자기에게 알맞은 시간과 장소를 선택하는 것이 중요합니다. 어떤 사람은 부득이한 사정 때문에 새벽에 나오기 어려울 수 있습니다. 아이들 학교 문제, 출근 문제, 직장 문제 때문에 어려울 것입니다. 오후는 안 될까요? 오후도 가능합니다. 오전도 가능합니다. 자기에게 적당한 시간과 장소를 선택하십시오. 중요한 것은 기도를 계획하는 것입니다. 계획은 습관을 가져다줄 수 있기 때문입니다.

기도를 계획하라

자녀들에게 공부를 시켜 보면 제일 힘든 것이 공부하는 습관을 갖도록 만드는 것입니다. 공부하는 습관을 갖도록 하는 데 가장 중요한 것은, 공부를 위해 일정한 시간과 장소를 정해 놓는 것입니다. 그렇게 되면 쉽게 습관을 들일 수 있습니다. 이처럼 좋은 습관은 우리에게 생산성 있는 시간을 갖도록 도울 것입니다. 기도의 열망이 있습니까? 기도를 계획하기 바랍니다.

빌리 선데이(William Ashley Sunday)라는 사람은 야구 선수였다가 예수님을 만났습니다. 그가 교회에 나갔을 때 교회 지도자 한 사람이 이런 말을 던졌습니다.

"자네, 신앙생활에 성공하고 싶은가? 세 가지를 계획하게!"

"그 세 가지가 뭡니까?"

"첫째, 날마다 15분 기도하기, 둘째, 날마다 15분 성경 읽기, 셋째, 날마다 15분 내가 만난 예수님을 다른 사람들에게 전하기네."

얼마나 단순한 충고입니까? 그런데 이 사람 역시 매우 단순했습니다. 하나님이 쓰시는 사람은 대개가 단순합니다. 복잡한 사람은 하나님이 보기에도 복잡해서 안 쓰십니다. 그는 얼마나 단순했던지, 15분 기도하고 15분 성경 읽고 15분 전도하라고 하니까 평생을 그렇게 했다고 합니다. 이 사람은 빌리 그레이엄(Billy Graham)이라는 역사적인 인물이 미국의 전도자로서 부상하기 전까지 미국에서 영적, 도덕적 각성을 주도하는 하나님의 사람으로 평생 쓰임 받았습니다.

중요한 것은 나만의 기도 시간, 나만의 기도 장소를 계획하는 일입니다. 주님처럼 살아 계신 하나님, 전능하신 하나님, 사랑이신 하나님을 만나 그분으로부터 영광과 능력을 얻기 위해 기도의 시간을 계획하는 그리스도인이 되기를 바랍니다.

교제의 결과

세 번째로, 이 교제의 결과를 주목해 보십시오. 예수님이 하나님과 교제한 후 어떠한 결정을 내리십니까?

> "새벽 아직도 밝기 전에 예수께서 일어나 나가 한적한 곳으로 가사 거기서 기도하시더니 시몬과 및 그와 함께 있는 자들이 예수의 뒤를 따라가 만나서 이르되 모든 사람이 주를 찾나이다"(막 1:35-37).

새벽 기도하던 장소까지 예수님의 제자들이 쫓아왔습니다. 그리고 뭐라고 말합니까? 모든 사람이 예수님을 찾고 있다고 말합니다. '주를 찾나이다'라는 단어는 원어로 '집요하게 추적하다'라는 뜻입니다. 많은 사람이 선생님을 새벽부터 찾았습니다. 왜 그랬을까요? 전날인 안식일 저녁에 많은 병자를 고치셨기 때문에 소문이 난 것입니다. 새벽부터 사람들이 몰려오기 시작합니다. 그때 제자들이 독촉합니다.

"이 많은 사람이 선생님을 찾고 있는데 여기서 뭘 하고 계십니까? 빨리 내려와서 기도해 주셔야죠."

이때 예수님의 반응을 주목해 보십시오.

"이르시되 우리가 다른 가까운 마을들로 가자 거기서도 전도하리니 내가 이를 위하여 왔노라 하시고"(막 1:38).

엄격하게 말하면 제자들의 요청을 거절하신 것입니다.

"선생님, 오늘 새벽부터 사람들이 기다리고 있습니다. 기도해 주셔야죠. 어제와 같은 놀라운 일을 행하셔야죠."

예수님은 아마 고요하고 침착한 어조로 말씀하셨을 것입니다.

"아니야, 오늘은 다른 계획이 있어. 오늘은 다른 마을에 가서 전도해야 해."

예수님은 사람들의 압력에 따라, 사람들이 하자는 대로 일방적으로 끌려다니는 삶을 살지 않으셨습니다.

충동적인 삶, 소명을 위한 삶

고든 맥도널드(Gordon MacDonald)는 오늘날의 현대인들에게 두 가지 삶의 유형이 있다고 했습니다. 하나는 충동적인 삶 혹은 끌려다니는 삶이고, 다른 하나는 소명을 위한 삶입니다. 무엇이 중요한지를 깨닫고 생각하고 계획해서 그 소명을 따라 사는 사람들이 있는가 하면, 별로 의미 없는 일에 바쁘게 끌려다니며 충동적인 인생을 사는 사람이 있습니다. 이런 사람들의 삶에서는 어떤 생산적인 것도 기대할 수 없습니다.

저는 오늘 이 시대를 살아가는 한국인의 가장 염려스러운 문제는 충동적인 삶을 사는 경향이라고 생각합니다. 삶의 가치관이 없습니다. 무엇이 중요한지 모르고 우선순위도 없습니다. 바쁘긴 무지 무지하게 바쁜데 의미 없이 끌려다니며 바쁩니다. 충동적으로 살아가다 보니 자기 뜻대로 안 되는 일을 만나면 화내고, 이웃들을 심판하고, 그렇게 상처를 주면서 자기도 상처를 받습니다. 왜 한국인은 여유를 잃어버리고 의미 없이 바쁘기만 한 인생을 살게 되었습니까?

한국학을 연구했던 한 학자는 산업화 과정에서부터 한국인들이 변질되기 시작했다고 합니다. 옛날에는 그렇지 않았는데 라면을 먹기 시작하면서부터 변했습니다. 옛날식으로 밥을 지을 때는 시간이 굉장히 오래 걸렸습니다. 그런 여유 있는 기다림의 문화 속에 살던 한국인들은 훨씬 여유 있는 민족이었습니다. 그러나 산업화의 과정을 거치면서 급진적인 문화, 소위 인스턴트 문화가 발생했습니다. 즉각적으로 해결해야만 직성이 풀리는 시대가 왔다는 것입니다. 라면, 이 얼마나 편리한 음식입니까? 금방 먹을 수 있습니다. 그런데 이것이 한국 사람들을 급하게 만든 요인 중 하나라고 이야기합니다. 그날부터 모든 것이 변했다고 하는데, 듣고 보면 일리가 있습니다.

오래전, 북한에 갔을 때였습니다. 그들은 우리보다 훨씬 더 시간적으로 여유로운 것 같았습니다. 북한 사람들에게 무엇을 주면 좋겠냐고 물었더니, 혹시 라면 가져온 게 있느냐고 물었습니다. 그래서 라면을 주었는데, 괜히 걱정이 되었습니다. 라면 때문에 이 여유 있는 민족을 다 버리겠구나 해서 말입니다. 한국 사람들이 얼마나 급해졌는지 모릅니다. 급한 것 자체가 잘못이 아니라, 그 속에서 여유와 인생의 방향과 초점을 잃어버리는 것이 문제입니다. 무엇을 위해서 살아야 할지를 모릅니다.

병을 고치는 것도 중요하지만, 예수님이 오신 목적은 병을 고치는 것이 아니라 전도하는 것이었습니다. 그래서 이곳에서 이만큼 전도했으면 됐으니 오늘은 다른 마을에 가서 전도하자고 하신 것입니다. 예수님은 삶의 분명한 목적을 알고 계셨습니다. 그리고 하나님의 뜻을 이루기 위해서 한 걸음, 한 걸음, 목표를 향해 나아가는 인생을 사셨습니다.

저는 본문을 묵상하면서 주님도 위대하지만 제자들도 굉장하다고 생각했습니다. 그때 제가 만약 제자 중 하나였다면 어떤 반응을 보였을까요?

"오늘은 다른 마을에 가서 전도하자."

"선생님, 안 돼요. 얼마나 많은 사람이 기다리고 있는데요. 선생님은 지금 아주 인기가 높습니다. 여기서 계속 병자를 고치셔야 합니다!"

아마 이렇게 말했을 것입니다. 그러나 예수님이 거절하셨을 때 제자들에게는 그것을 하나님의 뜻으로 받아들일 수 있는 여유가 있었습니다.

한국 문화가 성숙하려면, 특히 한국의 그리스도인 문화가 성숙하려면 남이 '아니오'라고 할 때 그 거절을 하나님의 뜻으로 받아들일 수 있는 성숙함이 필요하다고 생각합니다. 한국 사람은 '아니오'라고 거절하면 인격을 모욕했다고 생각합니다. 아닙니다. 거절할 수 있습니다. 사람이 모든 일을 다 하고 살 수는 없습니다. 어차피 인생은 선택적이어서 중요한 것을 선택하며 살 수밖에 없습니다. "더 중요한 일을 하는 것이 하나님의 뜻이라면 그 일을 하셔야죠, 제 요청은 들어주지 않으셔도 좋습니다, 염려하지 말고 그 일을 열심히 하십시오"라고 말한다면 얼마나 성숙한 사람입니까?

하나님의 뜻을 발견하는 성숙한 기도

애즈베리신학교(Asbury Theological Seminary)의 총장으로 있던 미국의 유명한 신학자 데이비드 매케너(David L. Mckenna)가 시애틀에 있는 시애틀퍼시픽대학교에 총장으로 있었을 때 그 학교는 매우 성장하고 있었습니다. 한번은 개교기념일에 멋지고 성대한 기념식과 졸업식을 함께 하려고 계획하고 오페라 하우스를 빌려 졸업식 연사로 빌리 그레이엄을 초청했습니다. 그런데 빌리 그레이엄 목사가 보낸 답장은 초청을 완곡히 거절하는 내용이었습니다. 훗날 매케너는 자신의 책에 그 편지를 보고 큰 감동을 받았다고 썼습니다.

데이비드, 나를 자네 학교의 졸업식 연사로 초청해 주니 고맙네.

그러나 데이비드, 나를 잘 알지 않는가. 자네와 나는 친구이고 당연히 가서 연설을 하는 것이 좋겠지만 나는 전도자라네. 하나님은 나를 전도자로 보내셨어. 예수 믿지 않는 더 많은 사람에게 복음을 전하게 하기 위해서 부르셨단 말이네. 졸업식에는 나보다 더 적합한 메시지를 전할 수 있는 사람들이 얼마든지 있을 수 있네. 하나님이 나를 본래 불러 주신 그 부르심에 합당한 일을 할 수 있도록 나를 내버려두지 않겠는가.

데이비드 매케너 목사는 이 편지를 읽고 감동을 받았다고 했지만, 저는 자신의 초청을 거절한 빌리 그레이엄을 이해했던 데이비드 매케너의 고결한 인격에 감동받았습니다. 다른 사람의 거절을 받아들일 줄 알아야 합니다. 인생은 우리의 뜻대로 되는 것이 아닙니다. 더 큰 하나님의 뜻이 있다면 그것을 찾아야 합니다. 병자를 고치는 것도 하나님의 뜻이지만, 복음이 골고루 여러 마을에 전파되어야 더 큰 하나님 나라의 뜻이 이루어진다면 우리의 생각대로 되지 않아도 기뻐하고 감사하며 하나님의 뜻을 받아들이는 것, 이것이 진정 성숙한 기도 생활이라고 생각합니다.

성숙한 기도의 절정은 그 속에서 하나님의 뜻을 발견하고 그 뜻이 이루어지는 일에 우리가 쓰임 받는 것입니다. 그것이 기도 생활의 축복입니다. 예수님은 우리에게 어떻게 기도하라고 가르쳐 주셨습니까?

"나라가 임하시오며"(마 6:10).

누구의 생각대로 이루어지기를 위해 기도하라고 하셨습니까? 내 생각입니까? 아닙니다. 교회에서 주기도문을 외울 때 마음속에 불편함을 갖게 되는 것은 자기 생각과 고집이 남아 있기 때문입니다.

'하나님의 뜻이 하늘에서 이루어진 것같이 땅에서도 이루어지게 하옵소서' 하고 기도하는 것은, 결국 하나님의 뜻을 이해하고 그 뜻에 의해서 쓰임 받는 인생이 되기를 바라는 것입니다. 이것이 기도 생활의 궁극적인 축복임을 믿으십시오.

한 부부가 교회에서 기도를 하는데, 남편이 이렇게 기도하더랍니다.

"채워 주소서. 채워 주소서. 오, 주님, 채워 주소서."

그런데 옆에서 부인은 자기 남편을 힐끔힐끔 쳐다보면서 "가져가소서. 가져가소서" 하고 기도하더랍니다. 옆에 있던 사람이 '이상하다, 이 부부는 무슨 기도를 이렇게 하나' 싶어서 자세히 들어 보니 부인의 기도 소리가 들려오더랍니다. "하나님, 이 인간 채워 줘 봐야 자기밖에 모르니 가져가소서. 가져가소서" 하는 것이었습니다. 우리는 왜 기도합니까? 하나님의 뜻을 알기 위해서 그리고 하나님의 뜻 앞에 우리 자신을 복종시킴으로 하나님 뜻대로 쓰임 받는 인생을 살기 위해서 아닙니까? 그것이 기도 생활의 절정입니다.

하나님의 뜻에 따라 행보를 옮기시는 주님에 대해 성경은 어떻게 말씀하고 있습니까?

"이에 온 갈릴리에 다니시며 그들의 여러 회당에서 전도하시고 또 귀신들을 내쫓으시더라"(막 1:39).

더 많은 곳으로 가서 하나님의 뜻에 복종하셨기에 갈릴리 전체에 하나님의 영광이 나타났습니다. 우리의 기도를 통해서도 하나님의 뜻이 나타나고 하나님 나라가 확장되는 놀라운 축복이 있기를 그리고 우리 모두가 그 일에 쓰임 받는 기도의 전사가 되기를 바랍니다.

성숙한 기도의 절정은

그 속에서 하나님의 뜻을 발견하고

그 뜻이 이루어지는 일에 우리가 쓰임 받는 것입니다.

그것이 기도 생활의 축복입니다.

"수일 후에 예수께서 다시 가버나움에 들어가시니 집에 계시다는 소문이 들린지라 많은 사람이 모여서 문 앞까지도 들어설 자리가 없게 되었는데 예수께서 그들에게 도를 말씀하시더니 사람들이 한 중풍 병자를 네 사람에게 메워 가지고 예수께로 올새 무리들 때문에 예수께 데려갈 수 없으므로 그 계신 곳의 지붕을 뜯어 구멍을 내고 중풍 병자가 누운 상을 달아 내리니 예수께서 그들의 믿음을 보시고 중풍 병자에게 이르시되 작은 자야 네 죄 사함을 받았느니라 하시니 어떤 서기관들이 거기 앉아서 마음에 생각하기를 이 사람이 어찌 이렇게 말하는가 신성 모독이로다 오직 하나님 한 분 외에는 누가 능히 죄를 사하겠느냐 그들이 속으로 이렇게 생각하는 줄을 예수께서 곧 중심에 아시고 이르시되 어찌하여 이것을 마음에 생각하느냐 중풍 병자에게 네 죄 사함을 받았느니라 하는 말과 일어나 네 상을 가지고 걸어가라 하는 말 중에서 어느 것이 쉽겠느냐 그러나 인자가 땅에서 죄를 사하는 권세가 있는 줄을 너희로 알게 하려 하노라 하시고 중풍 병자에게 말씀하시되 내가 네게 이르노니 일어나 네 상을 가지고 집으로 가라 하시니 그가 일어나 곧 상을 가지고 모든 사람 앞에서 나가거늘 그들이 다 놀라 하나님께 영광을 돌리며 이르되 우리가 이런 일을 도무지 보지 못하였다 하더라"(막 2:1-12).

6

한 생명을
위하여

빚진 자에서
복된 자로 전환하라

빛을 갚기 위하여

우리는 모두 알버트 슈바이처(Albert Schweitzer)를 기억합니다. 그가
아프리카의 랑바레네로 떠나기 직전, 그의 고향 지역 신문들은 슈
바이처의 아프리카행을 일제히 일면 톱기사로 보도했고, 또 인터뷰
기사도 실었습니다. 여러 개의 학위를 딴 의료인으로서 훌륭한 조
건과 출세가 보장된 미래를 포기하고 떠난다는 것은 당시만 해도 굉
장한 충격이었을 것입니다. 한 기자가 질문했습니다.

"무엇 때문에 이런 결단을 내렸습니까?"

슈바이처는 조용히 대답했습니다.

"빚을 갚기 위해서입니다. 저는 제 인생이 온통 빚으로 이루어져 있다는 사실을 철이 들어서야 깨달았습니다. 오늘의 제가 있기까지 온통 빚을 지고만 산 것입니다. 그러니 이제 빚을 갚는 삶을 살고 싶습니다."

이 얼마나 실감 나는 고백입니까? 한번 생각해 보십시오. 우리가 호흡하고 먹고 마시며 이 자리에 서 있기까지 주변의 수많은 이웃과 부모, 스승의 헌신이 아니었더라면 우리가 과연 오늘 여기에 존재할 수 있었을까요? 외아들까지 아낌없이 내어 주신 그 하나님의 은혜에 빚을 졌기 때문에 예배 때마다 감사하며 하나님을 찬양하는 것이 아닙니까?

바울은 로마서 1장 14절에서 "내가 빚진 자라"라는 유명한 고백을 합니다. 바울은 헬라인에게도 야만인에게도, 부강한 나라에도 가난한 나라에도 자신이 모든 사람에게 빚을 지고 있다고 했습니다. 그다음부터 바울의 일생을 지배했던 삶의 동기는 빚을 갚기 위해 사는 것, 은혜에 보답하기 위해 사는 것이 되었습니다. 인생의 석양 녘에 이르러 그는 살아왔던 삶의 발자취를 돌이켜 보면서 이런 유명한 고백을 합니다.

"나의 나 된 것은 오직 하나님의 은혜입니다."

그렇다면 이 은혜의 빚을 지고 사는 자들은 어떻게 해야 그 빚을 갚을 수 있을까요? 《탈무드》에 이런 유명한 말이 있습니다.

"빚진 자들이여, 빚진 자들이여, 힘을 합하십시오. 그리고 누군가 당신 곁에 있는 한 사람에게 축복의 등불이 되어 주십시오."

결국 이것은 창세기 12장에 나타난 '복이 되라'는 말씀과 같은 이야기입니다. 본문에는 바로 그런 이야기가 기록되어 있습니다. 네 명의 친구가 중풍에 걸려서 미래를 잃어버리고 있는 사랑하는 친구를 돕기 위해 펼치고 있는 사랑의 드라마, 그 자선의 드라마가 이 본문의 내용입니다. 우리는 이 네 친구로부터 이웃 사랑의 모범을 발견합니다.

사랑의 출발은 믿음으로 데려가는 것이다

우리는 어떻게, 무엇으로 이웃을 도울 수 있습니까? 첫째, 믿음으로 시작해야 합니다.

> "예수께서 그들의 믿음을 보시고 중풍 병자에게 이르시되 작은 자야 네 죄 사함을 받았느니라 하시니"(막 2:5).

여기서 '그들의 믿음'이란 어떤 것이었습니까? '중풍을 앓고 누워 있는 이 친구를 예수님께 데려가기만 한다면 그분이 그를 도와주실 수 있을 것이다, 예수님은 그의 생명, 구원, 소망이 되어 주실 것이다'라는 확신이 네 친구가 가졌던 믿음입니다. 이것은 믿음의 본질입니다. 우리가 이웃을 도우면서 산다지만, 도우면 얼마나 도울 수 있겠습니까? 저는 때로 우리가 이웃들을 돕는다는 생각 자체가 교만한 발상이라고 생각합니다. 우리가 무엇을 도울 수 있겠습니까? 우리의 한계, 우리 인생의 원색적인 모습들 그리고 우리 실존의 모습을 생각할 때 우리가 무엇을 도울 수 있단 말입니까? 그 자체가 어쩌면 교만한 우리 인간의 허위의식일지 모릅니다.

그러나 우리는 도울 수 없어도 우리가 도와주어야 할 그 사람을 주님 앞으로 데리고 갈 수는 있습니다. 그러면 주님이 그 사람을 도우실 수 있지 않겠습니까? 여기서 그리스도인의 사랑의 사역이 시작되는 것입니다. 우리의 도움에는 한계가 있지만, 주님이라면 엄청난 도움이 되어 주실 수 있습니다. 우리는 그것을 믿어야 합니다. 이것이 이웃을 향한 우리의 사랑의 출발점이 되어야 함을 반드시 기억하십시오.

사랑의 완성은 행함으로 나타난다

둘째, 또 하나 중요한 것이 있습니다. 우리는 이제 행함으로 우리의 믿음을 나타내야 합니다. 야고보서의 핵심 내용이 무엇입니까? '행함이 없는 믿음은 죽은 것'이라는 것입니다. 그렇습니다. 본문에서 병자의 친구들이 자신들의 믿음을 행함으로 나타내는 것을 보십시오.

'주님 앞에 맡기고 기도했으면 됐지 뭐. 주님이 도와주시지 않겠어?'

만일 이런 생각에 머물러 있었다면 그 믿음은 관념에 불과했을 것입니다. 성경은 이런 믿음이야말로 죽은 믿음이라고 말씀합니다. 그러나 이 네 친구는, 예수님이라면 아픈 친구를 도와주실 수 있을 것이라는 그들의 믿음을 행함으로 옮겼습니다. 그들이 보여 주었던 행함은 창조적인 행함이라 할 수 있습니다. 우리에게는 이웃이 도움을 요청할 때, 그것을 거절하는 보편적인 핑계나 구실이 있습니다. 돕고 싶어도 도울 것이 없다, 혹은 도울 길이 없다고 합니다. 이것은 말 그대로 핑계입니다. 돕고자 하는 마음이 없어서 그렇지, 도울 방법이 없지 않습니다. 돕고자 하는 마음만 있다면 얼마든지 길을 만들 수 있습니다.

본문에 나타난 네 친구는 사랑하는 중풍 병자 친구를 데리고 예수님께 가고자 했습니다. 그러나 너무나 많은 사람이 예수님을 에워싸고 있어 갈 수 없었습니다.

"많은 사람이 모여서 문 앞까지도 들어설 자리가 없게 되었는데 예수께서 그들에게 도를 말씀하시더니"(막 2:2).

수많은 사람이 주님을 에워싸고 있었습니다. 나아갈 길이 막혀 있었습니다. 그러나 그들은 포기하지 않았습니다. 돕기를 원했기 때문에 도울 수 있는 방법을 찾았습니다. 그리고 마침내 찾아냈습니다. 주님 앞으로 직접 갈 수 없기에 사랑하는 친구를 들것에 눕힌 후에 지붕으로 올라가 지붕을 뜯어내고 예수님이 계신 곳 앞으로 달아 내리기로 했습니다. 얼마나 창조적인 행동입니까? 물론 중동 지방은 열대 지방이기 때문에 지붕이 한국 가옥처럼 견고하지 않습니다. 손재주 없는 저도 잘하면 팔레스타인의 지붕은 뜯을 수 있습니다. 그렇지만 이것은 모험적이고 창조적인 행동이었습니다.

방 안에 있던 예수님과 주변의 수많은 사람이 이 모습을 보고 얼마나 당황했겠습니까? 무례하다고 비난받아 마땅한 행동이었습니다. 그러나 이런 비난을 감수하고라도 친구를 살려야 한다는 간절한 마음이 있었기 때문에 이들은 이렇게 무모한 행동을 결단한 것입니다. 이것은 믿음에서 우러나온 행동이었습니다. 그렇다면 우리는 무엇으로 사랑하는 이웃들을 도울 수 있겠습니까?

영적인 도움을 베풀라

우선, 영적인 도움을 베풀어야 합니다. 본문이 그것을 가르치고 있습니다. 그 앞에 달아 내린 병자를 보았을 때 주님이 처음으로 하신 말씀이 무엇입니까?

> "예수께서 그들의 믿음을 보시고 중풍 병자에게 이르시되 작은 자야 네 죄 사함을 받았느니라 하시니"(막 2:5).

이 대답은 중풍 병자가 기대한 것이 아니었을 것입니다. 그는 오히려 "네 병이 나았느니라"라는 말을 기대했을지 모릅니다. 그럼에도 불구하고 주님은 중풍 병자의 육신의 질병을 치유하는 것보다 더 중요한 근본적 필요를 보셨는데, 그것은 바로 그의 죄 사함이었습니다. 인간의 불행, 허무, 방황은 무엇 때문입니까? 바로 죄 때문입니다. 죄의 삯은 사망입니다. 죄 때문에 불행한 삶을 살아야 하고, 죄 때문에 무의미한 삶을 살아야 하고, 죄 때문에 하나님의 진노를 피할 수 없습니다.

천사가 마리아와 요셉에게 나타났을 때, 예수님이 이 땅에 오신 목적이 무엇이라고 말했습니까?

"아들을 낳으리니 이름을 예수라 하라"(마 1:21).

'예수'의 뜻은 '구원'입니다. 그분은 당신의 백성을 저희 죄에서 구원하기 위해 오신 것입니다. 그래서 십자가로 가셨습니다. 그것이 예수님이 오신 근본적인 목적입니다. 우리 스스로 해결할 수 없는 인간의 가장 근본적인 삶의 딜레마인 이 죄의 문제를 해결하기 위해 그분이 오신 것입니다. 이 죄의 문제를 해결하지 못하면 우리 인생은 결국 실패입니다.

죄 문제의 해결처럼 중요한 것이 없기에 예수님은 그 근본 문제를 해결하셨습니다. 그런데 그 자리에 있던 서기관들이 흥분해서 말합니다.

"아니, 저 사람이 도대체 누구이기에 사람의 죄를 용서할 수 있단 말인가!"

그들이 흥분한 데는 타당한 이유가 있습니다. 사람은 사람의 죄를 용서할 수 없기 때문입니다. 그러나 그들이 모르고 있었던 한 가지 사실이 있는데, 바로 예수님이 하나님이시라는 것입니다. 이것을 믿지 않으면 아직도 그리스도인이 되지 못한 것입니다. 예수님은 하나님이십니다. 그래서 그분만이 죄를 용서하실 수 있습니다. 그분은 우리의 죄를 담당하려고 십자가로 가셨습니다. 우리 대신 하나님의 저주와 진노를 받고 골고다의 언덕에 보배로운 피를 흘리셨습니다. 그분의 피 흘리심으로 용서받았다는 사실에 기뻐하기 바랍니다.

이것이 바로 근본적인 문제의 해결입니다. 우리는 이웃들에게 이 복음을 가지고 가서 그들이 죄 사함을 받아 하나님의 자녀가 되도록 도와야 할 것입니다. 이것이 그들을 진정으로 도와주는 길입니다. 교회의 첫 번째 사명은 복음을 전해서 사람들이 죄 사함을 받고 하나님의 자녀가 되도록 하는 것입니다.

육체적 필요도 채워 주어야 한다

그러나 중요한 것은, 예수님이 영적 도움을 베풀면서도 육체적 도움을 간과하지 않으셨다는 사실입니다. 중풍 병자에게 "너, 죄 사함 받았다. 너, 천국 간다" 하고서 가장 중요한 문제가 해결되었으니 이제 그만 가라고 하지 않으셨습니다. 그의 병까지도 치유해 주셨습니다. 먼저 죄의 문제를 해결하고, 다음에 이렇게 명령하십니다.

"내가 네게 이르노니 일어나 네 상을 가지고 집으로 가라"(막 2:11).

주님은 중풍 병자의 병을 치유하기까지 도움을 베푸셨습니다. 육체의 필요도 그대로 지나치지 않으셨던 것입니다. 기독교의 가장 중요한 사명은 복음을 전하여 사람들로 하여금 죄 사함을 받고 구원을 얻게 하는 것입니다. 그러나 인간의 육체적 필요를 절대로 간과하지 않습니다. 여기에 또 하나의 기독교 사명이 있습니다.

선한 사마리아인의 비유에서, 여리고 길을 걸어가다가 강도를 만나 쓰러진 사람을 주님은 어떻게 하라고 하셨습니까? 물론 복음도 전해야 합니다. 복음을 받아들이고 천국의 소망을 갖도록 도와야 합니다. 그러나 주님이 그 상황에서 칭찬하신 행동은 무엇이었습니까? 그의 실제적인 필요를 채워 준 일입니다. 강도 만난 사람의 상처를 싸매어 주고 주막으로 데리고 가서 돌봐 준 일을 칭찬하면서 "가서 너도 이와 같이 하라"(눅 10:37)라고 말씀하셨습니다. 본문은 그리스도인들이 간과할 수 없는 '이웃 사랑'이라는 또 하나의 중요한 소명을 일깨워 주고 있습니다.

"예수께서 다시 바닷가에 나가시매 큰 무리가 나왔거늘 예수께서 그들을 가르치시니라 또 지나가시다가 알패오의 아들 레위가 세관에 앉아 있는 것을 보시고 그에게 이르시되 나를 따르라 하시니 일어나 따르니라 그의 집에 앉아 잡수실 때에 많은 세리와 죄인들이 예수와 그의 제자들과 함께 앉았으니 이는 그러한 사람들이 많이 있어서 예수를 따름이러라 바리새인의 서기관들이 예수께서 죄인 및 세리들과 함께 잡수시는 것을 보고 그의 제자들에게 이르되 어찌하여 세리 및 죄인들과 함께 먹는가 예수께서 들으시고 그들에게 이르시되 건강한 자에게는 의사가 쓸데없고 병든 자에게라야 쓸 데 있느니라 나는 의인을 부르러 온 것이 아니요 죄인을 부르러 왔노라 하시니라"(막 2:13-17).

7

그가 죄인을 위해 오셨다면

전도란 변화된 나를
전하는 것이다

교회, 병든 자들의 클리닉

가정생활이나 직장 생활과 마찬가지로, 교회 생활을 할 때도 우리는 한 번씩 시련의 과정을 거치게 되는 것 같습니다. 이것은 인간에 대한 실망입니다. 교회 생활을 할 때도 사람에 대해 실망할 수 있는데, 그럴 때 사람들의 반응은 다양합니다. 어떤 사람은 자기에게 실망을 준 그 사람이 있는 한 다시는 교회에 나오지 않겠다고 합니다. 그래서 교회를 옮기기도 합니다. 이것은 그나마 나은 경우입니다. 어떤 사람은 저런 사람이 그리스도인이라면 자기는 예수 안 믿겠다며 교회를 떠납니다.

교회에서 겪는 갈등의 중요한 원인은 우리가 지나치게 이상적이거나 비성경적인 교회관을 가지고 있기 때문입니다. 기독교 역사가운데 가장 이상적이고 역동적인 교회 시대가 있었다면 언제일까요? 저는 1세기 초대 교회 때라고 생각합니다. 그래서 많은 교회가 표어를 만들 때 '초대 교회로 돌아가자'라는 말을 씁니다. 성경에 나타나 있는 초대 교회 가운데서도 영적이고 모범적인 교회 중의 하나는 에베소교회였습니다. 에베소교회는 바울이 3년 이상 머물며 개척했던 교회입니다. 그러니까 3년 동안 바울을 목사님으로 모셨던 교회입니다. 바울이 한 장소에서 가장 오래 머물며 집중적인 선교 활동을 벌였던 곳이 바로 에베소라 할 수 있습니다. 에베소교회는 좋은 점을 많이 가지고 있는 훌륭한 교회였습니다.

그런데 에베소서 4장 25절 이하에 보면 바울이 에베소교회를 향해 이런 메시지를 전하고 있습니다.

"그런즉 거짓을 버리고 각각 그 이웃과 더불어 참된 것을 말하라."

왜 이런 이야기를 했겠습니까? 교인들 가운데 거짓말쟁이가 있었기 때문입니다. 또 28절에 보면 "도둑질하는 자는 다시 도둑질하지 말고"라고 말하고 있습니다. 말하자면 교인 중에 도둑놈이 있었다는 이야기입니다. 도둑질하는 사람이 없는데 바울이 그런 편지를 기록했을 리가 만무하기 때문입니다. 29절에서는 "무릇 더러운 말은 너희 입 밖에도 내지 말고"라고 했는데, 이것은 교인들 가운데 더러운 말을 하는 사람이 있었음을 알게 하는 구절입니다. 그러니 교회 생활하다가 거짓말하고, 도둑질하고, 사기 치고, 이상한 말로 상처 주는 사람을 만나거든 너무 놀라지 마십시오. 초대 교회에도 그런 사람들은 있었습니다.

그런데 예수님은 이런 사람들을 어떻게 대하셨을까요? 예수님이라면 교회 안에서 이런 사람들을 만났을 때 어떻게 하셨을까요? 본문의 결론을 살펴보겠습니다.

"예수께서 들으시고 그들에게 이르시되 건강한 자에게는 의사가 쓸데없고 병든 자에게라야 쓸데 있느니라 나는 의인을 부르러 온 것이 아니요 죄인을 부르러 왔노라 하시니라"(막 2:17).

이것이 사건의 결론인데, 이 결론에서 예수님은 의인을 부르기 위해서가 아니라 죄인을 부르기 위해서 왔다고 말씀하십니다. 우리는 교회를 예수님의 몸이라고 고백합니다. 교회가 예수님의 몸이고 예수님이 몸 된 교회를 통해 지금도 사람들을 부르고 계신다면, 예수님은 오늘날 어떤 사람들을 부르실까요? 지금도 죄인들을 부르고 계시지 않을까요? 그렇다면 교회에는 누가 모여야 합니까? 의인입니까, 죄인입니까? 교회는 죄인들의 집합소입니다. 병든 사람을 부르러 왔다고 하신 예수님의 말씀을 다른 말로 바꾸어 본다면, 교회는 병원이요, 병든 자들의 클리닉이라고 할 수 있습니다. 좋은 병원이란 어떤 곳입니까? 건강한 사람들이 모여드는 곳이 좋은 병원입니까? 소문난 병원에 가 보십시오. 어떤 특징이 있습니까? 그곳에는 각종 병자가 다 모입니다. 좋은 교회는 각종 죄인과 병든 사람이 모여드는 곳입니다. 하지만 병자들만 많이 모인다고 좋은 병원인 것은 아닙니다. 반드시 있어야 할 소식, 즉 그 병원에 가면 병자들이 잘 낫는다더라 하는 소문이 많이 나야 합니다.

병을 고침 받는 경우는 사람마다 다릅니다. 오래 걸려서 낫게 되는 사람이 있는 반면, 금방 고침 받는 사람도 있습니다. 교회에 와서 이상한 사람을 보면 '아, 저 사람은 병을 고치는 데 많은 시간이 필요하겠구나' 하고 생각하면 됩니다. 그러나 또 한 가지 중요한 것이 있습니다. 병자들이 병원에 갈 때 무엇을 기대하느냐는 것입니다. 물론 병이 낫기를 기대할 것입니다. 그러나 그 외에도 환자들은 병원에서 자기를 존중하고 친절하게 잘 대해 줄 것을 기대합니다.

예수의 눈을 가지라

본문에서 예수님은 죄인들을 다루는 방식에 대한 모범을 보이십니다. 이것은 우리가 소위 죄인이라는 이웃들을 접하게 될 때 죄인 된 자로서 또 다른 죄인을 어떻게 다루어야 하는지에 대한 모범을 제시해 줍니다.

첫째로 중요한 것은, 예수님이 사람들을 보시는 방식대로 우리도 사람들을 보려고 애써야 한다는 것입니다. 본문 14절은 무엇이라고 말합니까?

> "또 지나가시다가 알패오의 아들 레위가 세관에 앉아 있는 것을
> 보시고 그에게 이르시되 나를 따르라 하시니 일어나 따르니라."

예수님이 이 세리를 보셨다는 것 자체가 이미 보통 사건이 아닙니다. 세리는 그 당시 유대인들이 가장 기피하는 대상이었기 때문입니다. 예수님은 랍비이며 율법을 가르치는 교사였습니다. 당시 유대의 랍비나 도덕 교사 혹은 종교 교사가 지나가다가 세리를 만나면, 그들은 절대로 그를 쳐다보지 않았습니다. 보지 않고 그냥 피해서 갔습니다. 이처럼 당시 세리들은 인간 이하의 쓰레기로 취급당했습니다. 로마에 붙어서 세금을 걷어 내기 위해 동족을 착취하는 민족의 반역자요, 반유대주의자 그리고 반민족주의자였기에 인간으로 취급될 수 없었습니다.

당시에는 정상적으로 걷는 세금인 정세와 관세라는 것이 있었습니다. 정세만 해도 인두세, 토지세, 소득세의 세 가지 종류가 있었습니다. 인두세는 사람의 머릿수대로, 그 나라에서 태어난 사람이면 무조건 내야 하는 것이었고, 토지세는 가진 토지에 따라, 소득세는 얻은 소득에 따라 12세에서 65세까지 내게 되어 있었습니다. 사실 이것만으로도 죽을 지경인데, 세리들은 멋대로 관세라는 것을 붙여서 동족을 수탈했습니다. 이 관세의 대부분은 로마 정부가

아닌 세리의 주머니로 들어가는 것이었습니다.

그 가운데는 길을 통과할 때 내는 통과세, 마차를 끌고 갈 때 내는 마차세, 바퀴가 여럿인 마차에 바퀴마다 물리는 바퀴세 등이 포함되어 있었습니다. 심지어는 물고기를 잡을 때 물고기세까지 내야 했습니다. 한마디로 약탈자였습니다. 또 세리들은 세금을 강제로 징수하기 위해 살인 청부업자들과 결탁해 있었습니다. 그래서 당시 유대인들은 세리들을 사람으로 취급하지 않았고 상대도 하지 않았을뿐더러, 법정 증인으로도 세우지 않았습니다.

그런데 예수님은 지나가다 일부러 세리를 보셨습니다. 이제 예사롭지 않은 일이 시작됩니다. 예수님은 이 세리를 어떻게 바라보셨을까요? 무섭게 노려보셨을까요? 유명한 성경 학자 윌리엄 바클레이(William Barclay)는 "예수님은 레위라는 이름을 가진 이 세리를 보았을 때 그 안에 있는 위대한 전도자 마태를 보았다"라고 말했습니다. 우리는 레위라는 사람은 잘 모르지만, 마태는 잘 압니다. 바로 이 사람이 마태복음을 기록한 사람입니다. 예수님은 세리 레위 안에서 전도자 마태를 보셨던 것입니다. 이 사람이 예수님을 믿고 변화된 후에 하나님이 특별하게 쓰시는 사람이 된 것입니다.

많은 성경 학자는 마태라는 이름이 레위가 변화된 다음에 붙여진 새로운 이름이었을 것으로 추정합니다. 마태란 '하나님의 선물'이라는 뜻입니다. 그는 하나님의 선물처럼 소중한 존재가 되었습니다. 그는 비록 많은 사람에게 손가락질받는 세리였지만, 회심한 후에는 관리 특유의 정확한 관찰력을 가지고 유대인의 왕이요, 구세주로 오신 예수 그리스도의 생애를 정확히 관찰하고 증거하는 마태복음을 남깁니다. 예수님은 그가 변화되어 하나님의 손에 붙들려 쓰일 때 얼마나 놀라운 일들을 해낼지 그 가능성을 미리 보셨습니다. 이것은 매우 중요합니다. 예수님은 항상 현재의 모습만을 보지 않고 미래의 가능성을 보십니다.

시몬 베드로의 경우도 마찬가지였습니다. 체질로 치면 그는 대표적인 다혈질의 사나이였습니다. 종잡을 수 없이 충동적이고 격정적이었으며, 신뢰하기 어려운 사람이었습니다. 그러나 예수님이 시몬을 처음 만났을 때 하신 말씀이 무엇이었습니까?

"요한의 아들 시몬이니 장차 게바라 하리라"(요 1:42).

여기서 게바란 '반석'을 의미합니다. 육중한 반석의 이미지를 생각해 보십시오. 그것은 충동적이고 급하고 쉽게 변하는 시몬에게 어울리지 않는 별명이었습니다. 그러나 예수님은 시몬을 그런 사람으로 보지 않으셨습니다. 주님의 손에 붙들렸을 때 그 위에 위대한 초대 교회가 세워질 수 있는 전도자로 시몬 베드로를 보셨습니다. 예수님은 이렇게 사람을 보십니다.

창녀 마리아는 어땠습니까? 예수님은 창녀 마리아 안에서도 성녀 마리아의 가능성을 보셨습니다. 예수님은 계속 받기만 하며 만족을 모른 채 욕망을 좇아 달려가던 '막 달라' 마리아에게서 '막 주는' 마리아의 가능성을 보셨습니다. 막달라 마리아를 처음 만났을 때부터 주님은 그녀가 변화되어 십자가까지 주님을 수행하고, 후에는 당신의 부활을 증거하기까지 할 위대한 제자가 될 가능성을 보셨던 것입니다. 우리는 사람을 이렇게 볼 수 있어야 합니다.

대리석 속의 위대한 조각품

1500년대 초, 이탈리아의 플로렌스에 도나텔로(Donatello)라는 유명한 조각가가 있었습니다. 도나텔로는 자기 생애 최고의 조각 작품을 한번 남겨 보리라는 마음을 가지고 있었습니다. 그래서 그는 좋은 대리석이 나오기로 유명한 카라라라는 지방으로부터 비싼 값을 지불하고 많은 대리석을 사 왔습니다. 그러나 막상 채석장에 갖다 놓고 보니 마음에 드는 것이 없었습니다. 도나텔로는 "쓸 만한 것이 없군" 하고는 그 대리석들을 성당 뒤뜰에 버렸습니다. 그런데 무명의 젊은 조각가가 그 버려진 대리석들을 보다가 "잘만 쓰면 괜찮은데" 하고는 그중 몇 개를 가져다가 2년 동안 모든 열정을 퍼부어 조각을 하기 시작했습니다. 그리고 2년 후인 1504년 1월 25일, 플로렌스의 많은 시민이 운집한 가운데 이 조각상을 덮고 있던 베일이 걷혔을 때 모여 있던 사람들은 흥분하기 시작했습니다. 이것이 그 유명한 미켈란젤로(Michelangelo Buonarroti)의 다비드상입니다. 그는 거친 대리석 속에서 위대한 조각품의 가능성을 보았습니다.

당신은 당신에게 상처를 준 사람, 사람 같지 않은 사람을 어떤 눈으로 바라봅니까? 그들이 예수님을 믿어 성령을 체험하고 하나님의 사랑을 경험하면 놀랍게 변화되리라는 가능성을 보고 있습니까? 예수님의 눈을 가지고 사람들을 바라볼 수 있게 해 달라고 기도하기 바랍니다.

사람들을 부르라

두 번째로 중요한 것은, 예수님은 사람들을 본 후에 어떻게 하셨습니까? 그들을 부르셨습니다. 우리도 예수님이 그들을 부르고 계신다는 메시지를 전달해야 합니다. 예수님은 지금도 사람들을 부르고 계십니다. 그렇다면 우리도 사람들을 만날 때 그들을 예수님의 눈으로 보고, 그들을 예수님께 인도해야 합니다. 예수님은 레위를 보고 그 속에서 위대한 전도자의 가능성을 발견하셨습니다. 그리고 그를 하나님의 선물로 여기셨습니다. 그다음에는 어떻게 하셨습니까?

> "알패오의 아들 레위가 세관에 앉아 있는 것을 보시고 그에게 이르시되 나를 따르라 하시니 일어나 따르니라"(막 2:14).

예수님은 당신을 따르라고 초청하셨습니다. 예수님은 당신의 심장과 안목으로 사람들을 본 후에 그들을 당신에게로 초청하십니다. 예수님은 지금도 사람들을 초청하고 계십니다. 지금도 수고하고 무거운 짐 진 자들을 오라고 초청하십니다. "나를 따르라" 하는 사람이 별 볼 일 없는 사람이라면 따라가 봐야 별로 수지맞을 것이 없습니다. 그러나 따르라고 하는 분이 하나님의 아들이요, 육신을 입고 오신 구세주라면 문제는 달라집니다. "나는 길이요 진리요 생명이라"라고 하신 말씀처럼 길 되신 예수님을 따라가면 우리는 아버지께 도달할 것이고, 영생을 경험하게 될 것입니다.

신앙생활이란

신앙생활은 간단히 두 가지로 요약할 수 있습니다. 첫째는 예수님을 만나는 것이고, 둘째는 예수님을 따라가는 것입니다. 이것이 신앙생활의 전부입니다. 교회에 나와서 예수님을 만나지 못하는 사람이 제일 불쌍한 사람입니다. 교회에 나와서 가장 먼저 할 일은 예수님을 만나는 것입니다. 그래야 구원을 얻고, 영원한 삶을 누리게 됩니다. 교회에 나와서 예수님을 만나지 못했다면 가장 중요한 문제가 해결되지 않은 것입니다. 교회에 처음 나온 후로 잘 처세하고 적응해서 직분도 받았지만 예수님을 만나지 못한 성도가 많습니다. 이것은 현대 교회의 비극입니다. 반드시 예수님을 만나야 합니다.

두 번째로 할 일은, 예수님을 따라가는 것입니다. 예수님을 따라가면 우리는 제자가 됩니다. 예수님을 따라가면 신이 나고 삶에 보람과 기쁨과 풍성함이 있게 됩니다. 이것이 영적 성숙입니다. 물론 시련도 있고 고통도 있습니다. 그럼에도 불구하고 흔들리지 않는 천국의 희망이 있기에 마음속의 시련과 고통을 능히 이길 수 있게 됩니다. 그러면 '아무개도 예수님을 만나면 좋겠다'라는 마음이 들게 되고, 제자들이 그랬던 것처럼 전도하게 됩니다.

전도란 무엇입니까? 전도란 '전도자인 나'를 소개하는 것이 아니라, '내가 예수님을 만나 따라가 보니 삶이 놀랍게 변화되고 기쁨과 소망이 생겼다'는 사실을 전하는 것입니다. '세계관이 바뀌고 나니 인생에 시련이 닥쳐와도 흔들리지 않게 되었다'는 사실을 전하는 것입니다. "우리 같이 예수님 믿읍시다" 하고 우리가 아닌 예수님을 소개하는 것이 전도입니다.

어떤 사람은 전도한다고 하면서 자기만 나타냅니다. 또 어떤 사람은 전도한다고 하면서 사람들을 예수님으로부터 멀리 쫓아냅니다. 둘 다 잘못된 것입니다. 전도란 예수님을 이웃에게 소개하는 것인데, 간혹 우리로 인해 사람들이 예수님을 만나는 데 방해가 될 때가 있습니다. 복음서에도 그런 증거가 나타납니다. 사람들이 예수님을 만나는 데 있어 예수님의 제자들이 가장 큰 방해 요인이 된 경우가 그렇습니다.

가나안의 수로보니게 여인의 경우를 보십시오. 이 불쌍한 여인이 예수님을 만나려고 했을 때 제자들이 뭐라고 말했습니까? 이 여자를 쫓아 버리자고 외쳤습니다. 제자들이 방해 요인이 되었던 것입니다. 맹인 거지였던 바디매오도 예수님을 만나려고 했다가 오히려 잠잠하라는 꾸짖음을 들어야 했습니다. 빛이 보고 싶어 예수님 앞으로 나아오는 그 길을 제자들이 차단한 것입니다.

오늘날 사람들이 예수를 믿는 데 최대의 방해가 되는 것은 바로 교회라고 생각합니다. 우리 때문에 예수님을 믿지 못하고 주님 앞에 나아오지 못하는 사람이 얼마나 많습니까? 이웃들이 예수님을 만날 때 그리스도인인 우리가 방해가 되지 않게 해 달라고 기도해야 합니다. 그리고 우리를 나타내는 대신 예수님에게만 초점을 맞추어야 합니다. 예수님을 만나고, 바라보고, 따라가도록 도와야 합니다. 왜냐하면 예수님이 주인이시기 때문입니다.

우리나라의 초대 교회 전도 야화 가운데 이런 내용이 있습니다. 어떤 사람이 안 믿는 사람에게 예수님을 믿으라고 소개했더니 전도 받던 사람이 "예수의 한국 성씨가 뭐요" 하고 묻더랍니다. 사람 이름이 예수라면 성이 있을 것이라 생각했던 모양입니다. 갑작스러운 질문에 이 사람이 당황했습니다. 그때 옆에 앉아 있던 예수 믿은 지 얼마 되지 않은 초신자가 냉큼 대답하더랍니다.

"아, 예수님 성이야 주죠! 주 씨! 주 예수."

예수님이 주님이심을 믿습니까? 예수님을 주로 나타내고 주로 증거하는 것이 전도입니다. 주저함 없이 전도하는 도구로 쓰임 받을 수 있기를 바랍니다.

편견과 선입견을 넘어서

그렇다면 우리는 어떻게 우리의 이웃들을 대해야 할까요? 이웃을 정말 주님 앞으로 인도하기 원한다면 마지막 세 번째로, 예수님처럼 사람에 대한 편견과 선입견을 넘어서야 합니다. 본문에는 레위가 예수님을 만나고 예수님을 따라 살기로 결단하고 나서 가장 먼저 잔치를 베푸는 장면이 나옵니다.

> "그의 집에 앉아 잡수실 때에 많은 세리와 죄인들이 예수와 그의 제자들과 함께 앉았으니 이는 그러한 사람들이 많이 있어서 예수를 따름이러라"(막 2:15).

예수님을 만난 감격으로 그분을 초청하고 잔치를 열었습니다. 누가복음 5장 29절에 보면 같은 사건을 기록하면서 '큰 잔치'가 열렸다고 표현하고 있습니다. 어떤 사람들이 모였을까요? 세리의 집이니 당연히 친구 세리가 많이 모였을 것입니다. 그다음에는 누가 모였습니까? 죄인들이었습니다. 여기서 말하는 죄인들이란 우리가 보통 말하는 범죄자가 아니라, 바리새인들이 자기들의 구전 율법을 지키지 않고 사는 사람들을 정죄할 때 쓰던 단어입니다. 그런 사람들이 다 모였는데 예수님은 그들 모두를 환영하셨습니다. 끌어안고 함께 시간을 보내셨습니다.

우리는 어떻습니까? 함부로 사람에게 타이틀을 붙여서 정죄하지는 않습니까? 인간에게 죄인의 타이틀이 부가된다면, 그 타이틀은 우리 모두에게 예외 없이 적용될 것입니다. 모든 사람이 죄를 범했기 때문입니다. 당시 바리새인들은 자신들은 의인이고 나머지 사람들은 죄인이라는 의식을 가지고 있었습니다.

미국 어느 마을에 아주 유명한 깡패 형제가 살았습니다. 밀수한 마약을 동네에 퍼뜨리는가 하면 술에 취해 이웃 사람들을 두들겨 패기도 하고, 또 이웃의 물건을 빼앗는 등 늘 그 마을을 소란하게 만들던 형제였습니다. 그러던 어느 날, 동생이 죽었습니다. 이에 나쁜 짓으로 돈을 많이 모은 형은 죽은 동생의 장례식이나 제대로 치러 주자고 생각했습니다. 그런데 문제는, 하도 인심을 잃어 놔서 장례식을 인도할 사람이 없었습니다. 어떤 목사님도 초청할 수 없었습니다.

그는 결국 돈을 가지고 흥정하기 시작했습니다. 동생의 장례식 주례를 잘해 주면 그리고 주례할 때 동생이 참으로 성자였다는 말 한마디만 해 주면 몇 만 달러를 주겠다고 했습니다. 그래도 아무도 나서지 않았습니다. 제대로 된 성직자라면 어느 누가 그런 치사한 장례식에서 주례를 하겠습니까? 그런데 한 괴상한 목사가 나타나서 자기가 주례를 하겠다고 했습니다. 그 소문이 널리 퍼져서 장례식 당일에는 인산인해를 이루게 되었습니다. 어떻게 이 깡패에게 성자의 칭호를 붙여 주는지 모두 관심 있게 지켜보는 가운데 드디어 주례사가 시작되었습니다.

"사랑하는 주민 여러분! 여러분이 잘 알다시피 이 사람은 우리 마을의 유명한 깡패였습니다. 이웃들에게 얼마나 많은 고통과 아픔을 주었는지 모릅니다. 우리 마을은 이 사람 때문에 빛을 잃어버리고 말았습니다. 우리는 오랫동안 속이 상한 채 지냈습니다. 그럼에도 불구하고 사랑하는 여러분, 여기 누워 있는 고인은 살아 있는 그의 형에 비한다면 진실로 성자나 다름없었습니다."

이 말은 일리가 있습니다. 그러나 우리가 의인이다, 성자다, 혹은 죄인이다 하는 것은 모두 다 상대적인 것일 뿐, 하나님 앞에서는 모두가 다 죄인입니다. 우리가 사람들을 어떻게 수용하느냐 하는 것은 전도보다 더 중요합니다. 사람들을 제대로 수용할 수 없다면 전도가 될 리 만무하기 때문입니다. 예수님은 이 세상이 저버린 사람들까지도 편견 없이 다 받아 주셨습니다. 거기서부터 위대한 복음의 잔치와 역사가 펼쳐지기 시작한 것입니다.

치유 받은 치료자

가톨릭 사제 중에 여러 권의 책을 통해 많은 그리스도인의 사랑을 받는 헨리 나우웬(Henri Nouwen)이라는 분이 있습니다. 이 사람은 예일과 하버드에서 교수를 지냈습니다. 1985년, 그는 생애에 결코 잊을 수 없는 한 사건을 겪게 됩니다. 정신 지체아를 모아다가 가르치고 섬기는 프랑스 '장애인 공동체'의 한 지도자가 예일대학교 교수로 있던 그를 방문한 것입니다. 헨리 나우웬은 이 사람으로부터 생애 처음으로 정신 지체아들의 세계에 대해 듣게 되었습니다. 헨리 나우웬은 그의 이야기를 들으며 '아, 정신 지체아들을 섬기면서 이렇게 살고 있는 사람도 있구나' 하는 작은 감동을 받고 그와 헤어졌습니다.

그런데 얼마 되지 않아서 그 공동체의 또 다른 지도자로 있던 장 바니에(Jean Vanier)라는 사람이 편지 한 장을 보내왔습니다. 정신 지체아들의 수양회가 열리는데 거기에 와 주었으면 좋겠다는 초대장이었습니다. 처음에 헨리 나우웬은 자신이 강사로 초청된 줄 알았는데, 그게 아니라 계속 침묵하며 지내는 수양회에 다른 사람과 같이 초대된 것이었습니다. 사흘 동안 기도하는 일과 다른 이들을 몸으로 돌봐 주는 일 외에는 아무것도 하지 않는 특이한 수양회였습니다. 헨리 나우웬은 그 사흘 동안 아무 말도 하지 않은 채 정신 지체아들을 씻겨 주고, 먹여 주고, 또 그들을 위해 조용히 기도해 주면서 침묵 수련회를 마쳤습니다. 자기와 전혀 다른 세계에 사는 정신 지체아들을 처음 몸으로 체험하게 된 것이었습니다. 그 뒤로 또 한 통의 편지가 날아왔습니다. 그 편지에는 이런 말이 쓰여 있었다고 합니다.

"교수님과 함께했던 시간은 큰 축복이었습니다. 교수님이 우리 같은 정신 지체아 공동체의 지도자가 되어 주신다면 얼마나 큰 하나님의 선물이 될까요?"

그 당시 그는 예일에서 하버드로 막 옮기려던 때였습니다. 그냥 그 자리에서 교수로서 일하면서 얼마든지 불쌍한 사람을 도울 수도 있는데, 그 편지 한 통이 이상하게도 그에게 도전을 주었습니다. 나중에 헨리 나우웬은 '내가 하버드를 떠나서 정신 지체아 공동체의 지도자가 되도록 부르시는구나' 하는 생각을 하기 시작했습니다. 그는 결국 주님의 강력한 부르심을 인정할 수밖에 없었습니다.

1985년 가을, 그는 하버드의 교수직을 포기하고 캐나다 토론토 근처의 정신 지체아들을 위한 데이브레이크 공동체의 리더로 떠납니다. 거기서 소수의 정신 지체아들과 살아가기 위해서 하버드 교수직을 버리고 떠난 것이었습니다. 그러나 나중에 그는 자신의 일기에 이렇게 기록합니다.

"이상하다. 이것은 희생이고 지금까지의 삶을 뒤엎는 시도였는데, 웬일인지 마음의 평안이 있다."

그는 또 친구에게 보낸 편지에서 이런 놀라운 고백을 합니다.

"나는 이 사람들을 돕기 위해 이곳에 왔다고 생각했다. 그런데 나는 이 공동체에 와서 처음으로 고향을 찾은 것 같은 감정을 느낀다. 나는 아버지 집을 떠났다가 돌아온 탕자와 같은 기분을 느낀다."

더 놀랍고 충격적인 글은 계속됩니다.

"나는 이 사람들을 돕고 치료하기 위해서 왔지만, 오히려 내가 치료되고 있는 것을 느낀다. 우리 공동체 식구 여섯 명 중 아담이라는 청년이 있다. 그는 비록 정신 지체아이지만, 깨끗하고 투명한 그 영혼에 부딪힐 때마다 내게 붙어 있던 거짓과 위선의 찌꺼기들이 씻겨 나가고, 내 영혼이 치료되는 것을 느낀다."

그것은 놀라운 발견이었습니다. 그는 정신 지체아들도 비록 시간은 걸리지만 예수님을 영접하고 그리스도의 사랑에 반응한다는 사실을 알게 되었습니다. 그야말로 새로운 세계가 그 앞에 펼쳐진 것입니다.

이렇게 사람에 대한 편견을 넘어서 이웃들 앞에 선다면 얼마나 더 위대한 설득력과 감동이 있을까요! 복음이 지체되고 이웃들과의 담이 높아져 있는 이유가 무엇일까요? 그것은 우리가 좁은 인간관을 가지고, 우리가 선택한 좁은 범위에서 제한적인 교제만을 나누기 때문입니다. 그러면서도 우리는 그것을 성도의 교제라고 부르며 늘 어울리는 몇 사람과만 몰려다닙니다. 그러니 어떻게 우리의 세계가 이웃들을 향해 열릴 수 있겠습니까? 우리가 사람에 대한 편견과 선입견을 뛰어넘어 이웃 앞에 그리스도의 사랑으로 다가선다면, 새로운 선교의 장이 열릴 것입니다. 1996년 9월 21일, 헨리 나우웬은 이런 말을 마지막으로 남기고 세상을 떠났습니다.

"나는 내 사랑하는 이웃들을 통해서 우리 주님 그리스도를 새롭게 경험했다. 나는 행복했다. 나는 참 행복했다."

왜 우리가 복음의 능력을 잃어버리고 있을까요? 복음이 이웃들에게 전파되지만 힘이 없는 것은, 우리가 그들을 주님의 심정이 아닌 선입견과 편견을 가지고 대하기 때문입니다. 주님의 눈으로 바라보면 가망 없어 보이는 이웃들의 눈에서도 빛나는 내일의 가능성을 볼 수 있습니다.

———

예수님은 당신의 심장과 안목으로
사람들을 본 후에 그들을 당신에게로 초청하십니다.
예수님은 지금도 사람들을 초청하고 계십니다.
지금도 수고하고 무거운 짐 진 자들을
오라고 초청하십니다.

"예수께서 다시 회당에 들어가시니 한쪽 손 마른 사람이 거기 있는지라 사람들이 예수를 고발하려 하여 안식일에 그 사람을 고치시는가 주시하고 있거늘 예수께서 손 마른 사람에게 이르시되 한가운데에 일어서라 하시고 그들에게 이르시되 안식일에 선을 행하는 것과 악을 행하는 것, 생명을 구하는 것과 죽이는 것, 어느 것이 옳으냐 하시니 그들이 잠잠하거늘 그들의 마음이 완악함을 탄식하사 노하심으로 그들을 둘러보시고 그 사람에게 이르시되 네 손을 내밀라 하시니 내밀매 그 손이 회복되었더라 바리새인들이 나가서 곧 헤롯당과 함께 어떻게 하여 예수를 죽일까 의논하니라"(막 3:1-6).

8

생명을 구할 것인가, 죽일 것인가

복음은 정죄의 시선을
사랑으로 변화시킨다

40대 초반의 한 부인이 건강 진단 결과 암 선고를 받았습니다. 암이 이미 오래 진행되었기에 살날이 얼마 남지 않았다는 불행한 선고를 받게 된 것입니다. 그녀에게는 중학교에 다니는 아들과 고등학교에 다니는 딸이 있었습니다. 의사는 그녀에게 둘 중 하나를 선택하라고 했습니다. 하나는 고통스럽겠지만 방사선 치료를 받으면서 조금이나마 이 땅에서 더 오래 생존하는 것이고, 또 하나는 어차피 고칠 수 없는 병이니 집에서 편안히 요양하면서 죽음을 대비하는 방법이라고 했습니다. 그녀는 하나님 앞에 기도하면서 엄마로서, 또 아내로서 자신이 무엇을 선택하는 것이 최선일까 생각하다가 방사선 치료를 받기로 결심했다고 합니다. 그리고 난 후 사랑하는 자녀들에게 감동적인 편지 한 통을 썼습니다.

"엄마는 그리스도인으로서 천국에 대한 소망을 가지고 있어. 엄마는 죽음이 준비되어 있기 때문에 더 이상 이 땅의 삶에 미련이 없단다. 그럼에도 불구하고 엄마는 방사선 치료를 받기로 선택했어. 그것은 나를 위해서가 아니라 사랑하는 너희들 때문이야. 인생의 가장 중요한 시기를 지나고 있는 너희들이 엄마를 필요로 할 때 그곳에 있어 주기 위해서야. 나는 어떤 대가를 치르더라도 너희들이 정말 필요했던 시간에 엄마가 너희 곁에 있었음을 기억하도록 이 질병과 싸우기로 결심했단다."

그녀는 자녀에게 축복을 남겨 주기 위해 고통스러운 삶의 연장을 선택한 것입니다.

생명을 죽이는 사람들

이 땅에는 이웃들을 살리기 위해 자신을 희생하기로 결단하는 사람들이 종종 있습니다. 그런가 하면 자신이 살기 위해 이웃을 죽이기로 결심하는 사람들도 없지 않습니다. 본문에는 대조적인 선택을 하는 두 부류의 사람의 이야기가 나와 있습니다.

"그들에게 이르시되 안식일에 선을 행하는 것과 악을 행하는 것, 생명을 구하는 것과 죽이는 것, 어느 것이 옳으냐 하시니 그들이 잠잠하거늘"^(막 3:4).

'선을 행하는 것과 악을 행하는 것, 생명을 구하는 것과 죽이는 것 중에서 어느 것이 바른 선택이라고 생각하느냐'는 것이 주님의 질문이었습니다. 먼저, 생명을 죽이는 사람들의 이야기를 하고자 합니다.

"바리새인들이 나가서 곧 헤롯당과 함께 어떻게 하여 예수를 죽일까 의논하니라"^(막 3:6).

그 시대의 가장 대표적인 종교 지도자들이었던 그들이 예수님을 죽이기 위한 모의를 시작합니다. 본래 바리새인들은 신구약 중간기와 관련이 있습니다. 약 400년 정도에 해당하는 이 중간 시대에 이스라엘에는 빼앗긴 나라를 되찾을 뿐만 아니라 그들의 자랑스러운 종교적 전통과 율법을 수호하고자 하는 '하시딤'이라는 경건한 이들이 있었는데, 그들의 후예가 바리새인이었습니다. 그러나 잘못된 생각들을 받아들이기 시작하면서 그들은 사람을 살리는 자가 아니라 죽이는 자들로 변해 가기 시작했습니다.

그리스도인인 우리도 잘못된 생각을 우리 의식 구조 속에 받아들이기 시작한다면 바리새인들과 마찬가지로 이웃들을 죽이는 살인자의 행렬에 가담하게 될 수 있습니다. 이 본문을 통해 사람을 실제로 죽이지 않더라도 정신적으로 혹은 종교적으로 살인할 수 있다는 것을 깨달아야 합니다.

어떻게 그렇게 되었을까요? 어쩌다 바리새인들이 그렇게 되어 버렸을까요? 한두 가지 이유를 본문에서 발견할 수 있습니다. 첫째는, 마음의 완악함 때문입니다. 5절은 이렇게 시작됩니다.

"그들의 마음이 완악함을 탄식하사"(막 3:5).

본래 이 '완악하다'라는 단어는 자기 외에는 아무도 생각하지 않는 사람, 이웃들은 생각하지 않고 오로지 자신만 생각하는 이기적인 사람을 가리킬 때 쓰는 단어였습니다. 우리 사회가 이웃을 전혀 생각하지 않는 사회가 된 것은 인간의 죄성에서 비롯한 철저한 이기주의 때문입니다. 죄의 뿌리는 철저한 이기주의입니다. 이것 때문에 직장에서도 가정에서도 살맛이 안 날 때가 얼마나 많습니까? 가장 사소한 일에서부터 이웃들을 헤아린다면 우리 삶에 많은 변화가 있게 될 것입니다.

언젠가 제가 좋아하는 한 형제가 재미있는 이야기를 들려주었습니다. 어느 대학교 화장실에 들어가니 이런 낙서가 쓰여 있더랍니다.

"기억하라. 당신이 사색에 몰두해 있는 동안 밖에 있는 사람들은 사색이 되어 간다."

작은 이기심이 때로는 한 사회를 무너뜨릴 수 있는 무서운 바이러스의 역할을 하기도 합니다. 교회 안에도 종교적 이기심이 있을 수 있는데, 당시 바리새인들도 이런 생각에 사로잡혀 있었습니다.

도그마티즘, 종교적 독단주의의 위험

그들을 살인자로 내몰았던 또 하나의 원인은 독단적 신앙 구조라고 할 수 있습니다. '도그마티즘'(Dogmatism), '종교적 독단주의'란 이런 것입니다. 우리가 어떤 특별한 신앙 체험을 했다고 생각해 보십시오. 물론 그 자체는 나쁜 것이 아니지만, 모든 사람이 똑같이 해야 한다고 주장하면서 우리가 경험한 신앙 체험을 절대화시키고 다른 사람에게 강요하는 것입니다. 우리에게 편리하고 우리가 선호하는 특정 종교 의식을 절대화시키고, 기독교의 많은 교리 중에서 어떤 한 부분을 절대화시킬 때 우리 신앙은 독단주의에 빠질 수 있습니다.

우리는 복음 외에 그 무엇도 절대화시켜서는 안 됩니다. 우리의 체험을 절대화시킨다든지 종교 의식을 절대화시키면 바리새인들과 같이 독단주의에 빠지게 됩니다. 본문에서 우리는 바리새인들이 빠진 두 가지 독단주의적 오류를 발견하게 됩니다. 첫째는 금식에 관한 생각이고, 둘째는 안식일에 대한 생각인데, 이 두 가지 오류는 바리새인들의 독단주의를 대표하는 모습이라고 볼 수 있습니다.

참된 금식

먼저 금식에 대한 생각입니다. 마가복음 2장 18절을 보십시오.

> "요한의 제자들과 바리새인들이 금식하고 있는지라 사람들이 예
> 수께 와서 말하되 요한의 제자들과 바리새인의 제자들은 금식하
> 는데 어찌하여 당신의 제자들은 금식하지 아니하나이까."

금식을 가지고 예수님께 시비를 겁니다. 배경이 되는 것은 세리 레위가 구원을 받고 예수님의 제자가 된 사건이었습니다. 주님은 너무 기쁘게 레위가 베푼 즐거운 잔치 자리에 앉아 음식을 드셨습니다. 그 광경을 가만히 보고 있던 바리새인들이 시비를 건 것입니다. 그들만 먹는 것이 아니꼬웠는지, "우리와 요한의 제자들은 금식하고 있는데 어째서 당신과 제자들은 먹고만 있습니까?" 하고 물은 것입니다.

금식은 필요하며 좋은 것입니다. 저는 이 시대를 살고 있는 그리스도인들이 금식으로부터 좋은 교훈을 얻었으면 좋겠습니다. 어떤 사람은 "나는 이날 이때까지 하루도 빼놓지 않고 세 끼씩 꼬박꼬박 먹으며 살아왔다"고 하는데, 그것은 자랑이 아닙니다. 때로는 굶어 보기도 하고, 금식도 좀 해 보아야 합니다. 그리고 그 시간을 아껴 기도에 깊이 몰두하는 것도 해 보아야 합니다. 그러나 문제는 금식에 대한 자신의 선호를 절대화시켜서 금식하지 않는 이웃들을 정

죄하는 것입니다.

본래 이스라엘 백성은 1년에 한 차례씩 속죄일에 금식을 했습니다. 물론 비상사태가 벌어질 때도 금식을 했지만, 종교 규례상 금식은 1년에 한 번 실시하게 되어 있었습니다. 그러다가 어떤 사람이 이런 생각을 하기 시작했습니다.

'1년에 한 번만 해서 되겠느냐. 한 달에 한 번은 해야지.'

또 다른 사람은 이렇게 생각하기 시작했습니다.

'아니야, 그것 가지고 되겠는가. 일주일에 한 번씩은 해야지.'

그래서 예수님 당시의 바리새인들은 심지어 일주일에 두 번까지 금식하면서 스스로 경건한 척을 했습니다. 그런데 가만히 보니 예수님의 제자들은 그렇게 하지 않는 것입니다. 그래서 왜 금식을 하지 않느냐고 시비를 걸기 시작한 것입니다. 예수님은 이에 대해 뭐라고 대답하십니까?

"예수께서 그들에게 이르시되 혼인 집 손님들이 신랑과 함께 있을 때에 금식할 수 있느냐 신랑과 함께 있을 동안에는 금식할 수 없느니라 그러나 신랑을 빼앗길 날이 이르리니 그날에는 금식할 것이니라"(막 2:19-20).

예수님은 금식을 부인하지 않으셨습니다.

"금식은 좋은 것이며 필요한 것이다. 신랑을 빼앗기는 날, 곧 내가 십자가에 못 박히게 되는 날에는 너희도 금식할 필요가 있다. 그러나 죄인 레위가 회개하고 돌아와 이렇게 나의 제자가 되었으니 지금은 즐겁게 잔치를 벌여야 할 시간이 아니냐?"

즐거워야 할 시간에 왜 하필이면 금식하지 않느냐고 시비를 거느냐는 말입니다. 이것은 독단주의에서 비롯된 잘못된 생각입니다.

안식일의 정신

또 하나는 안식일의 예입니다.

> "안식일에 예수께서 밀밭 사이로 지나가실새 그의 제자들이 길을 열며 이삭을 자르니"(막 2:23).

안식일에 예수님의 제자들이 이삭을 잘라 먹은 모양입니다. 그러면 얼른 다가와 "아이고, 그동안 너무 시장하셨던 모양이죠?" 하면서 대접하면 얼마나 좋겠습니까? 그런데 바리새인들의 반응을 보십시오.

> "바리새인들이 예수께 말하되 보시오 저들이 어찌하여 안식일에 하지 못할 일을 하나이까"(막 2:24).

그들의 말은 안식일에 하지 못하게 되어 있는 일을 왜 하느냐는 것입니다. 하나님이 왜 안식일을 주셨겠습니까? 안식일의 핵심은 안식일을 지키느냐, 안 지키느냐가 아니라, 하나님께서 안식일을 주셨다는 사실입니다. 하나님께서 우리 인간의 유익을 위해 안식일을 주셨다는 것이 중요합니다. 그러나 바리새인들은 이런 하나님의 마음을 헤아리지 못하고 종교 의식이나 전통을 절대화시켰습니다. 그러고는 안식일을 안 지킨다고 사람들을 정죄하고 돌아다닌 것입니다. 이때 예수님은 어떻게 말씀하십니까?

> "또 이르시되 안식일이 사람을 위하여 있는 것이요 사람이 안식일을 위하여 있는 것이 아니니 이러므로 인자는 안식일에도 주인이니라"(막 2:27-28).

"나는 안식일에도 주인이다. 내가 너희에게 안식일을 준 것은 너희를 위해서다. 사람이 안식일을 위해서 존재하는 것이 아니라, 바로 안식일이 사람을 위해 존재하는 것이다"라고 말씀하십니다. 이 사실을 생각지 못한 채 바리새인들은 안식일 규례를 지키지 않는 사람들을 정죄한 것입니다.

성경은 단순히 안식일을 기억하여 거룩하게 지키라고만 말씀하는데, 그 당시 바리새인들은 안식일에 하지 말아야 할 일을 서른아홉 가지 규례로 만들었습니다. 거기에 각 계명마다 여섯 개의 세칙을 붙여 총 234가지가 되었으니 얼마나 많습니까? 그러다 보니 안식일에 무슨 일을 할 때마다 이 규정에 걸리는지, 안 걸리는지 고민하는 것이 큰 스트레스가 되었습니다. 하나님은 우리의 유익을 위해 안식일 규정을 주셨건만 규례를 만들어 스스로를 얽매고 있었으니, 안식일은 축복이 아니라 무거운 종교적 부담이 되어 버린 것입니다.

정죄는 사람을 죽인다

바리새인들은 두 가지 방법으로 사람들을 죽이고 있었습니다. 첫째는, 사람들을 정죄하는 말을 통해 무거운 짐을 지움으로써 죽이는 것입니다. 마가복음 2장을 통해 바리새인들이 그들의 날카롭고 부정적인 언어를 통해 어떻게 사람들을 죽이고 찔렀는지 파악해 볼 수 있습니다.

16절에서 바리새인의 서기관들이 예수님께서 죄인과 세리들과 함께 잡수시는 것을 보고 뭐라고 말합니까? "어찌하여 세리 및 죄인들과 함께 먹는가"라고 말하고 있습니다. 잔치가 벌어졌으면 "무슨 일입니까? 좋은 일이 생긴 모양이죠?" 하면서 대화도 나누고 그러면 얼마나 좋습니까? 그런데 그러지 않고 어찌하여 세리 및 죄인들과 함께 먹는지를 따져 묻습니다. 나아가 이들의 일관된 의식 구조를 보십시오.

"바리새인들이 예수께 말하되 보시오 저들이 어찌하여 안식일에 하지 못할 일을 하나이까"(막 2:24).

오죽하면 안식일에 밀 이삭을 잘라 먹었겠습니까? 그런 것을 긍휼히 여겨야 하지 않겠습니까?

저는 이 땅의 율법주의자들이 훗날 북한에 가서 복음이 아닌 종교를 선전할까 봐 걱정입니다. 배고파서 죽어 가는 사람들에게 안식일에는 아무것도 먹지 말라고 하면서 돌아다닐까 봐 걱정이 됩니다. 이것은 하나님의 마음을 헤아리지 못하는 일입니다. 바리새인들은 "어찌하여 안식일에 하지 못할 일을 하나이까" 하며 그들을 정죄했습니다. 신앙 좋은 사람이 독단주의에 빠지게 되면 이웃들에게 상처를 주는 사람이 되기 쉽습니다.

새벽 기도가 얼마나 큰 축복입니까? 저는 많은 교인이 새벽 기도에 참석했으면 좋겠습니다. 철야 기도도 얼마나 좋습니까? 그런데 그것이 자신에게 축복이 되었다고 해서 그렇게 하지 않는 사람들을 정죄하고 돌아다녀서는 안 됩니다. 당신은 왜 새벽 기도에 안 나오냐고 하면 안 된다는 말입니다. 큐티도 얼마나 좋은 축복입니까? 저는 모든 성도가 큐티할 수 있기를 기대합니다. 그렇지만 큐티하는 성도는 하지 않는 성도들을 정죄하지 마십시오. 그리스도인이면서 큐티도 안 하면 그게 교인이냐고 말하는 사람이 있습니다. 그것은 자기 신앙으로 남을 정죄하는 것입니다. 주일 예배에 빠졌다고 해서 주일 성수도 안 하는 당신이 무슨 집사냐고 다그치지 마십시오. 주일에 안 보였다면 "집사님, 어디 아프세요? 무슨 일이 있으셨나요?" 하고 안부를 물으면 얼마나 좋습니까?

이웃을 생각하지 않는 가시 돋친 말들로 인해 상처받는 사람이 많습니다. 언어를 조심해야 합니다. 오죽하면 시편 기자가 "여호와여 내 입에 파수꾼을 세우시고 내 입술의 문을 지키소서"(시 141:3) 하고 기도했겠습니까? 잠언에 보면 "칼로 찌름같이 함부로 말하는 자가 있거니와 지혜로운 자의 혀는 양약과 같으니라"(잠 12:18)라는 말씀이 있습니다. 지혜로운 말, 선한 말, 아름다운 말, 이웃을 세워 주고 격려하며 용기를 주는 말 대신에 종교적인 독설로 이웃들에게 상처를 주는 일이 얼마나 많습니까? 말로 이웃들을 죽이는 일은 없어야 합니다.

편파적인 행동은 사람을 죽인다

그런가 하면 우리는 편파적 행동으로도 이웃을 죽일 수 있습니다. 선택적 교제가 그 한 예입니다. 본문에 보면 바리새인들이 예수님에게 어찌하여 죄인, 세리들과 함께 먹느냐고 비난하는 장면이 나옵니다.

제가 오래전에 어떤 교회 중직에게 이런 말을 들은 적이 있습니다. "목사님, 어떻게 그런 사람들과 다니십니까?"

그래서 제가 그랬습니다.

"저라도 같이 교제하지 않으면 그 사람이 누구하고 교제하겠습니까?"

물론 더 좋아하는 사람, 덜 좋아하는 사람이 있을 수 있습니다. 그러나 선택적 교제에 익숙해져 버리면 늘 교제하는 사람과만 교제하게 되고, 하나님이 사랑하시는 다른 많은 사람을 무시하게 될 수 있습니다.

노골적으로 헐뜯지 않아도 사람을 무시함으로써 그를 죽일 수 있다는 사실을 기억하십시오. 집에서 화초를 기를 때 관심을 쏟지 않고 무시하면 며칠 지나지 않아 시들해지는 것처럼 말입니다. 남편에게 사랑받지 못하는 아내를 보십시오. 또한 아내에게 인정받지 못하는 남편을 보십시오. 무시하는 태도만큼 사람을 죽이는 독소도 없습니다.

이웃을 살리려면 자꾸 봐야 합니다. 그리고 자꾸 만져 줘야 합니다. 우리의 눈길과 손길이 그들을 살립니다. 우리가 무시하기 시작하면 그들은 죽어 갑니다. 바리새인들이 그랬습니다. 바리새인들이 얼마나 독사 같은 시선으로 사람들을 바라보았는지, 예수님도 그들을 독사의 자식들이라고 부르셨습니다.

생명을 살리는 사람들

자, 이제는 생명을 살리는 이야기를 해 봅시다. 생명을 살리는 사람들은 누구였습니까? 대표적인 분은 예수님입니다. 본문은 어떻게 시작됩니까? 예수님은 회당에 들어서자마자 예배드리는 자들 가운데 손 마른 사람이 있는 것을 보셨습니다. 어떤 마음으로 바라보셨을까요? 이루 말할 수 없이 불쌍히 여기는 심정과 특유의 자비로 바라보셨을 것입니다.

유대인의 고전에 따르면 손을 쓸 수 없는 그 사람은 석수장이였다고 합니다. 돌을 깎아 일하는 사람의 손이 말랐다는 것은 치명적인 일이 아닐 수 없었을 것입니다. 더 이상 직업을 수행할 능력이 없는 폐인이니 얼마나 깊은 좌절과 낙망 속에 빠져 있었겠습니까? 그런데 주님이 그를 보셨습니다. 그리고 바리새인들도 그 사람을 보았습니다.

> "사람들이 예수를 고발하려 하여 안식일에 그 사람을 고치시는가 주시하고 있거늘"(막 3:2).

하지만 바리새인들은 예수님이 이 사람을 고치나, 안 고치나에 관심을 가졌습니다. 이 불쌍한 사람을 어떻게 도와줄까 하는 생각은 전혀 없었습니다. 복음적인 사고가 없었던 것입니다. 놀라운 사실은, 복음을 받아들인 그리스도인 안에도 복음적 사고와 생활 양식이 없을 수 있다는 것입니다.

금식에 관한 논쟁을 하다가 예수님은 이런 말씀을 하십니다.

"새 포도주는 새 가죽 부대에 넣어야 한다."

낡은 가죽 부대에 넣으면 부대가 터지니 새 가죽 부대에 넣으라는 말씀이었습니다. 이제 예수 그리스도께서 오셨고 복음이 선포되었습니다. 그러나 그 당시 사람들은 복음을 받아들일 수 있는 의식 구조를 갖추지 못했습니다. 이것은 오늘을 사는 그리스도인들에게도 가능한 이야기입니다. 예수님을 구주로 받아들이고 새로운 삶을 시작했지만, 우리의 의식 구조는 아직도 비복음적입니다. 여전히 율법주의적인 의식 구조를 가지고 있습니다. 그래서 이웃을 정죄하고 비판하는 것에서 벗어나지 못합니다. 우리의 삶이 이웃들이 보기에는 복음이 아닌 것입니다.

편애하시는 하나님?

어떻게 하면 우리도 예수님처럼 이웃에게 복음이 되는 인생을 살 수 있을까요? 두 가지가 필요합니다. 사람들을 중요하게 여기고, 그들을 어떻게 도울 것인가 진지하게 모색하는 두 가지 삶의 태도가 그것입니다. 모든 사람을, 특히 약한 사람을 더욱 소중히 여겨야 합니다.

　한 구약 학자는 구약을 계속 읽다가 이런 유명한 말을 했습니다. 구약의 하나님은 편애하신다는 것입니다. 그 대상이 누구겠습니까? 구약을 가만히 보니 하나님은 특별히 고아와 과부, 나그네를 편애하시더라는 것입니다. 맞습니다. 우리는 약하고 사회에서 소외된 사람들을 어떻게 다룹니까? 사람을 소중히 여기고 실제적인 도움을 베풀어야 합니다.

예수님은 세리를 어떻게 도우셨습니까? 세리의 문제는 돈이 아니었습니다. 세리에게 가장 필요한 것은 그를 인격적으로 상대해 줄 사람이었습니다. 예수님은 모든 사람에게 버림받고 소외된 세리의 인생에 찾아와 그의 친구가 되어 주셨습니다. 그리고 그와 더불어 잔치 자리에 앉으셨습니다. 이렇게 하는 것이 그 사회에 큰 문제가 되리라는 것을 예수님은 알고 계셨습니다. 그럼에도 불구하고 세리를 공개적으로 상대해 주셨습니다. 그에게는 그것이 필요했기 때문입니다. 그의 필요를 채워 주신 것입니다.

손 마른 사람에게는 어떤 도움을 줄 수 있습니까? 손을 펼 수 있도록 해 주는 것입니다. 그것이 그가 필요로 했던 도움이었습니다. 우리가 할 수 없는 일로 이웃을 도울 수는 없지만, 할 수 있는 일은 해야 합니다. 예수님은 어떻게 도우십니까?

"네 손을 내밀라 하시니 내밀매 그 손이 회복되었더라"(막 3:5).

단지 그의 손만 회복된 것일까요? 좌절과 낙심 속에 미래를 포기했던 이 사람은 손이 치유됨과 동시에 인생에 대한 자존감과 희망이 회복되었을 것입니다. 마가복음은 특별히 예수님의 행적을 중심으로 기록되었기 때문에 교훈이 많이 생략되어 있지만, 저는 예수님이 분명히 이 사람의 영적인 문제 또한 도우셨으리라 생각합니다.

당신은 어떻게 이웃들을 돕고 있습니까? 예수님은 이 사람들을 돕기 위해 대가를 지불하셨습니다. 예수님은 안식일을 범한 자라는 오해를 받으면서도 이 한 사람을 향한 사랑을 보여 주셨습니다. 아니, 그 사랑을 나타내기 위해 마지막 십자가까지 가셨습니다. 당신을 희생하고 죽임으로써 이웃을 살리셨습니다. 당신은 이런 예수님의 마음과 태도를 가지고 이웃을 향해 나아가고 있습니까? 당신은 이웃을 죽이는 자입니까, 아니면 살리는 자입니까?

당신은 살리는 자인가, 죽이는 자인가

오래전에 아주 감동적인 이야기를 들었습니다. 중학교 1학년을 가르치고 있던 어느 그리스도인 선생님의 이야기입니다. 그녀가 가르치고 있는 반에 아주 우수한 학생이 있었다고 합니다. 그런데 이 아이가 가장 우수한 성적으로 들어와서는 1년 동안 계속 망가져 가기 시작했습니다. 점점 성적이 떨어지고 반항적으로 되어 가더니, 급기야 불량 학생이 되었습니다. 친구들은 점차 그를 따돌리기 시작합니다. 선생님들도 그 아이를 문제아 취급하기 시작했습니다. 이제 그에게는 친구들이 없게 되었습니다. 그러면서 그는 점점 반항적으로 되어 갔고, 학교 수업을 거부하기에 이르렀습니다.

선생님은 이유가 있으리라 생각하고 그 학생에 대해 관심을 갖고 알아보다가 그의 부모가 별거 중이라는 사실을 알게 되었습니다. 환경 조사란을 보니 기독교라고 쓰여 있었습니다. 자기도 그리스도인이기에 관심을 가지고 그 학생을 위해서 기도하기 시작했습니다. 그리고 하나님의 인도하심을 따라 어느 날 부모에게 전화를 걸었습니다. 부모는 이미 따로 살고 있었습니다. 아들의 성적 문제로 의논을 좀 하고 싶으니 학교에 와 달라고 부탁한 후 똑같은 시간, 똑같은 장소에 부모를 모셨습니다. 그들은 와서 보고는 서로 깜짝 놀랐습니다. 자기 혼자 부른 줄 알았는데 아내가 와 있고, 남편이 와 있으니 처음에는 불쾌한 기색을 드러내며 선생님에게 아주 좋지 않은 태도를 보였습니다. 선생님은, 아들이 잃어버린 인생의 방향을 되찾으려면 두 사람 모두의 도움이 필요하기에 실례를 무릅쓰고 둘 다 부르게 된 것이라고 설명했습니다. 그러면서 충격적이었던 그 학생의 시험 답안지를 보여 주었습니다.

이 선생님은 영어를 담당하고 있었는데, 어느 날 그 학생이 답안지에 답은 하나도 쓰지 않고 낙서를 해 버렸습니다. 반항이었습니다. 인생에 대한 반항. 그런데 휘갈겨 쓴 낙서 맨 마지막 부분에 학생은 마음속에 있던 진실을 선생님에게 보였습니다. 선생님은 거기에 빨간 줄을 그어 놓았습니다.

"아버지, 어머니, 이것 좀 보시지요. 휘갈겨 쓴 낙서에 마음 밑바닥에 숨어 있던 이 학생의 진실한 독백이 기록되어 있습니다."

학생이 휘갈겨 쓴 내용은 이러했습니다.

'아빠 엄마, 나 누구하고 살아요? 이혼하면 누구하고 사느냐고요? 아빠 엄마, 나 누구하고 살아요? 아빠 엄마, 난 둘 다 필요해요. 둘 다 필요해요.'

그리고 마지막 한마디를 맨 구석에 이렇게 썼습니다.

'아빠 엄마, 우리를 사랑해 주세요.'

이것을 보여 주는 순간, 아버지가 고개를 떨어뜨렸습니다. 어머니도 고개를 떨구었습니다. 깊은 정적이 흘렀습니다. 선생님은 말했습니다.

"두 분이 기독교 배경을 가지고 있다는데, 저도 그리스도인입니다. 기도해 드릴까요?"

그녀가 부모의 손을 잡고 기도하자 순식간에 교무실은 통곡의 장으로 변하여 그들은 어깨를 들썩이며 흐느껴 울기 시작했습니다.

이 사건은 깨어졌던 이 가정이 회복되는 전기가 되었습니다. 부부는 다시 합치게 되었고, 아이는 다시 일어나 인생의 길을 걷기 시작했습니다. 선생님이 쓴 글을 직접 읽어 보았는데, 맨 마지막에 함께 기도한 후 손을 잡고 교정을 나서는 부부의 모습이 묘사되어 있었습니다. 우리 생애에서 이웃을 살리는 축복, 이것보다 더 귀한 축복이 어디 있겠습니까? 당신은 살리는 자입니까, 죽이는 자입니까?

"또 산에 오르사 자기가 원하는 자들을 부르시니 나아온지라 이에 열둘을 세우셨으니 이는 자기와 함께 있게 하시고 또 보내사 전도도 하며 귀신을 내쫓는 권능도 가지게 하려 하심이러라 이 열둘을 세우셨으니 시몬에게는 베드로란 이름을 더하셨고 또 세베대의 아들 야고보와 야고보의 형제 요한이니 이 둘에게는 보아너게 곧 우레의 아들이란 이름을 더하셨으며 또 안드레와 빌립과 바돌로매와 마태와 도마와 알패오의 아들 야고보와 및 다대오와 가나나인 시몬이며 또 가룟 유다니 이는 예수를 판 자더라"(막 3:13-19).

9

이에 열둘을 세우셨으니

그리스도인이라는
새 이름을 받으라

위대한 음악은 위대한 음악가가 만든다

오래전 영국의 한 괴짜 바이올리니스트가 연주회를 가진 일이 있었습니다. 매우 많은 친구와 관객이 모여들었습니다. 몇 곡의 연주가 끝나자 열렬한 박수가 쏟아졌습니다. 다음 순간, 그는 자기가 연주하던 바이올린을 갑자기 집어 던지더니 발로 밟기 시작했습니다. 파격적인 기행 앞에 관객들은 충격을 받았습니다. 그런데 그가 또 하나의 바이올린을 가져오자 사회자가 말했습니다.

"방금전 그가 연주한 바이올린은 사실 그가 가지고 있는 최고의 것이 아닌 20파운드짜리 싸구려였습니다. 그러니 너무 아까워하지 마십시오. 이제 최고의 바이올린으로 본격적인 연주를 시작하도록 하겠습니다."

그 연주 역시 큰 감동을 주었고, 관객들은 큰 박수를 쳤습니다. 그러나 관객들은 두 연주에 별다른 차이를 느낄 수 없었다고 합니다. 괴짜 바이올리니스트가 그날 그런 기행을 통해 관객들에게 전달하고 싶어 했던 메시지가 있다면 이것입니다.

'위대한 음악가가 위대한 음악을 만드는 것이지, 위대한 악기가 반드시 위대한 음악을 만드는 것은 아니다.'

예수님의 전략

저는 예수님도 같은 철학을 가지고 계셨다고 생각합니다. 그분은 세상을 변화시키기 위해 사람을 세우는 전략을 사용하셨습니다. 사람을 통해서 세상을 변화시키기로 작정하신 것입니다. 그래서 그분의 공생애는 그가 쓰실 사람들을 선택하는 것으로 시작됩니다.

먼저, 열두 명의 제자를 부르고 그들을 세우셨습니다. 왜 하필이면 열두 명입니까? 유대인에게 12라는 숫자는 이스라엘을 상징합니다. 또 하늘과 땅을 대표하는 숫자를 곱하여 얻은 완전수(3×4=12)이기도 합니다. 구약에서 하나님은 이스라엘 백성을 몇 지파로 나누셨습니까? 열두 지파입니다. 그리고 신약의 마지막 페이지인 요한계시록 21장에서 완성된 천국의 문은 모두 열두 개입니다. 각각의 문에는 열두 개의 보석 기초석이 있고, 각 보석마다 열두 지파와 열두 사도의 이름이 기록되어 있습니다. 그러면 여기에서 주어지는 메시지는 무엇이겠습니까? 열두 명은 모든 시대를 대표하는 하나님의 백성 혹은 예수님의 제자 공동체라고 할 수 있습니다. 이 땅에 와서 제자들을 부르셨던 주님은 지금도 계속해서 제자들을 부르고 계십니다.

주권적 부르심

왜 주님은 제자들을 부르십니까? 첫 번째 이유는, 그들이 필요하기 때문입니다. 다시 말해서, 하나님 나라의 확장을 위해 사람들을 사용하기 원하시는 것입니다. 본문 13절은 이렇게 말씀합니다.

> "또 산에 오르사 자기가 원하는 자들을 부르시니 나아온지라"(막 3:13).

예수님이 원하는 자들을 부르셨다고 기록되어 있습니다. 재미있는 것은, 그분이 원하는 자들의 자격이 열거되어 있지 않다는 점입니다. 그냥 '원하는' 자들만 부르셨다고 기록되어 있습니다. 여기서 우리는 주님이 제자들을 선택하신 것은 그분의 주권적인 선택이었다는 것을 알 수 있습니다.

그럼에도 불구하고 분명한 사실은, 그분이 제자들을 선택할 때 사용하신 기준이 세상 사람들이 사람을 선택할 때 사용하는 세속적인 기준과 판이하게 달랐다는 것입니다. 어떻게 달랐습니까? 본문 16절 이하에 보면 제자들의 명단이 나와 있습니다. 이 명단을 보십시오. 무엇이 느껴집니까? 예수님이 선택하신 제자들에게 하나의 공통점이 있다면, 그들은 모두 별 볼 일 없는 사람이었다는 사실입니다. 세상적으로 내세울 만한 무엇인가를 갖고 있는 자들이 아니었습니다. 어부나 천대받던 세리와 같이 지극히 평범한 사람들이었습니다. 여기에 무슨 메시지가 있을까요? 저는 평범한 사람들도 주님께 붙들리면 비범한 일을 할 수 있게 된다는 사실이 주님께서 주시는 중요한 메시지라고 생각합니다. 이것은 예수님이 그분의 대표적인 제자들에게 붙여 주셨던 우스꽝스러운 별명에서도 확인할 수 있습니다. 이 습관을 가지고 가톨릭에서는 영세명을 주기도 하지만, 모두에게 그랬던 것이 아니라 몇몇 제자에게만 별명을 지어 주셨습니다.

반석이 된 시몬

우선, 시몬에게는 베드로라는 이름을 더하셨습니다. 그러니까 본명은 시몬이고, 베드로는 별명입니다. 베드로의 뜻이 무엇입니까? 반석입니다. 그러나 반석이라는 별명은 그에게 전혀 어울리지 않는다고 할 수 있습니다. 복음서를 통해 살펴보면 그의 성격은 틀림없는 다혈질이라 정의할 수 있습니다. 성격이 아주 급하고, 변덕스럽고, 아침저녁으로 잘 변하니 육중한 반석의 이미지는 베드로에게 전혀 어울리지 않습니다.

그런데도 예수님은 시몬이라는 사람을 변화시켜 반석처럼 쓰시겠다고, 초대 교회가 세워지는 기초로 사용하겠다고 하십니다. 다시 말하면, 그 별명 속에는 그를 향한 주님의 기대가 들어 있었던 것입니다. 불안정한 사람을 세워서 안정된 하나님의 기둥 같은 존재로 쓰시겠다는 하나님의 의지가 별명 속에 나타난 것입니다.

우레의 아들들

계속 읽어 보면 야고보와 요한 형제에 대한 이야기가 나옵니다.

> "또 세베대의 아들 야고보와 야고보의 형제 요한이니 이 둘에게는 보아너게 곧 우레의 아들이란 이름을 더하셨으며"(막 3:17).

베드로와 함께 사역했던 예수님의 핵심적인 두 제자의 이름은 무엇이었습니까? 야고보와 요한이었습니다. 그들에게 주신 별명은 '보아너게'입니다. '보아너게'란 일반적으로 '우레의 아들들'이라 번역됩니다. 천둥의 아들, 우레의 아들이라는 말을 들을 때 어떤 느낌이 듭니까? 긍정적인 이미지를 가질 수도, 또는 매우 부정적인 이미지를 가질 수도 있습니다.

　우선 1세기 유대인들의 문서에 의하면, 우레는 하늘의 천사 혹은 하늘의 메신저라 했습니다. 그러니까 긍정적으로 말하자면, 우레의 아들은 하늘이 보낸 강력한 메신저라는 이미지를 가집니다. 그러나 부정적으로는 사물을 파괴하는 벼락의 이미지를 떠올릴 수 있습니다. 또 아주 급한 것을 연상하게 됩니다. 그래서 어떤 성경학자들은 야고보와 요한의 성격이 벼락과 같았다고 합니다. 원색적인 한국말로 하면 '지랄 같았다'고 할 수 있습니다.

　실제로 누가복음 9장 54절에 보면 예수님이 사마리아라는 마을에 들어가시는 장면이 나옵니다. 그 마을 사람들은 예수님과 제자들을 받아 주지 않았습니다. "이 마을에 들어오지 마시오" 하고 쫓아냈습니다. 제자들은 화가 났습니다. 그런데 누가 가장 화를 냈습니까? 야고보와 요한 형제였습니다. 그래서 이런 제안을 합니다.

　"선생님, 하늘에서 그냥 불을 내려서 이 사람들을 벼락으로 쳐 버리시죠."

　참 벼락 같은 사람들이었습니다. 어울리는 별명이 아닐 수 없습니다. 그러나 그들이 주님의 손에 붙들리게 되었을 때 하늘의 메시지를 천둥과 같이 증거하는 위대한 사도로 변하게 되는 것을 볼 수 있습니다. 그리고 베드로와 함께 초대 교회를 세우는 데 초석을 놓은 위대한 사도가 되었음을 봅니다. 이 사람들은 참으로 약점이 많았지만, 주님은 그 약점에도 불구하고 그들을 불러 쓰셨습니다.

유다

제자들의 명단 맨 끝에는 누가 있습니까? 그 유명한 유다입니다.

"또 가룟 유다니 이는 예수를 판 자더라"(막 3:19).

우리는 가룟 유다에 대해서 많은 것을 말할 수 있습니다. 저는 가룟 유다를 생각할 때, 약점을 극복하지 못한 불행한 한 인간의 모습을 보게 됩니다. 유다는 매우 똑똑했고, 비판적이며, 계산에 밝은 사람이었습니다. 이해와 돈에 밝았으며, 욕심이 많은 사람이었습니다. 그는 이런 자신의 약점을 극복하지 못하고 회계 관리를 하다가 시험에 들어 예수를 판 배신자가 되었습니다.

저는 베드로와 유다를 비교할 때 두 사람이 똑같이 실패하고 시험에 들었지만, 둘 사이에는 중요한 차이가 있었다고 봅니다. 베드로에게는 자신의 약점을 직면하고 그 약점 앞에 눈물을 뿌리는 회개가 있었습니다. 그래서 그의 실패와 약점은 큰 문제가 되지 않았고, 그는 다시 일어설 수 있었습니다. 그러나 유다는 약점을 극복하지 못했습니다. 베드로는 일어났고, 유다는 배신자의 자리에서 비극적인 생애를 마무리 짓게 됩니다.

약점 없는 사람이 어디 있겠습니까? 누구나 자신이 가진 약점에도 불구하고 주님의 부르심을 받을 수 있고, 쓰임 받을 수 있습니다. 만약 우리가 우리의 약점을 십자가 앞에 내려놓고 주님의 다

루심을 기꺼이 받겠다는 준비만 되어 있다면, 그 약점은 문제가 되지 않습니다.

열두 제자를 선택한 사건이 우리에게 주는 가장 중요한 메시지는 바로 이것입니다. 우리가 가진 약점과 허물에도 불구하고 준비만 되어 있다면, 주님은 우리 같은 사람도 쓰실 수 있다는 사실입니다. 이것이 본문이 우리에게 던지는 가장 중요한 교훈입니다. 주님은 우리의 약점에도 불구하고 우리를 필요로 하십니다.

"자기와 함께 있게 하시고"

예수님이 열두 제자를 세우신 두 번째 이유는, 그들과 함께하고 싶으셨기 때문입니다.

> "이에 열둘을 세우셨으니 이는 자기와 함께 있게 하시고 또 보내사 전도도 하며"(막 3:14).

'자기와 함께 있게 하시고'라는 부분을 주목해 보십시오. 원문이나 영어 성경으로 읽으면 자기와 함께 있도록 하기 위한 것이 목적임을 분명히 규정해 주고 있습니다. 제자들을 부르고 세우신 이유는, 예수님 당신과 함께 있게 하시려는 것이었습니다. 저는 첫째로이 선택의 중요한 목적이 친교였다고 생각합니다. 주님은 우리와 친교하고 싶어 하십니다. 우리와 같이 있고 싶어 하십니다.

이 감동적인 장면을 다시 한번 묵상해 보십시오. 주님이 우리와 같이 있고 싶어 하십니다. 만왕의 왕이요, 만주의 주이며, 역사의 주인이자 인류의 위대한 구세주인 예수 그리스도께서 우리와 함께 있고 싶어 하신다는 것입니다. 감동되지 않습니까? 그분은 우리를 사랑의 대상으로 부르고 계십니다. 인격적인 교제와 사귐의 대상으로 함께 있기를 원하여 부르십니다. 예수님은 우리같이 허물과 약점이 많은 사람과 친교를 나누고 싶어 하십니다. 그래서 바울은 고린도전서 1장 9절에서 놀라운 고백을 합니다.

> "너희를 불러 그의 아들 예수 그리스도 우리 주와 더불어 교제하게 하시는 하나님은 미쁘시도다."

'미쁘다'라는 말은 '성실하다'라는 뜻입니다. 우리처럼 불성실한 인간을 불러 교제하고 싶다고 말씀하시는 그 하나님은 얼마나 신실한 분이요, 놀라운 분인가 하고 바울은 고백하고 있습니다.

주님의 기대

그러나 그 부르심에는 친교의 목적을 넘어선 또 다른 목적이 있다고 생각합니다. 같이 있고 싶어 한다는 의미는 같이 있는 기회를 통해서 우리를 훈련하고 싶어 하신다는 뜻입니다. 저는 훈련에 특별한 목적이 있다고 생각합니다. 함께 있는 자연스러운 기회를 통해서 우리를 향한 주님의 기대를 전달하고, 당신의 삶을 보여 줌으로써 우리도 주님처럼 살아가기를 기대하셨던 것입니다. 같이 있지 않고 어떻게 그분의 음성을 들을 수 있겠습니까? 같이 있지 않고 어떻게 그분의 가르침을 받을 수 있겠습니까? 같이 있지 않고 어떻게 그분의 삶의 모습을 볼 수 있겠습니까? 같이 있지 않고 어떻게 그분을 따라갈 수 있겠습니까?

그런데 문제는 오늘 이 시대를 살고 있는 우리에게 이것을 적용하는 방법입니다. 오늘을 사는 우리가 주님과 함께 있을 수 있는 방법은 무엇입니까? 저는 두 가지 방법밖에 없다고 생각합니다. 말씀과 기도로 함께할 수 있습니다. 그래서 저는 제자 훈련에서 가장 기본적이고 중요한 훈련으로 말씀과 기도 훈련을 꼽습니다. 성경 말씀을 펼칠 때 우리에게 말씀하시는 주님의 음성을 듣습니다. 기도할 때 주님 앞에 나아갑니다. 그래서 주님과 함께 있는 것입니다. 예수님의 제자라고 하면서 말씀에 대한 애정이나 성경 공부에 대한 관심이 없다면, 그 사람은 병든 제자입니다. 교회에 드나들면서 무릎 꿇고 싶은 마음이나 기도에 대한 목마름이 없다면, 저는 그를 병든 제자라고 생각합니다. 우리는 말씀과 기도 훈련을 통해, 주님과 함께 있는 그 기회를 통해서 주님이 우리에게 기대하시는 일체의 교훈을 받게 되는 것입니다.

한편, 말씀과 기도의 훈련에는 균형 감각이 필요합니다. 어떤 성도를 보면 말씀은 좀 읽는데 기도는 전혀 하지 않습니다. 또 어떤 성도는 무릎 꿇고 기도는 많이 하는데 성경은 꼭 덮고 지냅니다. 이 것은 올바른 일이 아닙니다. 우리가 어떤 사람과 대화하며 함께 있다고 한다면, 상대방의 이야기를 들어야 하고, 또 우리 마음을 열어 이야기해야 합니다. 어떤 사람을 보면 남의 이야기는 열심히 듣는데 자기 마음은 보여 주지 않습니다. 그런 사람과는 친구가 되기 어렵습니다. 상대방의 이야기를 잘 들어 주는 동시에 마음을 열고 자신의 고민과 좌절도 이야기해야 진정 서로가 친해지는 것입니다.

주님과 우리 사이의 교제도 마찬가지입니다. 무릎 꿇어 기도해야 하지만, 동시에 말씀도 읽어야 합니다. 말씀 없이 기도만 하려고 하면 그 기도는 욕심에 근거한 기도, 이기적인 기도, 무속적인 기도가 되기 쉽습니다. 기도한다고 해서 그 기도가 다 좋은 것은 아닙니다. 말씀을 함께 읽으며 그것을 통해 응답을 받을 때 성경적인 기도 생활이 일어날 수 있습니다. 기도하는 것이 중요한 것이 아니라, 무엇을 기도하느냐가 중요합니다.

말씀과 기도의 균형 잡기

어떤 그리스도인이 앵무새를 길렀습니다. 그가 출석하는 교회의 목사님이 앵무새를 기른다기에 기르기 시작한 것이었습니다. 그의 앵무새는 단 한마디를 할 수 있었는데, 그 말이 주인을 매우 당황하게 만들었습니다. 그 말은 "키스해 주세요. 키스해 주세요"였습니다. 시도 때도 없이 키스해 달라고 하니 찾아오는 손님에게 주인이 오해받게 생겼습니다. 당황스러운 나머지 어느 날 목사님께 전화를 걸었습니다.

"목사님, 듣자 하니 목사님 앵무새는 경건 언어 훈련이 잘되어 있다고 하는데, 제 앵무새를 보낼 테니 잘 좀 훈련시켜 주십시오."

목사님은 문제없으니 보내기만 하라고 했습니다.

며칠 후, 목사님은 자기 앵무새 새장에 이 새를 같이 집어넣었습니다. 사실은 목사님 앵무새도 한마디 말만 할 줄 알았는데, "다 같이 기도합시다"였습니다. 새장의 주인인 목사님 앵무새가 먼저 인사했습니다.

"다 같이 기도합시다."

그러자 새로 들어온 앵무새가 "키스해 주세요" 하더랍니다. 그랬더니 목사님 앵무새가 전에 하지 않던 한마디 말을 더 했습니다.

"주께서 드디어 내 기도에 응답하셨습니다."

밤낮 무엇을 놓고 기도하느냐가 중요합니다. 기도하는 것 자체도 중요하지만, 무엇을 위해 기도하느냐도 역시 중요합니다. 성경을 읽어 보면 기도 거리가 나와 있습니다. 말씀과 기도의 균형을 통해 주님과 친해지고, 주님의 마음과 기대를 알게 됩니다. 제자가 되기를 원합니까? 그러면 성경을 펼치십시오. 주님의 제자가 되기를 원합니까? 무릎 꿇어 기도하기 바랍니다. 교회 생활의 연륜은 쌓여 가는데 아직도 성경은 덮고 사는 사람들이 있습니다. 덮어놓고 믿지 말고 열어 놓고 믿어야 합니다. 기도해야 합니다. 무릎 꿇어 기도해야 합니다. 그때 비로소 진정한 제자의 자리에 설 수 있다는 것을 믿기 바랍니다.

친교와 훈련의 시간을 넘어

우리는 어떻게 이 시대에 주님의 제자다운 제자가 될 수 있을까요? 주님이 우리를 제자로 부르고 세우신 세 번째 이유는, 주께서 우리를 보내사 전도하고자 하셨기 때문입니다.

> "이에 열둘을 세우셨으니 이는 자기와 함께 있게 하시고 또 보내사 전도도 하며"(막 3:14).

함께 있는 기회를 통해서 우리는 주님과 더불어 친교합니다. 주님과의 친교는 매우 중요합니다. 또 함께 있는 동안 훈련을 받습니다. 훈련 역시 중요합니다. 그러나 그것이 궁극적인 목적은 아닙니다. 주님과 함께 있으면서 주님과 대화하고 배우는 친교와 훈련의 시간을 넘어서서 우리에게 기대하시는 궁극적인 일은, 우리를 보내사 전도하게 하시려는 것입니다. 우리가 순종하면, 주님은 전도할 수 있는 능력도 주십니다.

"귀신을 내쫓는 권능도 가지게 하려 하심이러라"(막 3:15).

전도하고자 하는 자에게는 전도할 수 있는 능력도, 환경도, 권능도 주십니다. 하나님이 제자들을 세우신 궁극적인 목적은 전도하게 하기 위한 것이었습니다.

이 세상을 변화시키시는 주님의 유일한 방법이 있다면 그것은 전도입니다. 주님의 지상 명령이 무엇입니까? 마태복음 28장에서 제자들에게 던지신 마지막 도전은, "너희는 가서 모든 민족을 제자로"(마 28:19) 삼으라는 것이었습니다. 사도행전 1장 8절에서는, 성령이 임하시면 권능을 받아 예루살렘으로부터 시작해서 유대와 사마리아 그리고 저 땅끝까지 이르러 주님의 증인이 될 것이라 했습니다. 복음 전도만이 세상을 바꿀 수 있습니다.

제자에게는 프라이드(pride)가 있어야 한다고 생각합니다. 제자된 자로서의 자존심, 이 세상을 선도하는 그리스도인으로서의 자존심, 이것이 있어야 전도할 수 있습니다. 전도만이 인간을 바꿀 수 있고, 전도만이 세상과 역사를 바꿀 수 있기에 이 프라이드가 필요합니다. 교회에서 일어날 수 있는 최대의 비극이 있다면 무엇입니까? 한 교회에서 일어날 수 있는 최대의 비극은 그 교회에 전도하는 교인이 별로 없는 것입니다. 이것은 그야말로 최대의 비극입니다. 또 이런 경우도 생각해 보십시오. 전도하기를 원하는데 도무지 전도할 줄 모른다는 것은, 마치 군인들이 총을 쏠 줄도 모르고 싸울 줄도 모른다는 것과 같습니다. 이 얼마나 비극입니까?

한국 축구의 비극

지금은 그 위상이 달라졌지만, 90년대 후반까지만 해도 한국 축구는 여러 가지 문제로 지적을 받곤 했습니다. 1998년 월드컵 당시를 기억합니다. 온 국민이 흥분하면서 16강에 들기를 원했지만, 막상 뚜껑을 열어 보니 기본적인 기술이 없었다고 했습니다. 사람들은 언제 칭찬했냐는 듯, 차범근 감독을 해임하라고 소리쳤습니다. 감독의 전술이 나쁘다고 하며 말입니다. 그러나 문제는 어디에 있었습니까? 기술 부족이었습니다. 마지막 벨기에와의 경기에서는 참 잘 싸웠습니다. 피가 터지도록 싸웠습니다. 사람들은 다들 그 점을 칭찬했습니다. 그러나 벨기에와의 경기에서 이기지 못한 것이 큰 다행이라고 생각합니다. 이겼더라면, '투지만 가지고 대들면 모든 것이 된다'고 생각할지도 모르기 때문입니다. 그러나 기본이 부족하면 아무것도 할 수 없습니다.

이 문제에 대해 핵심을 잘 짚고 있는 한 사람의 글을 읽고 감동을 받은 적이 있습니다. 그는 떠나는 차 감독에게 편지를 썼습니다. 777응원단 유니텔의 김남호라는 사람인데, 그는 상황을 아주 정확하게 판단하고 있었습니다. 짤막한 편지지만 매우 감동적이었습니다.

떠나는 차범근 감독에게.
미안합니다. 어쩔 수가 없었습니다. 당신을 이렇게 보내게 된 것은 우리에게도 커다란 슬픔입니다. 하지만 패배의 충격이 우리들에게 너무 컸습니다. 지치고 힘들었던 우리들에게 월드컵에서의 승리는 유일한 꿈이었습니다. 퇴출 기업 명단이 발표되던 척박한 그날에도 지치고 슬픈 퇴근길 지하철에서 시민들은 스포츠 신문을 펼쳐 들고 기적을 꿈꾸며 소박한 미소를 지을 수 있었습니다. 입시 지옥의 뜨거운 여름날 지친 하굣길 청소년들도 친구들과 축구 이야기를 할 때는 서로 눈을 반짝이며 웃을 수가 있었습니다. 명예 퇴직을 당하고 어깨가 처진 아버지들도 축구 중계를 볼 때면 예전의 박력 있던 모습을 되찾곤 했습니다. 이렇게 힘들고 지친 우리들에게 잃었던 웃음을 되찾게 해 주리라 믿었던 소박한 소망은 정말 허무하게 사라졌습니다.

하지만 지금 당신을 이렇게 보내는 것은 당신만이 책임을 져야 하기 때문이 아닙니다. 맨땅에서 축구하는 어린이들과 인조 잔디에서 부상당하는 청소년들을 보면서도 대표팀 경기에서는 당연한 권리를 행사하듯 승리만을 강요했던 우리들의 독선도 비판받아 마땅합니다. 그러나 당신은 승리에 대한 영광이 제일 크게 보장되는 감독이었기에 이 모든 책임을 혼자 짊어지게 된 것입니다. 황량한 70, 80년대 한국의 영웅이었던 당신을 이렇게 보내는 우리들도 당신만큼이나 슬프고 안타깝습니다. 화려했던 만남만큼이나 이별이 쓸쓸합니다.

하지만 당신과 또다시 만날 것을 믿습니다. 당신이 소중하게 키우는 꿈나무 축구 소년들이 훗날 월드컵에서 결승전 승리의 주역이 되었을 때 당신과 다시 활짝 웃으며 기쁜 포옹을 할 그날을 믿습니다. 그동안의 외로운 노고에 진심으로 감사드립니다.

저는 이 짧지만 감동적인 편지에서 문제의 핵심을 볼 수 있었습니다. 우리는 실력 있는 내일의 꿈나무를 길러야 합니다. 저는 축구야말로 한국 민족사의 축소판이라 생각합니다. 거품뿐이던 이 나라의 모든 질서가 무너지는 현장에서 무엇을 깨달아야 할까요? 진정으로 실력 있는 다음 세대를 길러 내지 못했다는 뼈저린 사실이 아닐까요?

진정한 제자 되기

저는 똑같은 이야기를 한국 교회에도 할 수 있다고 생각합니다. 교회를 비판하는 사람은 많습니다. 쉽게 축구를 비판하는 것처럼 말입니다. 저도 그 당시 편지를 보면서 '맞다, 나도 비판할 자격이 없다, 축구장 한번 가 보지 않은 나는 비판할 자격이 없다'는 생각이 들었습니다. 축구장 만드는 데 기부한 적도 없는 저는 비판할 자격이 없는 것입니다.

교회를 비판하기는 쉽습니다. 그러나 한국 교회가 교회다운 교회가 될 수 있도록 우리는 한국 교회를 위해 얼마나 헌신했습니까? 우리가 진정한 그리스도의 제자가 되기 위해서 얼마나 훈련을 받았습니까? 얼마나 무릎 꿇어 기도했습니까? 하나님의 뜻을 헤아려 알기 위해 성경을 펼쳐 들고 하나님의 뜻을 찾았습니까? 말씀을 붙들며 그 말씀대로 살기 위해 고민했던 흔적이 삶 속에 있습니까? 그렇지 않다면 말할 자격이 없는 것입니다.

지금부터 시작일 뿐입니다. 한국 교회가 민족을 치유하고 세계 복음화를 감당하기 위해서는 먼저 갖출 것을 갖추어야 합니다. 그리스도인 한 사람, 한 사람이 진정한 제자가 되어야 하고, 그 시작은 우리 각 사람으로부터 말미암아야 마땅합니다.

"예수님은 당신과 나의 팔을 필요로 하십니다"

제2차 세계대전이 끝났을 때 프랑스의 스트라스부르라는 도시의 한 교회에 마을 대표들이 모였습니다. 이유는 그 교회 마당에 있는 예수님상 때문이었습니다. 폭격을 맞아서 하필이면 예수님의 두 팔만 떨어져 나간 것입니다. 어떻게 할 것인가, 떨어진 두 팔만 복원시킬 것인가, 아니면 아예 다시 만들 것인가를 두고 토의하는 중에 누군가 이런 제안을 했습니다.

"우리, 폭격 맞아서 두 팔이 없는 그대로 놔두도록 합시다. 그리고 그 안에 우리 교회를 위해서 이렇게 써 넣읍시다. '예수님은 당신과 나의 팔을 필요로 하십니다.'"

'예수님은 당신과 나의 팔을 필요로 하십니다.' 멋진 이야기입니다. 주님은 우리를 통해서 일하고자 하십니다. 고통 받는 이웃들의 상처와 아픔을 느끼며 그들에게 찾아가는 주님의 손이 우리의 손이 될 수 있을까요? 우리의 손이 그들의 아픔을 짊어지고 기도하는 중보 기도의 손이 될 수 있을까요? 그들에게 전해 줄 메시지를 위해서 말씀을 붙드는 손이 될 수 있을까요? 복음을 들고 찾아가는 손이 될 수 있을까요? 그때 비로소 주님은 우리를 통해서 일하시기 시작할 것입니다. 우리의 손이 그리스도의 손일 때 주님의 영광이 나타날 것입니다. 세상은 변하기 시작할 것입니다.

바로 이 목적을 위해서 주님은 열두 제자를 불러 세우셨습니다. 동일한 목적으로 주님은 우리를 불러 세우십니다. 이 부르심 앞에 응답할 준비가 되어 있습니까?

"그때에 예수의 어머니와 동생들이 와서 밖에 서서 사람을 보내어 예수를 부르니 무리가 예수를 둘러앉았다가 여짜오되 보소서 당신의 어머니와 동생들과 누이들이 밖에서 찾나이다 대답하시되 누가 내 어머니이며 동생들이냐 하시고 둘러앉은 자들을 보시며 이르시되 내 어머니와 내 동생들을 보라 누구든지 하나님의 뜻대로 행하는 자가 내 형제요 자매요 어머니이니라"(막 3:31-35).

10

주님의
영적 가족

하나님을 당신의
아버지로 부르라

고르반 논쟁

이 땅에 기독교가 상륙한 지는 가톨릭으로부터 치면 240년이 넘었고, 개신교 자체만으로는 약 140년이 넘었습니다. 기독교가 상륙할 때 가장 먼저 부딪힌 것은 유교에 바탕을 둔 전통 윤리였습니다. 전통 윤리가 기독교를 향해 던졌던 심각한 질문은 '기독교에도 과연 효도관이 있느냐'는 것이었습니다. 사실 본문을 피상적으로만 읽어 본다면 기독교 효도관의 실제를 의심할 만합니다. 아들을 걱정하는 어머니 마리아, 형을 걱정하는 동생들이 예수님을 만나려고 면회를 요청했습니다. 그런데 예수님은 "누가 내 어머니이며 동생들이냐 … 누구든지 하나님의 뜻대로 행하는 자가 내 형제요 자매요 어머니이니라"(막 3:33, 35)라고 냉정하게 대답하셨습니다. 그러나 이 말씀 하나만 가지고 예수님께 효도관이 없었다고 생각하면 안 됩니다. 우리가 어떤 사실을 가지고 결론을 내리자면 한 사건, 한 에피소드를 가지고 말하기보다는 전체적으로 접근해야 하기 때문입니다. 복음서에 묘사된 예수님은 생애 전체를 통해 당신의 효도관을 어떻게 피력하셨을까요? 또 실제로 예수님은 부모와 형제들을 어떻게 대하셨을까요? 우리는 이런 문제들을 전체적으로 이해할 필요가 있습니다.

우선 효도에 대한 예수님의 가르침입니다. 7장에 보면 예수님은 그 당시 유대인들, 특히 바리새인들과 더불어 고르반이라는 문제를 가지고 논쟁을 벌이십니다. 이것을 '고르반 논쟁'이라고 부릅니다. 고르반이라는 말은 '하나님께 드렸다'라는 뜻입니다. 그 당시 성전 안에서 한 제도가 만들어졌는데, 그 제도의 내용은 이렇습니다.

매우 가난하지만 하나님을 사랑하는 어떤 사람이 있습니다. 부모도 사랑하지만 하나님을 더 사랑합니다. 그래서 하나님께 헌금을 드렸습니다. 헌금을 드리고 나니 부모님을 도와드릴 돈이 없었습니다. 이것을 보고 주변 사람들이 이렇게 말할 수 있습니다.

"저 사람은 부모도 제대로 봉양을 못 하면서."

하지만 예수님 당시의 성전 제도에 의하면 이런 사람을 이해해 줘야 했습니다. 왜냐하면 그는 재물을 하나님 앞에 드리는 바람에 여유가 없어서 부모를 돕지 못했기 때문입니다. 이 성전의 법규를 가리켜서 '고르반'이라고 불렀습니다.

그런데 문제는 이 제도를 악용하는 사람이 늘어 갔다는 사실입니다. 부모를 팽개치고 나 몰라라 하는 사람들이 고르반이라는 제도를 악용했습니다. 부모를 섬기지 않고 모른 척하다가 주변 사람들이 어떻게 부모에게 그럴 수 있느냐고 하면 그들은 고르반을 핑계삼아 "나는 하나님께 많은 물질을 드렸기 때문에 부모님을 도와드릴 돈이 없습니다"라고 대답하는 것입니다.

예수님은 이런 사람들을 보고 매우 흥분하며 분노하셨습니다. "고르반이라는 제도는 하나님이 주신 것이 아니다. 그것은 사람들이 만든 제도에 불과하다. 사람들이 만든 제도를 악용해서 부모를 버리다니, 이것은 하나님이 모세에게 주신 '네 부모를 공경하라'는 계명을 위반하고 있는 것이다"라고 책망하셨던 것입니다.

가족의 지평을 넓혀라

우리는 이 말씀을 통해 예수님도 십계명에 명시된 바와 같이 부모에 대한 공경과 순종에 대해 확고한 원칙들을 갖고 계셨음을 알 수 있습니다. 예수님의 마지막 십자가 사건을 생각해 보십시오. 십자가에 매달린 예수님은 그 고통의 절정에서도 십자가 밑에 있는 한 여인을 주목하고 계셨습니다. 바로 어머니 마리아였습니다. 사람은 누구나 고통이 너무 심해지면 다른 사람을 생각할 여유가 없어집니다. 자기의 고통에 집중하기 마련입니다. 그런데 십자가 고통의 절정 속에서도 예수님은 어머니를 바라보며 눈물을 흘리셨습니다. 그러고는 어머니 옆에 있던 사랑하는 제자 요한에게 말씀하셨습니다.

"요한아, 네 어머니시다. 나 대신 내 어머니를 모셔 다오."

이것이 예수님이 십자가에서 남기신 말씀 중 하나였습니다.

예수님은 분명한 효도관을 가지고 계셨습니다. 예수님의 수제자 베드로보다 더 위대한 수제자 바울은 디모데전서 5장 8절에서 "누구든지 자기 친족 특히 자기 가족을 돌보지 아니하면 믿음을 배반한 자요 불신자보다 더 악한 자니라"라고 이야기합니다. 우리는 본문을 어떻게 이해해야 할까요? 본문의 사건과 교훈을 주께서 주신 이유가 어디 있다고 생각합니까? 한 성경 학자는 이렇게 말했습니다.

"이 본문을 주신 이유는 가족관의 지평을 넓히기 위해서다."

자기를 사랑하는 것이 잘하는 일입니까, 잘못하는 일입니까? 잘하는 일입니다. 성경은 자기 사랑을 가르칩니다. 예컨대, '네 이웃 사랑하기를 네 몸같이' 하라고 말씀합니다. 자기를 아끼는 것, 자기를 소중히 여기는 것은 매우 중요한 일입니다. 자기를 사랑하는 것은 필요하고도 중요합니다. 자기를 소중히 여길 줄 모르는 사람, 자존감이 낮은 사람, 자기를 학대하는 사람은 인생에서 성공할 수 없습니다. 자기를 사랑해야 합니다.

그러나 다시 묻겠습니다. 자기만 사랑하는 사람을 어떻게 생각합니까? 자기만 사랑하는 것은 죄입니다. 자기를 사랑한 나머지 이웃들을 나 몰라라 한다든지, 자기의 유익을 위해서 이웃을 밟아 버린다든지, 이웃에게 피해를 입히는 것은 죄입니다. 자기 사랑은 필요한 것이지만, 자기만 사랑하는 것은 죄입니다.

민족을 사랑해야 합니까, 사랑하지 않아야 합니까? 우리는 나라를 사랑해야 합니다. 그것은 그리스도인의 국가적 의무이기도 합니다. 그것은 필요하고도 중요한 일입니다. 그러나 이런 것은 어떻게 생각합니까? 자기 나라만 사랑해서 자기 나라의 이익을 위해서라면 이웃 나라 정도는 쉽게 짓밟아 버리는 것 말입니다. 이것은 죄라고 성경은 말씀하고 있습니다. 오늘날 기독교 신학에서 경계해야 할 사상 중 하나는 자민족 중심주의라고 말합니다. 자기 민족만 알고, 자기 민족을 위해서 이웃 나라 정도는 얼마든지 밟을 수 있다는 것은 하나님의 뜻이 아닙니다. 그것은 죄입니다.

질문을 바꿔 보겠습니다. 가족을 사랑해야 합니까, 사랑하지 않아야 합니까? 당연히 사랑해야 합니다. 그것은 중요한 일입니다. 그러나 자기 가족만 사랑하는 것은 어떻습니까? 그것은 잘못입니다. 가족의 유익을 위해서 이웃은 얼마든지 무시할 수 있다는 태도는 죄악입니다. 우리는 가족관의 지평을 넓힐 수 있어야 합니다.

하늘나라 로열패밀리

우리가 복음을 듣고 예수님을 구세주로 영접하는 순간 우리에게 일어나는 놀라운 사건이 있습니다. 그것은 만유를 창조하신 하나님을 아버지라고 부르게 되는 것입니다. 저도 하나님을 아버지라고 부르는데, 성도들도 기도하면서 하나님을 아버지라고 부릅니다. 그러면 저와 촌수가 어떻게 됩니까? 형제입니다. 보이지 않는 영이신 하나님, 그러나 역사의 주인이며 전능하신 하나님을 아버지로 부르는 모든 사람은 형제 관계에 있습니다. 다시 말해서, 우리는 하늘나라의 로열패밀리인 것입니다. 이것은 혈통, 혈연관계를 초월합니다. 그리고 인종도 초월합니다. 예수님을 믿는 모든 사람은 그리스도 예수 안에서 한 가족이 되어 살 수 있습니다. 이것을 하나님의 영적인 가족이라고 부릅니다. 얼마나 큰 특권입니까? 사람들은 어렸을 때 왕자나 공주가 되는 꿈을 꿉니다. 실제로 우리는 예수를 영접한 순간 하나님의 자녀가 되는데, 이것이 우리에게 얼마나 큰 자부심을 주는지 모릅니다.

영적 체험이 있어야 한다

그러나 중요한 질문이 남습니다. 우리는 어떻게 주님의 자녀다운 자녀, 예수 그리스도의 제자다운 제자, 주님의 영적 가족이 될 수 있을까요? 우리가 주님의 가족이 되려면 첫 번째, 영적 체험이 있어야 합니다. 사람들은 기독교 신앙의 문을 두드리는 그 순간부터 많은 신앙 체험의 세계에 들어가게 됩니다. 기독교 신앙은 실로 다양한 영적 체험을 제공합니다. 사람마다 체험이 다릅니다. 여기에 체험의 다양성이 있습니다.

그런데 어떤 체험은 나에게는 필요하지만 다른 사람에게는 필요 없을 수 있습니다. 예를 들면, 방언 같은 것이 그렇습니다. 성경은 "다 방언을 말하는 자이겠느냐"(고전 12:30)라고 말씀합니다. 하나님이 모든 사람에게 방언의 은사를 주시지는 않는다는 말입니다. 어떤 사람은 방언을 하고, 어떤 사람은 하지 않습니다. 필요를 따라서 주신다는 말입니다. 어떤 사람은 해야 하지만, 어떤 사람은 하지 않아도 괜찮습니다.

그러나 지금부터 말하고자 하는 것은 보편적 체험입니다. 절대적 체험입니다. 이것이 없으면 참된 그리스도인이 될 수 없습니다. 이것 없이는 하늘나라에 들어갈 수가 없기에 저는 이것을 '근본적인 영적 체험'이라고 말합니다. 이것은 거듭남의 체험입니다. 거듭남은 누구나 경험해야 하는 것입니다.

성경에 보면 예수님이 니고데모와 대화를 나누십니다. 니고데모는 사회의 정치적, 종교적 지도자였습니다. 그러나 예수님은 그를 향해 이렇게 말씀하십니다.

"진실로 진실로 네게 이르노니 사람이 거듭나지 아니하면 하나님의 나라를 볼 수 없느니라"(요 3:3).

그래서 유명한 종교 개혁 지도자인 마르틴 루터는 이렇게 말합니다. "우리가 천국에 도착하면 입구에 간판이 있을 텐데 그곳에 틀림없이 이렇게 쓰여 있을 것이다. '오직 거듭난 자만.'"

지난 세기, 영국과 미국에서 활동했던 위대한 전도자 가운데 존 웨슬리(John Wesley)와 쌍벽을 이루었던 조지 휘트필드(George Whitefield)라는 분이 있습니다. 이분이 가장 좋아했던 설교 중의 하나는 '당신이 거듭나야 합니다'였습니다. 그분은 가는 곳마다, 만나는 사람마다, 집회 때마다 사람은 거듭나야 한다는 메시지를 선포했습니다. 많은 사람이 이 설교에 은혜 받고 거듭나서 주님 앞으로 돌아왔습니다.

그중 한 청년이 은혜를 받고 자원하여 그분의 비서가 되었습니다. 청년은 그와 같이 다니고 싶다고 했고, 조지 휘트필드는 이를 허락했습니다. 청년은 그의 가방을 들고 따라다녔습니다. 청년은 너무나 흥분하고 좋아했습니다. 그런데 계속 따라다니다 보니 목사님이 계속 똑같은 설교만 하는 것이었습니다. 거듭나야 한다는 설교가 반복되면서 그는 수도 없이 이 설교를 듣게 되었습니다. 어느 날, 인내의 한계에 다다르게 된 청년은 휘트필드가 설교 강단에서 내려오자 이렇게 푸념했습니다.

"목사님, 목사님은 설교 레퍼토리가 그렇게도 없습니까? 거듭나야 한다는 설교를 수십 번 넘게 들었습니다."

그랬더니 그가 청년을 꽉 붙들면서 이렇게 말했습니다.

"왜 그런 줄 아는가? 자네가 거듭나야 하기 때문이야!"

그렇습니다. 거듭나는 것은 선택의 문제가 아닙니다. 우리는 반드시 거듭나야 합니다.

주님이 본문의 사건이 일어나도록 허용하심으로 이 진리를 우리에게 가르치신 데에는 이유가 있습니다. 마가복음 3장의 첫머리에 예수님은 열두 제자를 부르십니다. 열두 제자가 주님의 한 가족이 된 것입니다. 어떻게 가족이 되었습니까? 주님이 부르실 때 그들이 믿음으로 응답했기에 가능했던 것입니다. 주님은 "수고하고 무거운 짐 진 자들아 다 내게로 오라"(마 11:28) 하고 우리를 부르셨습니다.

'맞아, 주님을 따라가면 내게 안식이 있을 거야. 그분이 나를 용서하고 받아 주신다고 했으니 새로운 삶을 주실 거야!'

예수가 그리스도, 예수가 구세주, 예수가 메시아 되심을 믿고 그분을 의지하는 바로 그 순간, 우리는 그리스도의 제자가 되고 그리스도인이 되는 것입니다. 성경은 이렇게 말씀합니다.

"영접하는 자 곧 그 이름을 믿는 자들에게는 하나님의 자녀가 되는 권세를 주셨으니"(요 1:12).

당신은 이 사실을 믿습니까? 이는 혈통으로 된 것도 아니고, 인간의 육정으로 된 것도 아니고, 오직 하나님의 뜻으로 말미암은 것입니다. 요한일서 5장 12절은 "아들이 있는 자에게는 생명이 있고 하나님의 아들이 없는 자에게는 생명이 없느니라"라고 말씀합니다. 그렇습니다. 예수 그리스도를 영접하고 그분을 믿는 순간, 우리는 하나님의 자녀로 거듭 태어나게 됩니다.

거듭 태어나는 것은 결코 어려운 일이 아닙니다. 예수님을 믿고 영접하는 순간 하나님의 자녀가 되는 것입니다. 그 순간 우리가 무슨 감정적인 체험을 했느냐가 중요한 것이 아닙니다. 조용한 마음의 평안일 수도 있고, 내면의 정신적 변화일 수도 있습니다. 그러나 예수 그리스도를 믿는 순간 달라집니다. 이것이 바로 거듭남의 체험이라는 것을 믿으십시오. 그때부터 우리는 그리스도인으로서 영적 체험이라는 위대한 순례를 떠나게 되는 것입니다.

우리가 어떻게 예수 그리스도의 가족, 하나님의 로열패밀리가 될수 있을까요? 영적 체험이 있어야 합니다. 그것의 기본은 거듭남의 체험입니다. 어떤 사람들은 밤낮 여러 번 거듭나야 하는 줄로만 알고 있는데, 그렇지 않습니다. 예수 그리스도를 구세주로 의지하는 그 한순간에 우리는 하나님의 자녀가 되는 것입니다.

우리가 부모의 자녀로 몇 번 태어납니까? 한 번 태어나면 됩니다. 부모의 속을 썩인다고 해서 부모의 자녀가 아닙니까? 우리에게 육체적 탄생의 순간이 단 한 번 있었던 것처럼, 예수 그리스도를 영접하는 그 순간에 하나님의 자녀가 되는 것을 믿어야 합니다. 이런 영적 체험이 있어야 합니다. 이런 체험을 한 이들을 가리켜 우리는 그리스도의 제자요, 하나님의 자녀라고 부릅니다. 그러면 우리는 어떻게 주님이 더 기뻐하시는 영적 가족이 될 수 있을까요?

영의 눈을 열라

두 번째로는, 영적인 이해가 필요합니다. 거듭나는 순간 우리에게는 영적 직관력이 생기게 됩니다. 그때부터 우리는 하나님을 조금씩 이해하기 시작합니다. 물론 여기에는 투자가 필요합니다. 먼저 무릎 꿇는 기도가 있어야 하고, 말씀을 접해야 합니다. 그럴 때 영적 이해의 폭이 커지고, 넓어집니다. 아무리 교회에 나와도 거듭나지 않으면 영적인 것들이 이해되지 않습니다.

저는 거듭나지 않았는데도 교회에 열심히 나오는 사람들이 참 신기합니다. 거듭나지 않고도 열심히 나오는 것은 무척 좋은 일입니다. 아직 복음을 듣고 거듭날 기회가 있기에 그렇습니다. 이 정도면 되었다고 생각하는데 아직도 영적인 것이 이해되지 않습니까? 거듭나야 영적인 것들이 제대로 이해됩니다. 교회에 열심히 나와도 거듭나지 않은 사람은 불신자의 상태 그대로 있는 것입니다. 이런 사람들은 영적인 것들을 이해하지 못합니다. 요한복음 3장에서 예수님이 니고데모에게 거듭나야 한다고 말씀하셨을 때 그가 어떤 반응을 보입니까?

"선생님, 제가 이만큼 늙었는데 어떻게 어머니 배 속에 다시 들어가서 태어납니까?"

예수님은 영적으로 거듭나야 한다고 말씀하셨고, 니고데모는 이것을 육적인 것으로 알아들었던 것입니다. 그래서 다시 어머니 배 속에 들어갔다 나와야 하는 것으로 이해했습니다. 니고데모는 똑똑한 사람이었지만 예수님의 말씀을 이해하지 못했습니다.

성경 공부를 인도해 보면, 사회적으로는 참 똑똑한 사람인데도 성경은 잘 이해하지 못하는 사람이 많습니다. 니고데모가 그런 사람이었습니다. 요한복음 4장에 보면 사마리아 여인의 이야기가 나옵니다. 목말라하는 여인을 향해 예수님이 "내게 오면 영원히 목마르지 않을 생수를 주겠다"라고 하신 영적 말씀에 대해 사마리아 여인은 어떤 반응을 보입니까? "우리는 조상 대대로 여기에 있는 우물물을 먹고 살아왔는데, 당신은 이곳 말고 신기한 생수가 쏟아져 나오는 다른 약수터를 알고 계십니까?" 하고 엉뚱한 이야기를 합니다. 왜 그렇습니까? 영적으로 이해가 안 되기 때문입니다.

요한복음 6장에 보면 보리떡 다섯 개와 물고기 두 마리를 가지고 1만 명 이상을 먹이는 기적을 행한 후에 예수님은 이런 설교를 베푸십니다.

"내가 곧 생명의 떡이다. 내가 하늘나라에서 온 떡이다. 나를 먹는 자는 영생하리라."

그랬더니 사람들이 어떤 반응을 보였습니까?

"저 사람이 자기를 잡아먹으래. 제 살을 먹으라는데 어떻게 먹지?"

도무지 이해가 되지 않는 것입니다. 예수님 주변에 가장 가까이 있던 사람들도 이해하지 못했습니다. 본문의 상황이 나타난 배경을 한번 보십시오.

> "집에 들어가시니 무리가 다시 모이므로 식사할 겨를도 없는지라"(막 3:20).

예수님이 어떤 집에 들어가셨습니다. 식사 시간인데도 계속 말씀을 전하며 병자들을 위해서 기도하셨습니다. 사람들은 예수님이 미쳤나 하고 생각했습니다. 이어지는 21절을 보면 예수님의 가족들의 반응이 나옵니다.

> "예수의 친족들이 듣고 그를 붙들러 나오니 이는 그가 미쳤다 함일러라."

더군다나 바리새인들은 어떤 반응을 보였습니까?

> "예루살렘에서 내려온 서기관들은 그가 바알세불이 지폈다 하며 또 귀신의 왕을 힘입어 귀신을 쫓아낸다 하니"(막 3:22).

예수님은 병자를 위해서 기도해 주고, 귀신 들린 사람에게서 귀신을 쫓아내 주셨습니다. 그랬더니 사람들은, '귀신을 쫓아내는 것을 보니 저 사람은 그보다 더한 왕 귀신이 들렸다'고 생각한 것입니다. 여기서 사람들은 무엇을 이해하지 못했습니까? 생명의 말씀 인 복음입니다.

진리에 미치면 역사가 일어난다

당신은 말씀을 나누면서 밤을 새워 보았습니까? 진리의 말씀을 전 하는 감동, 이웃을 섬기는 감동을 알고 있습니까? 고통당하는 이웃 을 위해 기도할 때 그들이 마음속에서 치유를 경험하고, 인생에서 새 힘을 얻는 모습을 보는 감동을 알고 있습니까? 이런 하나님 나라 의 영적 사역을 이해하지 못하는 사람들의 눈에는 예수님이 어떻게 보였겠습니까? '저 사람은 미쳤어, 단단히 미친 거야'라고 생각했음 이 틀림없습니다.

음악을 이해하지 못하는 사람들에게는 음악(音樂)이 음악(音惡)으 로 들립니다. 클래식 음악을 들려줘도 시끄러우니 끄라고 합니다. 한번은 버스를 탔는데, 운전기사가 고상한 클래식 음악을 들려주 었습니다. 저는 '버스 안에서도 이런 음악을 들을 수 있다니'라고 생각했는데, 어떤 사람은 "그 음악 꺼! 시끄러워"라고 소리 지르는 것이었습니다.

음악을 이해할 수 있는 귀가 없는 사람은 '음치'입니다. 아름다운 그림을 보여 주어도 그 그림을 감상할 수 없는 사람은 '미치'입니 다. 제가 음치이자 미치인데, 제 아내는 제가 보기에 이상한 그림만 그립니다. 어느 날은 아내에게 '좀 이해할 수 있는 자연스러운 그림을 그려 보라'고 했더니, 자연 풍경을 그렸습니다. 집도 그리고 산과 나무도 그렸습니다. 그런데 갑자기 하얀색으로 다 덮어 버리는 것입니다. 그 그림을 저희 집에 걸어 놓았습니다. 아무것도 보이지 않게 하얗게 그려진 그림을 보면서 저게 뭐냐고 물었더니 아내는, "저게 안 보여요? 제 눈에는 보이는데요" 하고 말했습니다. 이해하지 못한 제 눈에는 보이지 않는 것입니다.

그렇습니다. 하늘나라의 영적인 비밀을 볼 수 없는 사람들에게는 보이지 않습니다. 미친 것으로밖에는 생각할 수 없습니다. 그러나 미친 것이 꼭 나쁘지는 않습니다. 제대로 미친 사람들에 의해 역사가 일어납니다. 유명한 에디슨(Thomas Alva Edison)도 한참 발명에 열중할 때는 한 끼도 먹지 않았던 때가 있었습니다. 그의 가족들은 "저 사람이 미쳤어요"라고 했을 것입니다. 또 그 유명한 헨델(Georg Friedrich Händel)은 〈메시아〉(Messiah)를 작곡하기 위해서 20일 동안 한 끼도 먹지 않았습니다. 그는 하늘나라의 환상을 보았던 것입니다. 주변 사람들은 "헨델이 요즘 빚을 많이 지더니 완전히 미쳐 버렸다"고 했습니다. 그러나 그런 사람들에 의해 위대한 역사가 일어났습니다. 따지고 보면 모든 사람은 다 어딘가에 미쳐 있습니다. 어떤 사람은 섹스에 미치고, 어떤 사람은 마약에 미치고, 어떤 사람은 도박에 미칩니다.

당신은 진리에 미쳐 보았습니까? 사람을 사랑하는 일에 미쳐 보았습니까? 하늘나라의 복음에 미쳐 보았습니까? 이것을 이해할 수 없는 사람들은 당연히 미쳤다고 말합니다. 하지만 바울은 고린도 전서 2장 14절에서 이렇게 말합니다.

"육에 속한 사람은 하나님의 성령의 일들을 받지 아니하나니 이는 그것들이 그에게는 어리석게 보임이요, 또 그는 그것들을 알 수도 없나니 그러한 일은 영적으로 분별되기 때문이라."

우리가 어떻게 주님의 영적 가족이 될 수 있습니까? 어떻게 하면 주님과 통할 수 있습니까? 가족끼리 서로 통하지 않는 것만큼 비극도 없습니다. 자식들이 아버지의 마음을 이해하지 못하는 것은 가족의 비극입니다. 남편과 아내가 통하지 않는다면 얼마나 비극입니까? 주님의 영적 가족이 되려면 주님의 가슴을 이해하고, 주님의 꿈을 이해해야 합니다. 주님과 더불어 흥분할 수 있는 사람, 주님의 사건을 이해할 수 있는 사람, 영적 이해의 폭과 깊이가 넓어지는 하나님의 사람이 되기를 바랍니다.

영적 목표가 있어야 한다

영적인 가족이 될 수 있는 세 번째 방법은, 영적 목표가 있어야 한다는 것입니다. 연애를 해 본 사람이라면 알 것입니다. 연애할 때 우리 몸의 지체 가운데 어느 부분이 제일 많이 활동합니까? 대부분의 경우에는 눈을 가장 많이 사용합니다. 연애할 때 얼마나 많은 사람이 눈으로 대화를 합니까? 그래서 한 시인은 이런 시를 썼습니다.

"우리는 사랑할 때 서로의 눈을 보고 있었죠. 그러다가 결혼을 하고 가정을 이룹니다. 그러나 부부가 된 우리는 공동의 목표를 바라봅니다."

얼마나 아름다운 시입니까? 결혼하고 나면 쳐다보아야 별 볼 일 없지만, 중요한 것은 가족이 함께 바라볼 수 있는 목표입니다. 당신의 가정의 공동 목표는 무엇입니까?

빌리 그레이엄의 가정은 세계 복음화라는 목표를 가졌습니다. 남편인 빌리 그레이엄은 전 세계를 다니면서 복음을 전했고, 부인인 루스 그레이엄(Ruth Bell Graham)은 남편을 위해 열심히 집에서 중보기도를 했으며, 아들인 프랭클린 그레이엄(Franklin Graham)은 전 세계 젊은이들에게 복음을 전하기 위해 헌신했습니다. 얼마나 아름다운 가정입니까? 다일공동체 대표인 최일도 목사의 가정은 또 어떻습니까? 그들 부부는 노인을 비롯한 배고픈 이웃들을 사랑하고 끌어안는다는 공동의 목표가 있습니다. 또한 가나안농군학교를 세운 김용기 장로의 아들 김종일 목사와 김범일 장로는 아버지의 뜻을 따라 농촌을 잘살게 하고 재건한다는 공동의 목표를 가지고 있었습니다. 이 얼마나 아름다운 가정입니까? 당신의 가정의 공동 목표는 무엇입니까?

본문의 결론이 되는 마지막 말씀을 보십시오.

"누구든지 하나님의 뜻대로 행하는 자가 내 형제요 자매요 어머니이니라"(막 3:35).

주님은 왜 이 말씀을 하셨을까요? 예수님이 열두 제자를 부른 후에 이 말씀을 하신 이유는, 이제 그들이 공유해야 할 공동의 목표가 있기 때문이었습니다. 하나님의 뜻이야말로 그리스도인들에게는 최고의 선(善)이 아니겠습니까? "너희 안에서 행하시는 이는 하나님이시니 자기의 기쁘신 뜻을 위하여 너희에게 소원을 두고 행하게 하시나니"(빌 2:13)라고 했을 때 하나님의 가장 중요한 뜻이 무엇입니까? 전 세계에 복음이 전해지는 것입니다. 가장 가까운 이웃에서부터 땅끝까지 복음이 전해지는 것입니다. 그리고 고통 받는 사람들을 사랑하는 것입니다.

우리는 세상을 바꾸어 나가야 할 사람들입니다. 한 가정에도 공동의 목표가 필요하듯이, 지금도 주님은 그 부르심에 응답할 자들을 부르고 계십니다. 교회의 존재 목적은 주님의 복음을 전하여 잃어버린 영혼들을 구원하고, 고통 받고 상처받는 사람들을 치유해서 이 세상을 바꾸어 나가는 것입니다. 세상이 험하고 시대가 어두울 때 우리의 마음은 착잡해집니다. 그러나 이런 때일수록 현실을 뛰어넘는 더 높은 목표가 필요하다고 생각합니다.

산에 오르자, 높은 산에 오르자

제가 좋아하는 예화가 있습니다. 어떤 조류학자가 독수리 새끼를 길렀다고 합니다. 그러다가 한번은 독수리 새끼를 병아리들과 함께 길러 보았습니다. 그런데 이 독수리 새끼가 자라면서 꼭 병아리처럼 행동을 하더랍니다. 병아리처럼 걷고, 병아리처럼 노래도 했습니다. 시간이 흘러가면서 독수리 새끼는 독수리의 근성을 드러내지 않고 꼭 병아리처럼 행동하게 되었습니다. '이제는 완전히 퇴화해서 닭이 되었구나'라고 생각했습니다. 그래서 독수리의 근성이 남아 있는지 한번 실험을 해 보았습니다. 마당에 두고 날아 보라고 했지만 날지 못했습니다. 조류학자는 독수리를 데리고 높은 산으로 올라갔습니다. 푸른 숲을 보여 주고, 산 공기도 맑게 한 후에 날려 보았습니다. 그러나 날지 못했습니다. 그 순간, 강력한 바람을 뚫고 다른 독수리 한 마리가 세차게 산을 향해서 올라가는 모습이 보였습니다. 그 모습을 주시하고 있던 이 독수리가 갑자기 날개를 펼치더니 하늘을 날기 시작했습니다.

하나님의 자녀인 로열패밀리가 세상을 사는 모습이 꼭 병아리 같지 않습니까? 세상에서 조금 어렵다고 주저앉고, 좌절하고, 낙심하고 있지는 않습니까? 본문인 마가복음 3장 13절을 보십시오.

"또 산에 오르사 자기가 원하는 자들을 부르시니 나아온지라."

예수님은 산에서 열두 제자를 부르셨습니다. 아마도 제자들에게 이렇게 말씀하셨을 것입니다.

"산에 오르자. 함께 높은 것을 보자."

저는 날씨가 매우 나쁠 때 비행기를 탈 일이 생기면 비행기가 잘 뜰까 매번 걱정합니다. 그렇지만 웬만한 기상 상태에서 비행기가 운행하지 못하는 일은 거의 보지 못했습니다. 비행기가 바람과 폭풍우와 구름을 뚫고 높이 비상하는 순간, 저 아래의 비바람과는 상관없이 청정한 평화가 있는 것을 보게 됩니다. 구름 위에는 놀라운 세계가 펼쳐져 있습니다.

삶이 고달프고 아플수록 꿈이 필요합니다. 저 높은 곳을 보십시오. 산에 오르십시오. 산에서 열두 제자를 부르시던 예수님이 우리를 부르고 계시지 않습니까? 세상 살기가 힘들고 직장도 사업도 어렵지만, 그럴수록 주님의 높은 산에 오르십시오. 그리고 주님의 꿈을 꾸기 바랍니다. 주님은 이렇게 말씀하십니다.

"나와 함께 걷자. 복음을 전하자. 사람들을 사랑하자. 그리고 이 세상을 변화시키자."

우리에게 이 꿈이 있다면 우리는 일어날 것입니다. 그리고 우리는 역사를 창조할 것입니다. 이 꿈에 사는 사람들을 하나님 나라의 영적 가족, 하나님 나라의 로열패밀리라고 합니다. 하나님의 가족 된 아들딸로서, 왕자와 공주로서 프라이드를 갖고 좌절의 자리를 박차고 일어나기를 바랍니다. 새로운 꿈을 꾸기를 바랍니다. 주님과 함께 새로운 역사를 창조하기를 바랍니다.

우리에게 육체적 탄생의 순간이 단 한 번 있었던 것처럼,

예수 그리스도를 영접하는 그 순간에

하나님의 자녀가 되는 것을 믿어야 합니다.

이런 체험을 한 이들을 가리켜

우리는 그리스도의 제자요,

하나님의 자녀라고 부릅니다.

"예수께서 다시 바닷가에서 가르치시니 큰 무리가 모여들거늘 예수께서 바다에 떠 있는 배에 올라 앉으시고 온 무리는 바닷가 육지에 있더라 이에 예수께서 여러 가지를 비유로 가르치시니 그 가르치시는 중에 그들에게 이르시되 들으라 씨를 뿌리는 자가 뿌리러 나가서 뿌릴새 더러는 길가에 떨어지매 새들이 와서 먹어 버렸고 더러는 흙이 얕은 돌밭에 떨어지매 흙이 깊지 아니하므로 곧 싹이 나오나 해가 돋은 후에 타서 뿌리가 없으므로 말랐고 더러는 가시떨기에 떨어지매 가시가 자라 기운을 막으므로 결실하지 못하였고 더러는 좋은 땅에 떨어지매 자라 무성하여 결실하였으니 삼십 배나 육십 배나 백 배가 되었느니라 하시고 또 이르시되 들을 귀 있는 자는 들으라 하시니라"(막 4:1-9).

11

들을 귀 있는 자는 들으라

영혼에 말씀의 씨앗을
자라게 하라

설교의 위기 시대

오늘날 설교한다는 것은 그다지 특별한 일이 아닙니다. 이제 사람들은 더 이상 설교에 대해 큰 기대감을 갖지 않는 것 같습니다. 그러나 교회가 사회에 강력한 영향력을 끼치던 시절이 있었습니다. 그때를 '부흥의 시대'라 부르는데, 당시의 설교는 매우 특별한 것이었습니다. 부흥의 시대에 설교는 최고의 특권이었고, 사람들은 설교를 사모했습니다. 그러나 오늘날 우리는 설교가 더 이상 영향력을 갖지 않는 '설교의 위기 시대'에 살고 있습니다.

두 사람이 한참 싸움이 붙어서 언성이 높아지다 보면 흔히 이런 소리가 나옵니다.

"야, 나한테 설교하지 마."

이런 말은 설교에 대한 부정적인 인식을 반영해 주고 있습니다.

왜 이런 위기 상황이 생겨나게 되었을까요? 이것은 설교자 때문이라고도 할 수 있고, 설교를 듣는 청중 때문이라고도 할 수 있습니다. 두 가지 차원에서 다 접근할 수 있다고 생각하는데, 저는 이같은 지경에 이르게 된 데는 먼저 설교자의 책임이 상당히 크다고 생각합니다. 인격적으로 신뢰를 받지 못하는 설교자들의 메시지는 설득력을 상실할 수밖에 없습니다. 또한 빈약한 내용의 천박한 설교들이 그러한 위기를 몰고 왔다고도 할 수 있습니다.

그러나 설교가 위기를 맞게 된 데는 설교자뿐만 아니라 청중에게도 어느 정도 책임이 있다고 생각합니다. 오늘날의 청중은 설교에 대해 얼마나 진지한 자세를 갖고 있습니까? 듣는 이의 자세는 설교의 질을 결정하는 또 하나의 중요한 요인입니다. 본문을 통해 주님은 설교가 영향력을 상실한 중요한 원인이 청중에게 있다고 말씀하십니다. 예수님에게 시비를 걸 수는 없으니 말입니다. 설교자로서의 예수님을 누가 탓하겠습니까? 흔히 기독교를 싫어하는 사람들도 예수님이 싫다고는 말할 수 없습니다. 어떤 사람이 예수님의 설교를 듣고도 변하지 않았다면, 그것은 전적으로 그 사람의 책임일 수밖에 없습니다.

이 본문을 가리켜서 '씨 뿌리는 비유'라고 말합니다. 이것은 하나님 나라라는 큰 메시지의 한 토막을 형성합니다. 예수께서는 해

안에 띄운 배를 강단으로 삼아 말씀을 증거하셨고, 청중은 해안가 육지에서 말씀을 듣고 있었습니다. 하나님 나라의 복음을 듣는 이들이 그들의 삶에서 바람직한 변화의 열매를 맺으려면 무엇보다도 진지하게 듣는 자세가 필요하다는 것을 주님은 역설하셨습니다. 본문의 결론이라고 할 수 있는 마가복음 4장 9절을 보십시오.

"또 이르시되 들을 귀 있는 자는 들으라 하시니라."

예수님은 다시 한번 제자들의 듣는 태도에 대해 이같이 강조하셨습니다. '씨 뿌리는 비유'에는 세 가지 중요한 요소가 있습니다. 하나는 씨, 하나는 밭 그리고 다른 하나는 열매입니다. 네 가지 환경에 떨어진 씨는 모두 똑같은 것이었지만 어느 밭에서는 삼십 배, 어느 밭에서는 육십 배, 어느 밭에서는 백 배의 열매를 맺습니다. 그리고 똑같은 씨가 떨어졌는데도 어떤 곳에서는 전혀 열매를 맺지 못합니다. 왜 그럴까요?

첫째는 길가, 둘째는 돌밭, 셋째는 가시밭, 넷째는 좋은 땅입니다. 어떤 사람은 보리밭이라고 하는데, 그냥 좋은 땅이라 보는 것이 옳습니다. 이 네 가지 밭은 말씀에 반응하는 우리의 마음입니다. 매 주일 설교를 듣는 당신의 마음은 이 네 가지 밭 중 어디에 속합니까? 스스로 생각해 봅시다.

명목상의 그리스도인

첫째, 길가와 같은 마음 밭입니다. 길가와 같은 마음 밭은 한마디로 말해 '명목상의 그리스도인'을 대표한다고 할 수 있습니다. 이들은 교회 바깥에 있는 사람들이 아닙니다. 적어도 말씀을 들을 수 있는 기회를 가진 사람들이기 때문입니다. 그런데 잘못 듣는다는 것이 문제입니다. 일단 말씀을 들었다는 면에서 그들을 교인으로 간주할 수 있습니다. 하지만 말씀에 대한 열정도 없고, 말씀에 대한 사모함도 없는 사람들입니다. 말씀이 그의 삶 속에 전혀 뿌리를 내릴 수 없는 사람들입니다.

팔레스타인에서 '길가'라 함은 밭과 밭 사이에 난 길을 의미했을 가능성이 큽니다. 로마의 영향으로 당시에 이미 고속도로가 닦여 있었지만, 팔레스타인의 길 대부분은 밭과 밭 사이로 나 있었습니다. 농부나 마을 사람들 혹은 지나가는 여행객들은 그 길로 다녔습니다. 한참 다니다 보면 그 길은 빤질빤질해지고 아주 굳은 땅이 됩니다. 그런 그곳에 씨가 떨어졌습니다. 그런데 씨가 떨어지자마자 어떤 일이 일어났습니까? 새가 그것을 쪼아먹고 말았습니다. 이것은 무엇을 뜻합니까? 예수님은 본문 10절 이하에서 이 씨뿌리는 비유를 친히 해석하십니다. 15절을 보십시오.

"말씀이 길가에 뿌려졌다는 것은 이들을 가리킴이니 곧 말씀을 들었을 때에 사탄이 즉시 와서 그들에게 뿌려진 말씀을 빼앗는 것이요"(막 4:15).

이것이 주님의 해석이었습니다. 길가에 뿌려졌다는 것은 말씀을 듣는 순간 사탄이 즉시 찾아와 그 말씀을 빼앗아 버렸다는 것을 의미합니다. 새는 무엇입니까? 사탄입니다. 새가 그 씨를 쪼아먹듯, 마귀는 마음에 말씀이 떨어져 심기기 전에 그 말씀을 낚아채 갑니다. 그러면 마귀에 의해서 말씀을 빼앗기는 사람들, 그래서 말씀을 정말 자기 것으로 삼지 못하는 사람들은 오늘날과 같은 교회 상황에서 어떤 사람들일까요? 저는 교회에 오면 습관적으로 조는 사람들, 그들이 바로 길가를 대표하는 사람들이라고 생각합니다.

졸고 있는 것 자체는 나쁜 것이 아닙니다. 교회에 와서 졸 수도 있습니다. 너무 피곤하면 그럴 수 있습니다. 제가 미국에서 목회할 때 한 청년이 몇 주에 걸쳐서 계속 졸았던 적이 있습니다. 그래서 예배를 마친 다음에 "형제, 무슨 일이 있었어요? 왜 그렇게 계속 졸지요?" 하고 물었습니다. 그랬더니 "목사님! 목사님은 우리 이민 생활을 잘 모르실 거예요. 우리말도 아닌 영어를 쓰면서 직장에 나가서 돈 벌기가 얼마나 힘이 드는지, 스트레스 받으며 직장 생활하다가 아버지의 집에 들어오기만 하면 저절로 잠이 온답니다" 하고 말했습니다. 저는 '아, 그렇구나! 내가 저분들을 이해해 줘야겠구나' 하는 생각을 했습니다. 조는 것 자체를 무조건 마귀의 짓이라고 생각하지 않습니다.

사실 설교가 중간쯤 진행되었을 때 조는 것에 대해서는 설교자도 상당한 책임을 져야 합니다. 오죽 설교가 시원찮았으면 중간에 졸음에 빠지겠습니까? 어떤 사람이 목사가 빤히 보이는 데서 조니까 그 목사님이 열이 받으셨나 봅니다. 그래서 그 옆에 있는 집사님에게 그 사람 좀 깨우라고 했나 봅니다. 그 집사님이 할 수 없이 깨우면서 이렇게 중얼거렸답니다.

"자기가 재워 놓고 누구보고 깨우래."

설교자에게도 책임이 있습니다. 문제는 처음부터 존다는 데 있습니다. 어쩌다 피곤해서 한 번 꾸벅꾸벅하는 것이 아니라 주일마다 존다면, 이건 무엇인가 잘못된 것입니다. 그래서는 전혀 말씀이 들어오지 못합니다.

그런데 재미있는 것은, 이런 사람들이 설교가 끝날 때쯤이면 용케도 깨어납니다. 저는 도무지 말씀을 자기 것으로 삼을 기회가 없는 이런 사람들에게 상당한 사탄의 역사가 있지 않느냐는 의심을 해 봅니다. 말씀을 듣지 못하게 방해하는 데는 사탄의 역사가 있을 수 있습니다.

스크루테이프의 편지

C. S. 루이스의 《스크루테이프의 편지》(홍성사 역간)는 삼촌 악마가 조카 악마에게 쓴 편지문의 형식인데, 아주 재미있습니다. 여기에는 사탄의 전략이 아주 투명하게 나타나 있습니다. 루이스의 악마

이야기 가운데 이런 이야기가 있습니다.

어느 날 사회적으로 존경받는 영국의 한 노신사가 도서관에서 책을 읽다가 기독교 서적을 하나 손에 잡았습니다. 그 책을 읽다가 큰 감동을 받았습니다.

'맞았어! 나도 이제 제대로 믿고 신앙생활을 해야지. 내 일생도 얼마 남지 않았는데 하나님 앞에 나아갈 준비를 해야지.'

그는 이런 도전을 받게 되었고, 삶에 대해 진지하게 고민하기 시작했습니다. 이것은 매우 중요한 생각이었습니다. 왜냐하면 이 생각 때문에 그의 인생 자체가 바뀔 수도 있기 때문입니다. 이렇게 진지하게 생각하고 있는데, 갑자기 머릿속에 점심시간이 다 되었다는 사실이 떠오릅니다.

'에이, 먼저 밥이나 먹고 생각하자.'

그래서 식당에 들어가 밥을 먹기 시작합니다. 밥을 먹다 보니 식곤증도 오고, 또다시 생각해 보니 '인생이 다 그런 건데 내가 뭐 특별하다고 이 나이에 인생의 길을 바꾸겠나' 하는 생각이 듭니다. 그는 점심을 먹고 나서 마치 아무 일도 없었던 것처럼 버스를 타고 집으로 돌아갑니다. 그때 악마는 버스를 타고 돌아가는 노신사 뒤에서 회심의 미소를 짓는다는 이야기입니다.

저는 이 이야기를 읽으면서 오늘날 예배당을 채우고 있는 많은 사람의 모습이 그렇지 않을까 하고 생각했습니다. 주일 아침 교회에 와서 말씀을 듣는데 어떤 날은 유난히 말씀이 마음에 와닿습니다.

'맞아! 나도 새로워져야지. 나도 제대로 믿어 봐야지.'

그런데 그런 생각이 딱 드는 순간에 '그건 그렇고, 오늘 설교가 기네. 왜 안 끝나지? 오늘 점심 메뉴는 뭘까? 요즘 점심이 괜찮던데' 생각하고는 예배가 끝나자마자 식구들과 함께 식사하며 어느덧 모든 것을 자연스럽게 잊어버리고 맙니다. 이 사람이 교회에 출석하는 중요한 이유 중 하나는 점심 메뉴가 마음에 들기 때문입니다. 언젠가 한 자매가 일러바쳤는데, 그런 사람이 실제로 있다고 합니다.

"목사님, 제 남편은 점심 먹는 것을 취미 삼아 교회에 나온답니다."

그래도 안 나오는 것보다는 낫습니다. 괜찮습니다. 그러다가 바뀔 수도 있으니 말입니다. 그런데 점심 먹고는 마치 아무 일도 일어나지 않았던 것처럼 교회에 올 때와 똑같은 마음을 가지고 집으로 갑니다. 그때 이 사람 뒤에서 회심의 미소를 짓고 있는 악마의 모습을 상상해 보십시오.

세상의 진정한 주인은 하나님이십니다. 그럼에도 불구하고 바울은 고린도후서 4장 4절에서 이 세상 신이 세상의 주인인 것처럼 행사한다고 했습니다. 바로 이 세상의 신인 사탄이 믿지 않는 사람들의 마음을 혼미하게 해 복음의 광채가 비치지 못하도록 방해하고 있다고 했습니다. 그래서 사탄은 도무지 말씀이 우리 마음속에 들어가지 못하도록 뿌려진 말씀을 빼앗거나, 말씀을 들어도 그것을 우리의 것으로 만들지 못하도록 마음 주위에 견고하고 굳은 벽을 만듭니다. 이렇게 해서 굳은 마음을 가지게 된 사람들이 길가와 같은 마음 밭을 가진 사람들입니다.

피상적인 그리스도인

두 번째는, 돌밭입니다. 길가가 명목상의 그리스도인을 대표한다면, 돌밭은 피상적인 그리스도인을 대표합니다. 깊이가 없는 피상적인 그리스도인은 진정으로 뿌리를 내리지 못하는 사람입니다. 이 피상적인 그리스도인을 예수님은 어떻게 생각하십니까?

> "또 이와 같이 돌밭에 뿌려졌다는 것은 이들을 가리킴이니 곧 말씀을 들을 때에 즉시 기쁨으로 받으나 그 속에 뿌리가 없어 잠깐 견디다가 말씀으로 인하여 환난이나 박해가 일어나는 때에는 곧 넘어지는 자요"(막 4:16-17).

옛날 청교도들은 그리스도인에게 세 가지 적이 있다고 했습니다. 첫째는 사탄, 곧 공중의 권세 잡은 자이며, 둘째는 육신과 우리 안에 있는 부패한 이기심, 마지막으로 셋째는 잘못된 가치관으로 우리를 둘러싸고 있는 세상입니다. 길가와 같은 마음 밭을 공격하고 있는 것이 사탄이라면, 돌밭을 공격하고 있는 것은 육신입니다. 우리 안에 있는 부패한 이기심으로 쉽고 편리한 것만을 추구하기에, 우리에게 더 이상 편리하지 않다면 쉽게 신앙을 포기해 버리고 마는 사람들이 돌밭 같은 사람들입니다.

실제로 이스라엘에는 돌밭이 많습니다. 이스라엘에는 석회석이 매우 많아 그런 곳에서는 식물이 깊이 뿌리를 내리지 못하고, 당연히 열매도 맺지 못합니다. 이것은 무슨 뜻입니까? 처음에는 없던 신앙의 싹을 보입니다. 16절을 보면, 그들은 말씀에 동의도 하고, 또 같이 웃기도 하고, 은혜를 받아 울기도 하며 반응을 보입니다. 그리고 스스로 은혜를 받았다고 생각하며 간증도 합니다. 많은 사람의 관심을 모으며 바람을 몰고 화려하게 등장합니다.

그런데 재미있는 것은, 이 돌밭 교인들은 어느 날 갑자기 휙 없어진다는 것입니다. 바람과 함께 나타나서 바람과 함께 사라집니다. 이것이 돌밭 교인들의 대표적인 모습입니다. 왜 사라졌는지 나중에 알아보면 아주 치사하고 사소한 이유 때문인 경우가 많습니다. 예를 들면, 교회에 와서 누구와 싸웠는데, 그 인간이 보기 싫어서 안 믿기로 했다는 것입니다. 영 보기 싫으면 다른 교회로 가면 되지, 그렇다고 신앙까지 포기할 필요는 없지 않습니까? 그런데 아예 신앙을 저버리는 사람들이 있습니다. 또 어떤 부인이 교회에 안 나오기에 왜 안 나왔느냐고 물으니 아주 겸연쩍어 하면서 이야기하기를, 에어컨이 시원하지 않아서 안 나가기로 했다는 것입니다. 또 어떤 사람은 4층이라서 못 오겠다고 합니다. 엘리베이터가 너무 느려서 못 오겠다는 것입니다.

옛날 신앙의 선배들은 어떻게 믿었습니까? 박해와 환난 속에서도 그 신앙을 견디고 지켰던 우리 믿음의 선배들을 생각해 보십시오. 역경이나 시련은 신앙이 진짜냐, 가짜냐를 테스트할 수 있는 좋은 기회라고 생각합니다. 참된 신앙은 역경 속에서 견딥니다. 아니, 역경 속에서 오히려 빛을 발합니다. 가짜는 역경이 오면 떠나갑니다. 더 이상 유익하거나 편리하지 않다는 이기심 때문에 신앙을 포기하고 맙니다. 이것이 돌밭 같은 마음입니다.

마오쩌둥으로 인해 중국에 문화 혁명이 일어나자 선교사들이 추방 명령을 받아 모두 중국을 떠나야 했습니다. 마지막으로 떠나던 선교사 한 분이 제자 훈련을 받고 중국 교회의 훌륭한 지도자로 자란 중국 목사님과 차를 마시면서 물었습니다.

"앞으로 많은 환난과 박해가 몰려올 텐데 견딜 수 있겠소? 신앙을 지킬 수 있겠소?"

그랬더니 그 중국 목사님이 가만히 차를 바라보면서 말을 잇더랍니다.

"선교사님, 차가 뜨겁죠?"

그러면서 차 티백을 들었습니다.

"이 티백이 뜨거운 물에 들어갔다고 해서 그 맛을 잃었나요? 아마 뜨거운 물에서 진짜 맛을 낼 수 있을 것입니다. 두고 보십시오. 저는 이 신앙이 진실이라는 것을 이 환난 속에서 주님 앞에 입증해 보이겠습니다."

참된 신앙은 역경을 이깁니다. 역경을 견딜 수 있습니다. 그러나 돌밭 같은 마음은 역경 가운데 신앙을 부인합니다. 혹시 당신은 돌밭 같은 마음을 가진 피상적 그리스도인은 아닙니까?

세속적인 그리스도인

세 번째는, 가시떨기 밭입니다. 길가가 명목상의 그리스도인을 대표하고 돌밭이 피상적인 그리스도인을 대표한다면, 가시떨기 밭은 세속적인 그리스도인을 대표합니다. 가시떨기 마음 밭을 공격하는 것은 이 세상의 가치 체계입니다. 세상의 유혹을 이기지 못한 이들은 가시에 기운이 막혀 열매를 맺지 못합니다. 주님의 설명을 들어 보십시오.

> "또 어떤 이는 가시떨기에 뿌려진 자니 이들은 말씀을 듣기는 하되 세상의 염려와 재물의 유혹과 기타 욕심이 들어와 말씀을 막아 결실하지 못하게 되는 자요"(막 4:18-19).

말씀을 막아서 결실하지 못하게 한 것은 어떤 기운입니까? 세상의 염려와 재물의 유혹 그리고 기타 욕심이라는 세상의 가치 체계입니다. 그 욕망이 말씀에 대한 사모함보다 컸기 때문에 말씀이 열매를 맺지 못합니다. 이 사람이 말씀에 대한 열정이 없는 것은 아니었습니다. 관심도 있고 말씀에 대한 사모함도 있었지만, 재물에 대한 욕심과 세상에 대한 욕심이 더욱 컸던 것입니다. 성경은 말씀을 사모함에도 불구하고 아무런 열매도 맺지 못한 상태로 끝날 수밖에 없었던 한 청년의 안타까운 이야기를 들려주고 있습니다.

어떤 부자 청년 관원이 예수님 앞에 나왔습니다. 그는 부자였습니다. 청년이었습니다. 관원이었습니다. 쉽게 말해, 어린 나이에 성공한 사람이었습니다. 그리고 구도자로서의 진지한 질문을 갖고 있었습니다.

"선생님, 우리가 어떻게 영생을 얻을 수 있겠습니까?"

그러나 그는 구도자의 목마름을 가지고 나왔음에도 불구하고 좋은 결실을 맺지 못했습니다. 예수님은 이 사람에게 어떻게 말씀하셨습니까? 예수님은 사람을 만날 때마다 다른 방법으로 전도하십니다. 이 사람이 만약 재물을 잘 관리할 수 있는 사람이었다면 재물 이야기를 꺼내지도 않으셨을 것입니다. 그러나 그가 재물의 욕망을 벗어나지 못하고, 그것을 예수님보다 더 사랑했기에 이에 대해 도전하셨습니다.

"네 재물을 팔아 가난한 사람에게 주어라. 그리고 나를 따르라!"

성경은 이 사람이 재물이 많아 심히 근심하며 떠나갔다고 말씀합니다. 결국 이 사람은 재물에 대한 욕심을 이길 수 없었던 것입니다. 재물이 그의 신이었습니다.

재물을 가지는 것은 잘못이 아닙니다. 재물을 다스릴 줄 알면 상관이 없습니다. 그러나 그 청년은 재물의 종이 되어 있었습니다. 예수님은 이와 같은 사람들에게 이렇게 말씀하십니다.

"그러므로 너희는 하나님과 재물을 겸하여 섬길 수가 없다."

우리는 재물을 '맘몬'이라고 말하며, 물질주의는 '맘모니즘'이라고 합니다. 원래 '맘몬'이라는 뜻은 '나는 믿는다'(I believe)라는 단어에서 나왔습니다. 재물을 소유하는 것은 잘못이 아니지만, 재물을 믿기 시작하는 것은 잘못입니다. 재물이 신앙의 대상으로 변하게 되는 것입니다. 재물이 우리의 안전과 구원을 보장해 준다고 생각하면서 재물을 인생의 전부로 착각합니다. 그러다 보면 어느새 재물이 그 사람의 신이 되어 있습니다. 두 신을 섬길 수 없으니 우리는 선택해야 합니다. 성경은 이렇게 말씀합니다.

"누구든지 세상을 사랑하면 아버지의 사랑이 그 안에 있지 아니하니"(요일 2:15).

우리 속에 가시떨기 밭은 없는지 돌아보아야 합니다.

열매 맺는 그리스도인

마지막으로 주님은 어떤 밭을 말씀하십니까? 삼십 배, 육십 배, 백 배의 열매를 맺는 좋은 땅에 대해 말씀하고 계십니다. 그 땅의 정체는 무엇입니까?

"좋은 땅에 뿌려졌다는 것은 곧 말씀을 듣고 받아 삼십 배나 육십 배나 백 배의 결실을 하는 자니라"(막 4:20).

말씀을 들었다는 말 다음에 중요한 단어가 있습니다. '받아'입니다. 말씀을 듣기만 했을 뿐 아니라 받았다는 것입니다. 말씀을 받았다는 것은 어떻게 했다는 의미일까요? 씨 뿌리는 비유를 똑같이 언급하고 있는 누가복음을 보면 그 의미가 좀 더 분명해집니다. 누가복음 8장 15절을 보십시오.

> "좋은 땅에 있다는 것은 착하고 좋은 마음으로 말씀을 듣고 지키어 인내로 결실하는 자니라."

말씀을 듣고 받았다는 대신에 어떤 단어를 쓰고 있습니까? '지키어'라는 단어입니다. 말씀을 왜 듣습니까? 설교를 듣기 위해서입니까? 들은 대로 지키는 것이 중요합니다. '말씀을 내 생활에 옮기는가? 내가 들은 대로 말씀을 붙들고 사는가? 말씀을 지키는가?' 이런 순종의 도가 중요합니다. 거기에 도달하지 못하면 열매는 없습니다.

어떤 사람은 예배를 많이 드리는 것을 자랑합니다. "이번 주만 해도 다섯 번이나 예배를 드렸어", "오늘 하루 성경을 다섯 시간이나 읽었어"라고 말입니다. 물론 나쁘지 않습니다. 좋은 일입니다. 말씀에 대한 목마름이 있으니 다섯 시간을 읽었을 것입니다. 그러나 두 사람이 만나서 이런 대화를 나눈다고 생각해 보십시오.

"야, 나는 오늘 음식을 다섯 시간이나 먹었어."

자랑같이 들립니까? 다시 묻겠습니다. 왜 다섯 시간이나 먹습니까? 우리가 음식을 먹는 것은 에너지를 얻어서 살기 위한 것입니다. 먹기 위해 사는 것은 아닙니다. 삶을 살자고 먹는 것입니다. 왜 영적 양식을 먹습니까? 하나님의 말씀을 왜 듣습니까? 듣기 위해서 듣습니까? 아닙니다. 말씀을 붙들고 살려고 듣는 것입니다. 가정과 일터에서 하나님의 백성답게 제대로 살기 위해 말씀을 받는 것입니다. 예배나 성경 공부나 기도 혹은 교회 생활이 자칫 잘못하면 도피 행각일 수 있습니다. 세상 사는 것은 힘든데, 교회에 와서 성경 공부하고 찬양하며 예배드리면 참 좋습니다. 그래서 교회에 와서 계속 시간을 보내는 경우가 있습니다. 이것은 잘못입니다. 도피가 되어서는 안 됩니다. 세상이 힘들기에 교회 속으로 도피하는 것은 바람직하지 않습니다.

순종하라

11세기 유럽에는 헨리 3세(Henry Ⅲ)라는 유명한 왕이 있었습니다. 어느 날 그는 왕 노릇 하기가 피곤해졌습니다. 아마 우리나라의 양녕대군 같았던 모양입니다. 이 사람이 가만히 보니 수도승이 가장 부러웠습니다. 수도원에서 하루 종일 기도하며 말씀을 보는 수도승이 부러워져서 수도사나 되었으면 좋겠다고 생각했다고 합니다. 그래서 수도사가 되기로 결심하고 그 당시 유명한 리처드라는 수도원장을 찾아가서 말했습니다.

"나를 수도사로 받아 주십시오."

수도원장은 가만히 바라보더니 조심스럽게 말했습니다.

"글쎄요. 수도사가 되려면 중요한 규칙 하나가 있는데, 그것을 지킬 수 있으실는지요?"

"그게 무엇입니까?"

"수도원의 생명은 순종입니다. 왕의 자리에 있던 분이 철저히 순종할 수 있겠습니까?"

"예수 그리스도의 이름을 걸고 맹세합니다. 철저하게 순종하겠습니다."

"아, 그래요? 그러면 자격이 있습니다. 그렇다면 제가 첫 번째 명령을 내리겠습니다. 지키시겠습니까?"

"예."

"명령입니다. 당장 왕궁으로 돌아가십시오. 그리고 하늘이 당신에게 맡긴 백성을 제대로 섬기십시오."

주님도 같은 이야기를 하실 것 같습니다. 교회에 와서 예배드리니까 참 좋다고, 말씀 듣고 늘 찬양할 수 있도록 교회에서 살겠습니까? 아닙니다. 돌아가야 합니다. 말씀을 들었다면 그 말씀을 붙들고 살아야 합니다. 삶을 사는 장소는 어디입니까? 가정입니다. 고통이 있어도 가정의 한복판에 서야 합니다. 직장입니다. 흔들리고 있는 직장의 한복판에 서야 합니다. 흔들리고 있는 사업에 서야 합니다. 다시 일으켜 세워야 합니다. 넘어졌습니까? 말씀을 붙들고 다시 일어나야 합니다. 재기해야 합니다. 그곳으로 돌아가십시오.

우리를 보내시는 삶의 현장 한복판에서 살아가기 위해 말씀을 들고 있습니까? 우리가 좋은 땅과 같은 마음을 가진 사람이라면 말씀을 듣기만 하는 것이 아니라, 들은 말씀을 가지고 삶의 한복판으로 나아가 그곳에서 하나님이 기뻐하시는 삶을 살아야 합니다. 말씀을 붙들고 주님께 영광 돌리기 위해 당신을 부르신 그곳으로 가겠습니까? 그곳이 바로 좋은 땅입니다.

어느 목사님이 교회에 새로 부임했습니다. 첫날 설교를 너무 잘했습니다. 그래서 교인들의 기대가 커졌습니다. 둘째 주에 비슷한 설교를 했습니다. 셋째 주에도 비슷한 설교를 했습니다. 교인들이 수근거리기 시작했습니다.

"야, 이상하다. 새로 오신 목사님이 '살매중'(살짝 치매 증세)에 걸렸나 보다."

그런데 넷째 주에도 똑같은 설교를 했습니다. 드디어 성도들이 흥분하기 시작했습니다.

"정신 있습니까, 목사님? 무슨 똑같은 설교를 네 번씩 하십니까? 언제 새로운 설교를 하실 겁니까?"

그랬더니 목사님이 말했습니다.

"오히려 제가 질문을 드리고 싶습니다. 제가 여러분과 나눈 말씀에 순종하셨습니까? 똑같은 설교를 했지만 순종한 흔적이 우리 중에 없지 않습니까? 여러분이 이 말씀에 순종하면 새로운 설교를 하겠습니다."

우리는 말씀 앞에 좋은 땅처럼 반응하고 있습니까?

—

참된 신앙은 역경을 이깁니다.
역경을 견딜 수 있습니다.
그러나 돌밭 같은 마음은
역경 가운데 신앙을 부인합니다.

"또 이르시되 우리가 하나님의 나라를 어떻게 비교하며 또 무슨 비유로 나타낼까 겨자씨 한 알과 같으니 땅에 심길 때에는 땅 위의 모든 씨보다 작은 것이로되 심긴 후에는 자라서 모든 풀보다 커지며 큰 가지를 내나니 공중의 새들이 그 그늘에 깃들일 만큼 되느니라"(막 4:30-32).

12

겨자씨
한 알의 꿈

믿음은 현실을 넘어
위대한 가능성을 보게 한다

어느 젊은 목사의 유산

존(John)이라는 젊은 청교도 목사가 1637년에 신대륙에 대한 꿈을
안고 미국 땅을 찾아왔습니다. 새로운 땅에서 새로운 꿈을 펼치면
서 살아 보자는 아메리칸 드림을 가지고 온 것입니다. 그런데 불과
1년도 못 된 1638년, 그는 폐결핵 진단을 받았습니다. 그 당시 결핵
은 심각한 병이었기에 그는 자신이 죽어 간다는 사실을 깨달았습니
다. 임종 직전에 자신의 재산을 헤아려 보니 별것 없었고, 다만 책을
좋아해서 약 300권 정도의 장서를 가지고 있었습니다. 그 책들을 어
떻게 할까 기도하다가 그가 살던 도시에 새로 설립된 뉴 컬리지(New

College)에 그가 가지고 있던 유일한 재산인 책 300권을 기증하기로 결심했습니다. 그렇게 기증하면서 한 장의 기증서를 첨부했습니다. 그것은 일종의 유언이라고도 할 수 있고, 신앙 고백서라고도 할 수 있는 기도문 같은 것이었는데, 내용은 이러했습니다.

"나는 이 땅에 꿈을 가지고 찾아왔습니다. 좀 더 신학을 공부하고 싶었고, 법률과 과학도 공부하고 싶었습니다. 훌륭한 과학자, 훌륭한 신학자, 훌륭한 법학자가 되는 것이 나의 꿈이었습니다. 그러나 주께서 나를 부르시는 것 같습니다. 내가 이 땅에서 이루지 못한 꿈을 후학들을 통해서 이루기를 기대합니다. 내가 이 대학에 제공하는 책들을 통해 훌륭한 신학자, 훌륭한 법학자, 훌륭한 과학자들이 길러져서 이 땅을 풍성하게 하고 인류에 이바지하는 위대한 거인들이 나타나게 될 것을 기대합니다."

이 헌정서를 받은 학교 이사들은 깊은 감동을 받았습니다. 그래서 그들은 젊은 목사 존을 기념하기 위하여 그의 성을 따서 학교 이름을 바꾸기로 결정합니다. 그의 풀네임은 존 하버드(John Harvard)였습니다. 그래서 이 학교는 뉴 컬리지에서 하버드대학교(Harvard University)로 불리게 되었습니다. 그의 꿈이 이 대학을 통해서 열매 맺게 된 것입니다. 이 젊은이의 꿈, 젊은이의 기도 속에서 위대한 미국, 위대한 하버드의 꿈이 자라 가게 되었습니다.

꿈을 가진 사람

우리는 이렇게 미래를 내다보는 안목을 가진 사람을 가리켜 '비저너리'(visionary)라고 합니다. '비전을 가진 사람, 꿈을 가진 사람'이라는 뜻입니다. 시대가 어둡고 고통스러울수록 우리에게는 이런 꿈을 가진 사람들이 필요합니다. 예수님은 열두 명의 제자를 부를 때 단순히 이 제자들을 써먹으려 하신 것이 아니라, 이들에게 꿈을 불어넣어서 세상을 변화시키는 사람들로 삼아야겠다고 생각하셨습니다. 그분은 열두 제자에게 미래의 소망을 거셨던 것입니다. 그래서 제자들을 모아 놓고 제일 먼저 하신 말씀이 꿈 이야기입니다. 하나님 나라의 꿈 이야기를 하셨습니다. 본문은 그 꿈 이야기 중 한 토막인 '겨자씨의 비유'라고 일컬어지는 말씀입니다.

어떤 사람이 작은 겨자씨 한 알을 심었습니다. 그 씨는 자라서 나물이 되고, 커다란 나무가 되었습니다. 가지들이 펼쳐지고 울창한 나무가 되었을 때, 새들이 날아와 둥지를 틀고 노래하며 쉴 수 있는 아름다운 자리를 줄 수 있게 되었습니다. 겨자씨 한 알에 담긴 이 꿈 이야기는 예수님이 당신을 따르는 제자들에게 해 주고 싶으셨던 하나님 나라의 꿈 이야기였습니다. 주님은 그들이 시대의 비저너리가 되기를 원하셨던 것입니다.

주님이 우리를 제자로 부르셨다면 우리에게 어떤 꿈을 가지고 계실까요? 주님은 우리에게 어떤 기대를 가지고 계실까요? 우리는 이 고통과 어둠의 시대에 주님이 기대하시는 비저너리가 될 수 있을까요? 본문은 위대한 다음의 진리들을 가르쳐 주고 있습니다.

고통스러운 위기

첫째로, 하나님이 쓰시는 꿈을 펼치는 사람이 되기 위해 우리는 자신의 작고 고통스러운 현실을 부끄러워하지 말아야 합니다. 모든 위대한 것은 작은 것에서부터 시작되기 때문입니다. 모든 위대한 것은 시련이라는 과정을 거치게 되어 있습니다.

예수님의 제자들도 예수님을 처음 따르기 시작했을 때 굉장한 기대가 있었을 것입니다. 그 당시 최고의 슈퍼스타는 세례(침례) 요한이었습니다. 팔레스타인 땅에 사는 사람 치고 세례(침례) 요한의 영향을 받지 않은 사람이 없었습니다. 원근 각처에서 수많은 사람이 몰려와 그의 설교를 듣고 죄를 자복한 후 요단강에서 세례(침례)를 받았습니다. 대단한 영향력을 가진 사람이었습니다. 그러나 그는 "나보다도 더 위대한 사람이 내 뒤에 나타날 것이다. 나는 그분의 신발 끈을 푸는 것도 감당할 수 없다. 그는 흥해야 하고, 나는 망해야 한다"라고 말했습니다. 도대체 이 위대한 요한이 누구를 말하는 것일까 하고 많은 사람이 궁금해할 때, 드디어 예수님이 나타나셨습니다.

요한은 예수님을 소개한 후에 역사의 무대 뒤편으로 서서히 사라져 갑니다. 그래서 요한을 따르던 사람들까지 예수님을 따르게 되었습니다. 그들은 굉장한 기대를 걸었을 것입니다. 그러나 예수님을 따라다녀 보아도 별 큰 사건은 나타나지 않고, 몇 번의 작은 기적만 나타났을 뿐입니다. 그런데 예수님이 행하신 기적 때문에 바리새인들이 들고일어났고, 예수님의 제자들도 궁지에 몰리게 되었습니다. 전도를 해 보았지만 별로 믿는 사람이 없었습니다.

겨자씨 한 알의 비유를 언급하고 있는 다른 본문인 누가복음 13장을 보면, 사건 직후에 제자들이 나와서 이렇게 묻는 장면이 나옵니다.

"선생님, 아무리 전도하려고 해도 적은 숫자밖에는 따라오지 않습니다. 왜 그렇습니까?"

예수님과 제자들 그리고 일단의 무리가 사람들에게 미치는 영향력은 아주 미미했습니다. 큰 사건도 일어나지 않을뿐더러 반대와 박해에 부딪히게 되었습니다. 심지어 예수님의 가족들까지도 예수님을 반대하는 것처럼 보였습니다.

'과연 승산이 있는가? 예수님을 따르는 것이 인생에 보탬이 되겠는가?'

제자들은 패배주의와 비관론에 빠지게 되었습니다.

하나님 나라의 꿈 이야기

예수님은 바로 그 시점에 제자들을 모아 놓고 하나님 나라의 꿈 이

231

야기를 하셨습니다. 왜 그러셨을까요?

'겨자씨는 작다. 그러나 이 작은 것이 전부가 아니다. 작은 현실을 부끄러워할 필요가 없다. 왜냐하면 겨자씨가 자라나듯이 우리에게는 미래가 있기 때문이다.'

이것이 주님의 교훈이었습니다.

우리 한국 사람들은 조그만 나라에서 태어나서 그런지 유달리 큰 것을 좋아합니다. 그래서 나라 이름부터가 대한민국입니다. 최고 수반은 대통령, 최고 학부는 대학교, 대학원, 외교 사절은 대사라고 부릅니다. 길을 보아도 양재대로, 강남대로같이 대로라고 부릅니다. 그리고 다리를 놓아도 모두 대교입니다. 술은 조그만 것을 마셔도 대포입니다. 참 큰 것을 좋아합니다. 이것은 작은 것을 보상받으려는 열등감, 보상 심리 같습니다. 그러다 보니 작은 것들을 비하해서 자꾸 감추려 하고, 작은 것을 무시하려는 경향이 있습니다. 작은 것은 안 좋은 쪽으로 평가됩니다. 사실은 작은 것이 얼마나 중요합니까? 작은 나사만 하나 빠져도 큰 다리가 무너질 수 있지 않습니까? 작은 것이 소중합니다. 작은 것을 소중히 여기고, 작은 것 속에 있는 미래를 볼 수 있는 지혜가 필요합니다.

예수님이 열등감과 비관 속에 빠져 있는 제자들을 모아 놓고 겨자씨 한 알의 꿈을 이야기하신 이유는 무엇일까요? 어떤 위대한 것도 갑자기 커질 수는 없는 것입니다. 모두 미약한 시절을 거칩니다. 그래서 본문에 들어가기에 앞서 예수님은 또 하나의 비유를 말씀하십니다.

"또 이르시되 하나님의 나라는 사람이 씨를 땅에 뿌림과 같으니 그가 밤낮 자고 깨고 하는 중에 씨가 나서 자라되 어떻게 그리 되는지를 알지 못하느니라 땅이 스스로 열매를 맺되 처음에는 싹이요 다음에는 이삭이요 그다음에는 이삭에 충실한 곡식이라 열매가 익으면 곧 낫을 대나니 이는 추수 때가 이르렀음이라"(막 4:26-29).

열매를 거두기 위해서는 과정을 거쳐야 합니다. 그러기 위해서는 앞서 나온 비유처럼 씨가 자라나는 과정이 반드시 필요합니다. 처음에는 싹으로 시작되지만, 그다음은 이삭이고, 그다음은 충실한 곡식과 열매가 됩니다. 하지만 우리는 그 과정을 보지 못할지도 모릅니다. 밤낮 자고 깨고 하는 중에 자란다고 했습니다.

고난의 시간을 먼 안목으로 바라보면, 무조건 마이너스라고 생각하지 않습니다. 유익할 수도 있습니다. 저는 이 시대를 살고 있는 젊은 세대를 바라볼 때 부러운 면이 많습니다. 그들은 많은 정보를 가지고 있으며, 똑똑하고 유능하고 유망합니다. 그러나 그들에게 실망스러운 것 한 가지는, 너무 쉽게 포기한다는 것입니다. 근성이 없습니다. 고난을 견딜 수 있는 힘이 없습니다. 어려운 일이 생기면 금방 쓰러집니다. 그러나 기성세대들은 많이 알지는 못하지만 힘든 시절을 겪으면서 고난을 알았기 때문에 견딜 수 있는 힘이 있습니다.

저는 경기가 침체한 이 시절을 젊은 사람들이 잘 견딜 수만 있다면 소중한 것을 배우리라고 봅니다. 고난을 돌파할 수 있는 힘을 기르고, 우리가 진정 고난의 역경을 능동적으로 처리하고 이긴다면 이 세대에 진정한 터프 가이가 나타나게 될 것이라고 믿습니다. 고난을 견딜 수 있는 근성과 힘을 갖춘다면 우리는 또 한 번의 전성 시대, 부흥의 시대를 맞게 될 것이라 믿습니다. 중요한 것은 일시적으로 맞는 고난을 부끄러워하지 않는 것입니다. 고난으로 가득 찬 현실, 이것은 위대한 일의 시작일 수 있습니다. 이것이 본문의 첫 번째 교훈입니다.

감추어진 생명력

둘째로, 우리가 진정으로 하나님이 쓰시는 비저너리가 되려면 우리 안에 있는 위대한 가능성을 볼 수 있어야 합니다. 겨자씨의 비유를 통해서 주님은 단순히 작은 것의 중요성만을 가르치시려는 것이 아닙니다. 작은 것의 중요성만을 대표하려 했다면 겨자씨 말고도 주님의 비유에 쓰일 수 있는 많은 것이 있습니다. 모래알도 작은 것이고, 먼지도 작습니다. 그러나 굳이 겨자씨의 비유를 선택하신 이유는 무엇일까요?

겨자씨가 모래와 다른 점은 무엇입니까? 생명력이 있다는 것입니다. 자랄 수 있다는 것은 생명이 있기 때문입니다. 생명이 중요합니다. 겨자씨는 눈에 띌까 말까 한 아주 작은 것입니다. 생물학자들의 연구에 의하면, 팔레스타인에 있는 겨자씨의 크기는 직경 1밀리미

터라고 합니다. 얼마나 작은지 모릅니다. 그리고 무게는 1밀리그램 정도밖에 되지 않는다고 합니다. 그런데 이렇게 작은 겨자씨, 눈에도 보일까 말까 한 이 겨자씨가 자라면 그 높이가 평균 1.5미터까지 된다고 합니다. 어떤 종자는 3미터 이상 자라는 것도 있다고 합니다. 눈에 띌까 말까 한 작은 겨자씨가 자라 가지를 펼치고 새들이 날아와 안식처로 삼을 수 있게 되는 것은 바로 그 안에 생명력이 있기 때문입니다.

이 비유를 통해 주님은 무엇을 설명하시려는 것일까요? 저는 겨자씨의 생명력을 복음의 생명력에 비유하기 위해 이 비유를 사용하셨다고 생각합니다. 복음이 무엇입니까? 복음이란 예수님 당신이십니다. 예수님이 복음이라는 것을 믿어야 합니다. 예수님이 생명이고, 예수님이 능력입니다.

예수님을 따르는 제자들은 이런 불평을 했을 것입니다.

"기껏 예수를 따라다녀 봤자 예수밖에는 없구나."

그러나 예수님을 과소평가해서는 안 됩니다. 예수님이야말로 기독교 최대의 자산이요, 우리 인생의 꿈과 소망, 반석과 능력이 되십니다. 예수님을 붙들고 있으면 다 됩니다. 예수님은 제자들에게 하늘과 땅의 모든 권세를 주었다고 말씀하셨습니다. 그래서 마지막 열한 명의 제자에게 "가서 모든 민족을 제자로 삼아라. 세상 모든 것을 바꾸어라"라는 명령을 내리셨습니다. 이것이 어떻게 가능합니까? "볼지어다 내가 세상 끝 날까지 너희와 항상 함께 있으리라"(마 28:20)라고 약속하셨기에 가능합니다.

아마 이런 생각을 하는 사람이 있을 것입니다.

'이거 교회에 나와 봤자 무슨 이익이 있겠는가? 오늘같이 비 오는 날 이 구석까지 와서 수지맞을 일이 있겠는가?'

그러나 예수님이 누구십니까? 골로새서의 대 주제처럼 예수님은 충만이십니다. 예수님이 모든 것이 되시며, 그분이 곧 하나님이십니다. 하나님이 함께하신다는 것이 작은 일입니까?

넘어졌어도, 우리는 다시 일어날 것입니다. 우리는 꿈을 향해 다시 나아갈 것입니다. 위대한 일이 우리를 통해서 벌어질 것입니다. 주님이 우리와 함께하십니다. 요즘 전 세계가 불황입니다. 이런 계속되는 불경기로 인해 잃어버린 것이 있을 수 있습니다. 어떤 사람은 직장을 잃었을 것입니다. 어떤 사람은 수입이 줄었을 것입니다. 어떤 사람은 미래가 불투명해졌을 것입니다. 그러나 예수님이 함께하신다면 우리는 일어날 수 있습니다. 이것이 소망이고, 비전입니다.

겨자씨만 한 믿음

비전은 미래를 볼 수 있는 능력입니다. 현실은 불투명하고 고통스럽지만, 현실 건너편에는 주님이 우리를 위하여 준비하신 것들이 있습니다. 내일을 볼 수 있는 눈이 있었다면 제자들이 불평하고 좌절했을까요? 주님을 믿는 믿음이 부족한 것, 그것이 그들의 문제였습니다. 복음서에 보면 제자들이 간질을 앓는 어린아이를 고치려고 씨름하다가 못 고쳤습니다. 그곳에 예수님이 오셨습니다. 제자들이 예수님께 "선생님, 우리는 왜 이 아이를 고칠 수 없었습니까?"라고 묻자 예수님은 간결하게 대답하셨습니다.

"너희의 믿음이 작기 때문이다."

믿음이 없다고는 안 하셨습니다. 어떤 형태든 예수님을 향한 믿음이 있었으니 예수님을 따라다니고, 붙잡고, 찬송하지 않았겠습니까? 그러나 그들의 믿음이 작다고 하셨습니다. 그리고 이어서 "믿음이 겨자씨 한 알만큼만 있어도 이 산을 명하여 여기서 저기로 옮겨지라 하면 옮겨질 것이다. 문제는 주를 향한 믿음이 부족한 것이다"라고 말씀하셨습니다.

예수 그리스도를 향한 믿음이 중요합니다. 우리는 못 하지만, 주님은 하십니다. 주님으로 말미암아 불가능한 것처럼 보이는 일들이 이루어집니다. 우리의 인생은 불투명하지만, 주님은 우리와 함께하십니다. 주님을 신뢰하십시오. 이 믿음만 있다면 일어날 수 있습니다. 주님을 통하여 우리에게 미래를 보는 눈이 열리기를 바랍니다. 예수를 통해 위대한 가능성을 바라보는 사람들이 예수의 비저너리입니다.

나의 성장은 이웃의 축복

마지막으로 어떻게 하면 이 고통스러운 시대에 주님이 쓰시는 비저너리로 우리의 삶을 개척해 나갈 수 있을까요? 셋째로, 우리에게는 우리의 성장이 이웃에게 축복이 될 것이라는 기대가 있어야 합니다. 지금은 작지만, 우리는 성장하고 변화해 나갈 것입니다. 지금은 비록 고통스럽지만, 우리는 재기할 것입니다. 그리고 어느 날 우리의 삶이 이웃들에게 반드시 축복이 되리라는 것을 믿어야 합니다.

이 고통의 시기를 넘어설 때 이웃들에게 축복을 나누어 줄 수 있는 민족, 가정, 교회가 될 것을 믿습니다. 우리에게는 이런 환상이 있어야 합니다. 이것이 작은 겨자씨의 꿈입니다. '내가 자라나 울창한 나무가 되고 가지를 펼칠 때 새들이 날아오리라. 그들에게 안식처를 제공하리라. 그래서 새들로 하여금 노래하게 하리라. 나의 삶 주변에 있는 사람들에게 노래를 주고, 꿈을 주고, 축복을 나누어 주는 인생을 반드시 살고 말리라'라는 기대감을 가지십시오. 이것이 겨자씨 한 알의 꿈이요, 기독교의 성공관입니다.

세속적인 성공관과 기독교의 성공관은 어떻게 다릅니까? 세속적인 성공관은 '내가 열심히 일해서 잘 먹고 잘사는 것'입니다. 기독교의 성공관은 그렇지 않습니다. '하나님이 축복하셔서 잘되면 그 축복으로 이웃을 섬기리라는 것'이 기독교의 성공관입니다. 제가 자랄 때만 해도 이런 이야기를 많이 들었습니다.

"공부 좀 해라. 배워서 남 주냐?"

그러나 배워서 남 주는 것입니다. 우리가 공부하는 가장 중요한 목적은 얻은 지식으로 인류를 섬기기 위해서입니다. 역사를 섬기고, 시대를 섬기고, 민족을 섬기기 위함입니다. 또한 남 주기 위해 버는 것입니다. 이것이 기독교의 성공관이며 재물관입니다.

한국 사회의 큰 비극 중 하나는 지금까지 깨끗한 부자가 별로 없었다는 사실입니다. 상대적으로 기독교 문화와 윤리가 묻어 있는 국가에는 깨끗한 부자가 적지 않았습니다. 이들은 열심히 일해서 정직하게 돈을 벌었습니다. 어느 정도 돈을 벌면 재단을 만들었습니다. 그리고 자기 재산을 공익을 위해서 철저히 관리하고, 다시 이웃들에게 나누어 주면서 생을 마무리하는 사례가 많았습니다. 이것이 기독교 국가의 전통입니다.

칼빈주의의 전통 신학은 자본주의 사회의 직업 윤리에 엄청난 영향력을 미쳤습니다. 그런 가치관이 없었던 한국의 역사 속에서 부자들이 부를 축적하는 과정은 참으로 불의했습니다. 또 재물을 축적한 다음에도 그것을 자신의 유익만을 위해서 썼습니다. 그래서 IMF와 코로나 팬데믹이라는 회오리바람이 불자 한국의 고통스러운 경제 현실에 재벌들에게 큰 책임이 있다고 비판한 것이 아닙니까?

IMF와 코로나 팬데믹을 통해 얻을 수 있는 소중한 교훈은, 우리가 이 과정을 거치면서 깨끗해짐을 얻는 것입니다. 그렇게 함으로써 깨끗하고 정직한 부자가 많이 나올 수 있기를 기대합니다. 정직하게 땀을 흘려 그 대가로 부를 축적할 줄 아는 사람들 그리고 그 부가 하나님께로부터 온 것이기에 자신만을 위해 사용하지 않고 하나님 나라와 이웃들을 위해서 사용할 줄 아는 사람들을 보기 원합니다. 그들의 땀이 이웃들에게 축복이 되고, 그들의 노력이 이웃들에게 선한 아름다움이 되는 축복의 환상을 보기 원합니다. 이것이 겨자씨 한 알의 꿈입니다. 이런 꿈을 우리가 함께 꾸었으면 합니다.

축복의 통로

에이브러햄 링컨(Abraham Lincoln)의 전기를 읽으면 그에게는 별명도 많고 에피소드도 많았다는 것을 알 수 있습니다. 그중에는 '고릴라', '정직한 에이브'라는 별명도 있었습니다. 그는 십 대 시절에 가게 점원으로 일했는데, 그의 정직함이 주인의 눈에 들어 매니저가 되었습니다.

하루는 어떤 손님이 와서 돈을 지불하고 갔는데, 나중에 계산해 보니 10센트를 거슬러 주지 않았다는 것을 알게 되었습니다. 그는 그 10센트 때문에 밤새도록 괴로워했습니다. 밤새 고민하다가 휴일인 다음 날, 3마일(약 5킬로미터) 떨어진 곳까지 그 손님을 찾아가서 10센트를 돌려주고 왔습니다. 주변 사람들은 그의 정직한 모습에 많은 칭찬을 했습니다. 그런데 칭찬을 받으면서도 에이브는 기뻐하지 않았습니다. 그는 오히려 이렇게 말했습니다.

"내가 왜 칭찬을 받아야 하는지 모르겠습니다. 당연한 일 아닙니까? 그가 받아야 할 것을 돌려주었는데 칭찬을 받다니요. 저는 언젠가 당연히 해야 할 것 때문에 칭찬받는 사람이 아니라, 당연히 해야 할 것 이상을 해서 칭찬받는 사람이 될 것입니다. 그것을 위해서 기도해 주십시오. 당연히 해야 할 일 말고 당연히 해야 할 그 이상의 일, 그것 때문에 축복을 받는 사람이 될 수 있도록 기도해 주십시오."

그는 곧 변호사가 되었습니다. 에이브러햄 링컨은 변호사가 되고 나서 제일 먼저 자기 마을의 가난한 사람들을 생각했고, 돈 때문에 소송을 못 하고 있는 사람들을 찾아가 무료 변론을 해 주기 시작했습니다. 소송 첫날에 그는 자신의 노트에 이렇게 썼습니다.

"나는 오늘 십 대 시절에 하나님께 약속했던 것을 처음으로 해 볼 수 있었다. 당연히 해야 할 일을 했고, 지금은 마음이 참으로 기쁘다."

기억하십시오. 하나님은 무엇인가를 위해 우리를 부르셨습니다. 링컨은 정상적인 학교 교육을 받지 못했지만, 어머니가 가르쳐 준 성경의 영향을 받고 이런 꿈을 꾸게 되었습니다. 하나님이 당신의 백성을 부를 때 품으시는 최후의 기대가 무엇입니까? 아브라함을 부를 때 하나님이 제일 처음 하신 일은 그를 축복하는 것이었습니다.

우리도 그러한 축복을 받기를 바랍니다. 그러나 왜 축복을 받는지를 이해해야 합니다. 하나님이 아브라함을 축복할 때 하신 말씀은 "너는 복이 될지라"(창 12:2)였습니다. 축복을 받아서 자기만 누리는 자가 되라는 것이 아니라, 축복의 통로로 쓰임 받으라는 것이었습니다. 우리가 축복을 받아서 다른 사람을 축복하는 자로 쓰임 받을 수 있다면 이 얼마나 큰 기쁨이겠습니까? 오늘의 현실은 고통스럽지만, 예수님과 함께 주님의 꿈을 꾸는 사람들이 반드시 일어날 것입니다. 하나님의 축복을 경험하고 나누는 자가 될 것입니다. 우리가 고통의 현실을 극복하고 이웃과 나누는 민족이 될 때, 우리는 어려움을 허용하신 하나님의 축복을 이해하게 될 것입니다.

겨자씨 한 알의 꿈속에서 우리 민족의 꿈, 교회의 꿈을 볼 수 있기를 바랍니다. 우리 가정의 꿈을 볼 수 있기를 바랍니다. 이것이 우리의 꿈, 이 시대를 살아가는 사람들의 꿈이 되기를 바랍니다.

—

'나의 삶 주변에 있는 사람들에게 노래를 주고,
꿈을 주고, 축복을 나누어 주는 인생을
반드시 살고 말리라'라는 기대감을 가지십시오.
이것이 겨자씨 한 알의 꿈이요,
기독교의 성공관입니다.

"그날 저물 때에 제자들에게 이르시되 우리가 저편으로 건너가자 하시니 그들이 무리를 떠나 예수를 배에 계신 그대로 모시고 가매 다른 배들도 함께하더니 큰 광풍이 일어나며 물결이 배에 부딪쳐 들어와 배에 가득하게 되었더라 예수께서는 고물에서 베개를 베고 주무시더니 제자들이 깨우며 이르되 선생님이여 우리가 죽게 된 것을 돌보지 아니하시나이까 하니 예수께서 깨어 바람을 꾸짖으시며 바다더러 이르시되 잠잠하라 고요하라 하시니 바람이 그치고 아주 잔잔하여지더라 이에 제자들에게 이르시되 어찌하여 이렇게 무서워하느냐 너희가 어찌 믿음이 없느냐 하시니 그들이 심히 두려워하여 서로 말하되 그가 누구이기에 바람과 바다도 순종하는가 하였더라"(막 4:35-41).

13

바다 저편으로 건너가자

풍랑 가운데 함께하시는
주님을 보라

심리적 공황

미국 경제 대공황 때, 루스벨트(Franklin Roosevelt) 대통령은 국민에게
이런 연설을 했습니다.

"미국 국민 여러분, 우리가 이 시점에서 정말 두려워해야 할 것은
바로 우리가 두려워한다는 사실 하나뿐입니다."

그는 경제 위기나 정치 위기보다도 심리적 공황을 경계해야 한
다고 말한 것입니다. 옳습니다. 두려움이 생기면 판단이 흐려지게
되고, 행동이 마비됩니다. 무엇을 해야 좋을지 알지 못하게 되기
때문입니다.

본문을 보면, 예수님이 제자들과 함께 갈릴리 바다를 건너십니다. 갈릴리 동편에 가서 안식을 취하고, 새로운 일도 시작하기 위해 제자들과 함께 배를 타고 건너시게 된 것입니다. 예수님은 주무시고 계셨는데, 풍랑이 일어납니다. 물결이 배에 부딪힙니다. 배에 물이 들어오기 시작하고, 물이 배를 채우기 시작합니다. 그러자 겁에 질린 제자들은 당황합니다. 그래서 예수님을 깨웁니다. 그런데 예수님이 일어나면서 "어찌하여 이렇게 무서워하느냐 너희가 어찌 믿음이 없느냐"(막 4:40)라고 말씀하십니다. 두려움을 경계하라고 말씀하신 것입니다. 두려움에 사로잡히게 되면 모든 것이 두려워지기 때문입니다. 두려움의 대상이 아닌 것이 하나도 없게 됩니다.

현대인들은 익명의 공포, 미지의 공포, 대상도 알 수 없는 두려움 속에 사로잡혀 있습니다. 오래전 젊은이들 사이에 유행한 유머 시리즈 가운데 '무서워 시리즈'가 있습니다. 이 유머에서 공포의 대상 가운데 하나는 바로 자기 자신입니다. '무섭나(I).' '무서워유(you)'는 상대방이 우리의 공포의 대상이 될 수 있다는 것입니다. 남자들은 여자들을 두려워합니다. 그래서 '무서운 걸(girl)'이라고 부릅니다. 또 여자들은 남자들이 무서워집니다. 그래서 '무섭군'이라고 합니다. 어떤 사람들은 하루하루 사는 것이 너무 공포스러운 나머지 '무섭데이(day)'라고 합니다. 제가 이런 이야기를 하니까 어떤 사람이 하나가 빠졌다고 하면서 이렇게 말했습니다.

"모든 것이 무섭다는 것을 뭐라고 하는지 아십니까? '무섭다(all)'라고 합니다."

우리는 공포에 사로잡힌 시대를 살아가고 있습니다. 그러나 주님은 일어나자마자 파도를 잠잠하게 하십니다. 제자들은 풍랑을 극복하고 예수님과 함께 바다 저편으로 건너갔습니다. 이 시대에 가정의 풍랑, 민족의 풍랑을 극복하고 꿈에도 기다리던 호수 저편에 도달하기 위해 우리는 어떻게 해야 할까요?

꿈의 언덕을 향하여

우선적으로, 본문은 우리 모두가 풍랑이라는 과정을 직면할 마음의 준비가 되어 있어야 한다고 가르칩니다. 본문을 읽어 나가는 중에 발견하게 되는 흥미로운 사실은 이것입니다. 큰 광풍이 일어났습니다. 물결이 배에 부딪힙니다. 배가 요동치기 시작합니다. 뱃전에 물이 스며들기 시작하고, 심지어 배에 물이 가득하게 되었는데 예수님은 계속 주무시고 계셨다고 성경은 기록합니다. 아니, 어떻게 이런 상황 속에서 예수님은 잠을 청하실 수 있었을까요? 정말 예수님이 주무셨을까요?

처음에는 아마 피곤하니까 주무셨을 것입니다. 그러나 광풍이 몰아치며 배가 흔들리고, 제자들은 아우성치고 있는데 주님은 여전히 주무시고 계셨을까요? 처음에는 주무셨지만, 어느 한 시점에서 깨어나셨다고 생각합니다. 주무시지 않고 주무시는 것처럼 가만히 계셨을 것입니다. 그럼 왜 일어나지 않으셨을까요?

예수님에게는 한 가지 중요한 의도가 있었습니다. 제자들이 이 파도에 어떻게 반응하는지를 보고 싶으셨던 것입니다. 상당히 의도적이라 할 수 있습니다. 그래서 저는 이 사건을 시험이라고 생각합니다. 풍랑을 통해 제자들을 테스트하신 사건이라고 볼 수 있습니다.

그렇다면 왜 이런 시험을 하셨을까요? 인생의 바다에는 풍랑이 끊이지 않습니다. 하나가 지나면 또 다른 것이 닥칩니다. 어떤 사람은 경제적인 풍랑을 겪습니다. 또 어떤 사람은 관계가 단절되어 상처를 주고받는 인간관계의 풍랑을 겪기도 합니다. 잠을 잘 수 없는 고통으로 가슴앓이를 하는 사람들도 있습니다. 그런가 하면 한순간에 건강이 꺾여 버리는 풍랑을 겪는 사람도 있습니다. 그런데 사람이 한번 거대한 풍랑을 겪고 나면 웬만한 다른 풍랑에는 상당한 자신감을 갖게 됩니다. 그렇기에 풍랑을 겪을 줄 아는 마음의 준비가 반드시 필요합니다. 그래서 예수님은 이 풍랑을 허용하지 않으셨을까 생각합니다.

사실 그 옛날 IMF가 왔을 때 기성세대들은 상당히 느긋했을 수도 있다고 생각합니다. 왜냐하면 그들은 6·25전쟁과 같은 비슷한 민족사의 풍랑을 겪은 경험이 있기 때문입니다. 저는 지금의 경제 위기가 먼 안목으로 볼 때 우리 민족에게 결코 유해한 결과만을 가져오지는 않을 것이라고 확신합니다. 특별히 젊은 세대에게 많은 도움이 될 것입니다. 정보가 많고 똑똑하고 유능한 젊은 세대들의 약점 중 하나는 어려운 환경을 이겨 내는 견고함이 없다는 것입니다.

용기도 부족합니다. 만약 이 풍랑이 지나간다면 지금의 젊은 세대들 또한 달라질 것이라는 희망을 갖고 있습니다. 그런데 문제는, 풍랑이 전혀 예고 없이 다가온다는 사실입니다. 인생의 많은 풍랑이 기대하지 않은 때에 갑자기 들이닥쳐 흠씬 상처를 입히고는 홀연히 떠나갑니다. 갈릴리의 풍랑이 바로 이러했습니다.

메가톤급 풍랑

갈릴리라는 바다는 사방이 산으로 둘러싸여 있습니다. 앞에는 헤르몬산이 보입니다. 높이가 무려 2,813미터나 되는 꽤 높은 산입니다. 그리고 항상 눈이 덮여 있습니다. 헤르몬산의 물은 좁은 협곡을 타고 내려와 바다로 들어갑니다. 그런데 이 갈릴리 바다는 아열대성 기후의 영향을 받아서 상당히 덥습니다. 헤르몬산에서부터 내려오는 찬물이 아열대성 기후의 영향을 받아 더운 갈릴리 바다의 표면 물과 부딪히면서 예고하지 않았던 갑작스러운 풍랑을 일으키게 되는 것입니다.

저는 갈릴리 바다야말로 우리 인생에 대한 적절한 상징이라고 생각합니다. 우리는 어느 날 갑자기 뜻밖의 풍랑을 만납니다. 그래서 더 당황하고 불안해합니다. 그러나 이런 풍랑은 인생에 쉴 새 없이 다가올 수 있습니다. 그래서 주님은 그것을 준비하라고 가르치십니다. 예수님은 우리가 예수 믿고 신앙을 가졌다는 사실 때문에 풍랑이 면제된다고 가르치신 적이 없습니다. 오히려 이렇게 말씀하십니다.

"세상에서는 너희가 환난을 당하나 담대하라 내가 세상을 이기었노라"(요 16:33).

풍랑의 면제를 약속하신 것이 아니라, 풍랑을 맞더라도 뚫고 나갈 수 있다, 마지막 승리자가 될 수 있다고 약속하십니다. 사도 야고보는 또한 이렇게 말합니다.

"너희가 여러 가지 시험을 당하거든 온전히 기쁘게 여기라"(약 1:2).

위의 '여러 가지 시험'은 원어 성경으로 보면 '여러 가지 색깔'이라는 의미를 갖고 있습니다. 인생의 여정에서 우리는 형형색색의 시험을 경험합니다. 하나님은 이 시험을 대비하라고 말씀하십니다. 베드로는 이렇게 말합니다.

"너희를 연단하려고 오는 불 시험을 이상한 일 당하는 것같이 이상히 여기지 말고"(벧전 4:12).

우리에게는 평범한 시험도 있지만, 불같은 시험도 있습니다. 그런데 이 불같은 시험을 경험할 때에도 이상하게 생각하지 말라고 성경은 가르칩니다.

본문에서 제자들이 경험했던 갈릴리 바다의 풍랑은 '큰 광풍'이었습니다. 희랍어 성경은 '큰'이라는 형용사로 '메갈레'(megalē)라는 단어를 쓰고 있는데, 쉽게 말하면 메가톤급 풍랑이라는 뜻입니다. 거대한 풍랑, 삶의 근본을 흔들어 버릴 수 있는 풍랑, 우리 삶의 존재를 위협할 수 있을 정도의 거센 풍랑이 제자들을 덮친 것입니다.

그러나 주님은 우리가 이 풍랑만 헤쳐나갈 수 있다면 어떠한 풍랑 속에서도 승리자가 될 수 있다는 것을 가르쳐 주십니다. 이 풍랑을 허용하신 것이 주님의 뜻이라면, 우리는 거센 풍랑이 일고 있는 이 바다를 지나 꿈의 언덕에 도착하기 위해 마음의 준비를 해야 합니다.

신앙인의 불신앙

두 번째로, 풍랑을 넘어 저 바다 건너편에 도착하기 위해서는 예수님에 대한 믿음이 있어야 합니다. 39절을 보십시오. 예수님이 잠에서 깨어나 풍랑이 이는 바다를 향해 이렇게 외치십니다.

> "예수께서 깨어 바람을 꾸짖으시며 바다더러 이르시되 잠잠하라 고요하라 하시니 바람이 그치고 아주 잔잔하여지더라"(막 4:39).

바다는 언제 폭풍이 몰아쳤었냐는 듯이 유리알처럼 투명하고 고요해졌습니다. 이 사건 직후에 예수님은 두 마디 말씀을 하십니다. 하나는 "어찌하여 이렇게 무서워하느냐"이고, 다른 하나는 "너희가 어찌 믿음이 없느냐"입니다.

제자들에게 믿음이 없었다고 할 수 있습니까? 전혀 없었다고는 할 수 없습니다. 그들이 어부라는 직업을 포기하고 예수님을 따라나선 것은 그분에 대한 신뢰가 없다면 불가능했습니다. '예수님이 메시아이다, 구세주이다, 저분을 따라가면 인생이 변한다, 우리 인생이 희망을 얻을 수 있다'라는 믿음이 있었기에 예수님을 신뢰하고 따라나선 것입니다.

그런데 풍랑이 일어나는 현장에서 제자들은 흔들리기 시작했습니다. 저는 이것을 '신앙인의 불신앙'이라고 말합니다. 믿는 사람들도 어느 한순간, 인생의 어느 특수한 상황에서는 전혀 믿음 없는 사람처럼 말하고 행동할 수 있습니다. 저는 제자들의 입장이 그러했다고 생각합니다. 제자들은 당황했습니다. 그래서 어떻게 했습니까? 예수님을 흔들어 깨웠습니다.

"선생님, 선생님, 일어나십시오. 우리가 죽어 가고 있습니다! 어째서 주무시고만 계십니까? 일어나서 무엇인가를 하십시오!"

당황하니까 예수님에게 지시했습니다. 명령했습니다. 이런 인생의 에피소드는 언제나 일어날 수 있습니다.

한번은 할리우드의 유명한 여배우가 비행기를 탔습니다. 옆자리에는 멋있는 노신사가 앉아 있었습니다. 그런데 그분이 계속 기침을 했습니다. 보기 안쓰러워진 배우가 자기가 마셔야 할 주스를 주면서, "선생님, 감기에는 주스가 최고예요. 주스 많이 마시세요. 물도 많이 마시시고요. 그리고 선생님, 저에게 마침 약이 하나 있는데, 이거 드셔 보세요" 하고 말했습니다. 그 여배우는 자기 담요도 내주었습니다. 그러면서 "제 담요 덮고 땀을 푹 내세요. 물 많이 마시고, 담요 덮고 한잠 주무시고 나면 퍽 괜찮아질 것입니다"라고 말했습니다. 이에 노신사는 너무 고마워하며 물었습니다.

"죄송하지만 누구십니까?"

좀 특별한 여자 같았기 때문입니다. 그녀는 대답했습니다.

"저는 할리우드의 여배우 빌리 버크(Billie Burke)라고 합니다."

그러자 이 노신사는 "아, 그러세요? 저는 메이오 클리닉(Mayo Clinic)의 메이오 박사(Dr. Mayo)입니다"라고 말했습니다. 그 노신사는 종합병원 메이오 클리닉의 설립자였습니다. 공자 앞에서 문자를 쓴 격이 된 것입니다.

우리도 문제가 풀리지 않으면 "예수님, 이렇게 좀 해 주십시오" 하고 제자들처럼 예수님께 마구 지시할 때가 많습니다. 그런데 예수님은 잠들어 계셨습니다. 제자들은 예수님의 침묵과 무관심을 견디지 못했습니다. '예수님도 나의 이런 상황에는 무심하시구나, 하늘도 무심하다, 하나님도 나에게는 관심이 없으시구나' 하고 생각한 것입니다. 그러나 예수님은 무관심하지 않으셨습니다. 자는 척하면서 제자들을 지켜보고 계셨습니다. 제자들은 믿음을 적용하는 일에 실패하고 있었던 것입니다.

풍랑 가운데 말씀하시는 하나님

어떻게 이런 상황에도 믿음을 가진 자가 될 수 있을까요? 믿음을 제대로 가지려면 환경만 보아서는 안 됩니다. 현실이라는 거대한 파도 앞에 섰을 때 제자들의 믿음은 위축되고 말았습니다. 눈에 보이는 어려운 현실에만 시선을 고정할 때 우리는 위축되고, 낙심하고, 좌절합니다. 그럴 때는 보려고만 하지 말고 들으려고 하십시오. 무엇을 들어야 합니까? 주님의 음성입니다. 그 음성은 작을 수 있습니다. 그러나 주님이 이 고통의 현장, 낙심과 불안의 현장, 시련과 역경의 현장 속에서 무엇을 말씀하시는지 들어 보십시오. 고요히 말씀하시는 그분의 음성을 들어 보십시오.

"두려워하지 마라. 놀라지 마라. 내가 너와 함께 있지 아니하냐."

그 음성을 들으면 힘이 납니다. 믿음은 말씀에서 나는 것입니다. 그래서 성경은 "믿음은 들음에서 나며 들음은 그리스도의 말씀으로 말미암았느니라"(롬 10:17)라고 말씀합니다. 하나님의 말씀을 듣는 것은 믿음을 일으키고 성장시키는 원천입니다.

성경을 멀리하면서 신앙생활을 제대로 하는 사람을 본 적이 없습니다. 이런 역경의 때야말로 거룩한 하나님의 말씀을 펼쳐 볼 시간입니다. 성경을 통해 주님이 무엇을 말씀하시는지 들을 수 있습니다. 말씀은 믿음을 일으킵니다. 믿음은 우리로 하여금 재기하게 합니다. 풍랑의 바다를 건너갈 때 주님에 대한 믿음을 가지기 바랍니다.

폭풍까지도 다스리시는 분

세 번째로, 우리가 이 풍랑의 바다를 건너 저 맞은편에 도달하기 위해서는 예수님이 누구이신지 확신해야 합니다. 사실 예수님을 믿으려면 예수님이 누구신가를 확신할 수 있어야 합니다. 본문에서는 예수님이 풍랑이 이는 바다를 꾸짖으셨다고 했습니다. 이것은 매우 특이한 표현입니다. 본래 '꾸짖다'라는 단어는 복음서에서 예수님이 귀신들을 야단치실 때 사용된 독특한 표현입니다. 그것이 바람을 꾸짖는 데 사용되었습니다. 그래서 어떤 성경 학자는 이렇게 말합니다.

"이 풍랑의 배후에는 어쩌면 악한 세력, 사탄의 역사가 있었을 것이다."

모든 고통이 그런 것은 아니지만, 어떤 고통은 사탄 때문에 일어날 수 있습니다. 우리를 좌절시키고, 낙망시키고, 주저앉게 만드는 일의 배후에는 악한 영들의 역사가 있습니다. 그럴 때 어떻게 해야 합니까? 일어나 예수님처럼 그분의 권세를 의지하여 꾸짖어야 합니다.

"파도야, 잠잠해라. 고통아, 사라져라. 문제야, 극복될지어다."

예수님의 권세를 가지고 나가면 고통의 상황은 극복될 수 있습니다.

파도와 바람이 잠잠해졌습니다. 이 놀라운 광경을 바라보던 사람들은 이렇게 외쳤습니다.

"그들이 심히 두려워하여 서로 말하되 그가 누구이기에 바람과 바다도 순종하는가 하였더라"(막 4:41).

신앙생활의 초기에 우리가 가장 많이 하는 질문은 '무엇'입니다. '예수님은 나에게 무엇을 해 주실 수 있을까? 예수님은 나에게 무엇을 주실 수 있을까? 이 신앙이 나에게 어떤 유익이 있을까?'

우리는 이런 실용주의적 차원에서 신앙 문제에 접근합니다. 그러나 우리가 제대로 된 신앙인, 참된 예수님의 제자가 되려면 '무엇'이라는 질문에서 '누구'라는 질문으로 바뀌어야 합니다. 예수님이 누구이신지에 대한 진정한 확신과 고백이 없이는 참된 그리스도인이 될 수 없습니다.

'저분은 누구일까? 바람과 파도도 복종하는 저분은 누구일까?'

제자들은 어느새 깨닫고 있었습니다. 무엇을 깨달았을까요? '바람을 잠잠하게 하신 저분은 바람을 지으신 분이 아닐까? 파도를 잠잠하게 하신 저분은 파도를 지으신 분이 아닐까?' 하는 깨달음이었습니다. 한순간 그들은, 인간 예수로부터 놀랍게도 살아 계신 창조주 하나님을 발견한 것입니다. 예수님은 살아 계신 하나님이십니다. 어느 누구도 "예수님은 하나님이시다"라는 고백을 넘어서지 못하고는 진정한 그리스도인이 될 수 없습니다. 예수는 하나님이며 창조자일 뿐 아니라, 만물을 다스리고 통치하는 섭리자이십니다. 그리고 풍랑을 잠잠하게 할 수 있는 분이며, 인간 내면의 풍랑도 잠재울 수 있는 분, 우리를 참된 평화로 인도할 수 있는 분이십니다.

당신은 우리를 구원할 수 있는 구원자 예수를 믿습니까? 제자들은 한순간 예수가 창조자이자 승리자이며, 통치자이자 구원자라는 놀라운 발견 앞에 도달한 것입니다.

경외감으로 가득 찬 제자들

그래서 본문 41절에는 "그들이 심히 두려워하여"라는 표현이 있습니다. 본문을 연구하면서 깨달은 놀라운 사실은, 제자들이 처음에는 '무서워했다'는 것입니다. 앞에서 쓰인 '무서워하다'는 41절의 '두려워하다'와 다릅니다. 헬라어 원문과 가장 가깝다는 RSV(Revised Standard Version) 성경을 보면 "그들이 심히 두려워하여"를 이렇게 번역했습니다.

"그들이 하나님께 대한 경외감으로 가득 차(filled with awe)."

여기서 'awe'라는 단어는 우리말의 '어!'와 비슷합니다. 놀라움과 경이로움에 사로잡히는 것을 말합니다. 한순간에 그들은 경이 속에 들어간 것입니다. 예수님을 훌륭한 인간으로만 생각하다가 그분 안에서 살아 계신 하나님을 발견하게 된 것입니다.

'하나님! 아, 파도와 바람을 잠잠하게 하시는 분!'

한순간의 깨달음에 그들의 인생은 달라지게 됩니다.

'예수님을 믿고 그분과 함께해 왔는데, 바로 그분이 살아 계신 하나님이라니!'

그러자 모든 문제가 달라지기 시작했습니다. 제아무리 풍랑이 들이닥친다 해도 만물을 다스리는 창조주 하나님이 함께하신다면 풍랑이 문제겠습니까?

행복은 무엇입니까? 참된 안정은 무엇입니까? 풍랑이 없는 것이 안전은 아닙니다. 예수님이 함께하시는 것이 참된 행복이요, 참된 안정입니다. 주님이 함께하신다는 사실 외에는 아무것도 필요 없습니다.

힘들지만 즐거운 이유

1910년 8월, 유고슬라비아에 한 여자아이가 태어났습니다. 십 대 소녀가 된 그녀는 성경 말씀을 들을 때마다 가슴에 불타는 갈망이 생겼습니다. 그래서 선교사로 자원했습니다. 가톨릭 교인이었기에 먼저 수녀가 되었습니다. 이후 그녀는 인도 콜카타에 파송되었습니다. 그곳에 도착한 지 얼마 되지 않아 그녀는 거리를 지나던 중 한 병든 여인을 발견하게 되었습니다. 오래된 병으로 엎어져 있었는데, 주위에는 돌봐 주는 사람이 아무도 없었고, 몸의 한쪽은 썩어서 쥐들이 파먹고 있었습니다. 이런 참담한 모습에 그녀는 발걸음을 멈추고 생각했습니다.

'어떻게 할까?'

마음속에 여러 가지 생각이 떠올랐습니다.

'아무 힘도 없는 나약한 여자인 내가 무엇을 할 수 있단 말인가?'

그래서 그냥 지나가려고 하는데, 무엇인가가 자꾸만 마음을 당겼습니다.

'네가 도와야 한다.'

'하나님, 저는 못 해요.'

그때 음성이 들렸습니다.

'내가 도와도 못 하겠느냐?'

그녀는 대답했습니다.

'하나님이 함께하신다면 가능하겠죠.'

이에 그녀는 지나가려던 발걸음을 돌이켜 여인을 들쳐 업고 자기 집으로 갔습니다. 그리고 돌보기 시작했습니다. 이렇게 돌보기 시작한 환자가 두 사람, 세 사람 늘어 가기 시작하자 그녀는 그 도시의 행정 관리를 찾아가 그녀의 숙소 곁에 있던 '비욘드 힌두 템플' 하나를 빌려 달라고 요청했습니다. 그리고 그것을 병원으로 만들었습니다. 그녀와 봉사자들에 의해 돌봄을 받는 환자의 숫자는 계속 늘어나게 되었습니다.

1997년 9월, 이 여인이 세상을 떠났습니다. 종교를 초월하여 현시대를 살다 간 이들 중에 삶으로 큰 감동을 남기고 떠난 그분의 이름은 마더 테레사(Mother Teresa)입니다. 그녀가 죽기 수년 전, 영국 BBC 방송이 그녀가 일하는 콜카타의 병원을 취재한 적이 있었습니다. 기자가 병원에서 일하는 그녀를 가만히 관찰해 보니 너무나 행복해하는 모습이었습니다. 그때만 해도 거동이 가능했던 테레사 수녀에게 기자가 질문을 던졌습니다.

"테레사 수녀님, 힘들지 않으십니까?"

그랬더니 이런 대답이 돌아왔습니다.

"힘들지요. 그러나 즐겁습니다. 주님이 함께하시기 때문입니다."

이것은 정말 중요한 말입니다. 저는 간단한 이 세 마디가 신앙생활의 요체를 다 요약했다고 생각합니다. 신앙을 가지고 산다는 것은 힘든 일입니다. 그러나 즐겁습니다. 주님이 함께하시기 때문입니다.

고통의 시기를 지나는 것은 힘이 듭니다. 그러나 우리는 여전히 즐거울 수 있습니다. 주님이 함께하신다는 확신만 가질 수 있다면 말입니다. 왜냐하면 우리가 타고 있는 배에는 주님이 함께 계시기 때문입니다. 본문이 시작되는 맨 처음에 예수님은 이렇게 말씀하셨습니다.

"그날 저물 때에 제자들에게 이르시되 우리가 저편으로 건너가자 하시니"(막 4:35).

그 항해를 제안한 분이 누구였습니까? 예수님이었습니다. 그렇다면 그분에게 계획이 있지 않았겠습니까? 이 바다를 건너가자고 제안한 분이 그분이시니 바다를 건널 계획도 있지 않았겠습니까? 그렇다면 풍랑도 하나님의 계획에서 제외된 것일 수 없습니다. 그분이 우리에게 항해를 제안하고 그 항해에 직접 동참하신다면, 풍랑도 그분 계획의 일부인 것입니다.

고난에는 뜻이 있습니다. 풍랑에는 하나님의 뜻이 있습니다. 주님만 함께하신다면 우리는 승리할 수 있습니다. 그럴 때 풍랑은 우리에게 큰 유익을 가져다줄 것입니다. 우리에게 믿음만 있다면, 우리는 바다 저편을 향해서 다시 용기 있게 일어나 비전의 항해를 계속할 수 있습니다. 이것이야말로 파도를 극복하고 인생을 재창조할 수 있는 위대한 신앙 고백입니다. 이 위대한 고백을 붙잡으십시오. 힘들 것입니다. 그러나 즐거울 수 있습니다. 주님이 함께하시기 때문입니다. 이 배에 주님이 함께 타고 계십니다. 그 주님을 신뢰하기 바랍니다.

"예수께 이르러 그 귀신 들렸던 자 곧 군대 귀신 지폈던 자가 옷을 입고 정신이 온전하여 앉은 것을 보고 두려워하더라 이에 귀신 들렸던 자가 당한 것과 돼지의 일을 본 자들이 그들에게 알리매 그들이 예수께 그 지방에서 떠나시기를 간구하더라 예수께서 배에 오르실 때에 귀신 들렸던 사람이 함께 있기를 간구하였으나 허락하지 아니하시고 그에게 이르시되 집으로 돌아가 주께서 네게 어떻게 큰일을 행하사 너를 불쌍히 여기신 것을 네 가족에게 알리라 하시니 그가 가서 예수께서 자기에게 어떻게 큰일 행하셨는지를 데가볼리에 전파하니 모든 사람이 놀랍게 여기더라"(막 5:15-20).

14

우리가
돌아올 항구

안식의 항구에서
소명의 항해를 시작하라

영원한 이방인

실존주의 작가로 유명한 알베르 카뮈(Albert Camus)는 제2차 세계대전 후 현대인의 사고에 큰 영향력을 미친 작가 중 한 명으로 꼽힙니다. 그는 1957년에 노벨 문학상을 받았고, 3년 후인 1960년에 교통사고로 세상을 떠났습니다. 그가 임박한 죽음을 의식하며 병상에 누워 있을 때 누군가가 이렇게 물었습니다.

"당신은 지금 무엇을 가장 중요하게 생각하고 있습니까?"

카뮈가 늘 인생의 허무나 불안, 부조리 등의 문제를 이야기했기 때문에 아마도 심오한 대답을 하리라 예측하고 그런 질문을 던진 것 같습니다. 그러나 그의 대답은 의외로 단순했습니다.

"지금 나는 어머니와 집을 생각하고 있습니다."

카뮈의 어머니는 청각 장애인이었습니다. 그녀는 아버지 없이 두 아들을 키웠습니다. 카뮈는, "나는 알제리에 계신 어머니를 계속 떠올리고 있습니다. 지금 내가 소원하는 것은 매우 단순합니다. 그저 집으로 돌아가고 싶을 따름입니다"라고 말했습니다.

그가 삶의 마지막을 의식하면서 돌아가고 싶어 했던 항구가 있다면, 그것은 어머니의 품과 집이었습니다. 가족이었습니다. 카뮈는 그의 대표작 제목처럼 이방인으로서 한평생을 살았다고 볼 수 있습니다. 집을 잃어버린 에트랑제(etranger, 이방인)로 한평생을 방황했습니다. 그는 삶의 중요한 문제들에 대해 많은 질문을 제기했지만, 대답을 찾지 못한 채 방황했던 것입니다. 그는 영원한 이방인이었습니다. 돌아갈 집이 없었던 것입니다.

"몇 살입니까? 어디 사세요?"

서구 사회는 일반적으로 유목 문화권에 해당합니다. 그래서 목자가 양 떼를 데리고 이곳에서 저곳으로 이동해 다닙니다. 이런 서구적인 전통이 현대의 움직이는 사회(mobile society)를 만드는 원천이 되었다고 할 수 있습니다. 반면에 한국 사람들은 옛날부터 삶의 근거로서 무엇보다도 집을 소중히 여겨 온 전통을 가지고 있습니다. 아마도 농경 문화 때문이라 생각합니다.

우리 한국 사회에서는 행복한 삶을 위해서 반드시 두 가지가 필요하다고 생각했습니다. 하나는 땅이고, 또 하나는 집입니다. 우리는 자자손손 한곳에 머물러 살았기 때문에 땅이 중요했고, 그 땅 위에 아늑한 집 한 채를 지어 놓고 사는 것을 행복이라고 생각했습니다. 그래서 낯선 사람을 만나 인사할 때면 서양 사람들이 깜짝 놀랄 만한 질문들을 서슴없이 던집니다. 하나는 "나이가 어떻게 됩니까?"이고, 또 하나는 "집이 어디입니까?"입니다. 서양에서는 나이를 묻는 것이 매우 실례인데, 우리가 나이를 묻는 의식의 배후에는 위계질서를 빨리 확립해서 누가 연장자인지를 확인할 필요가 있기 때문입니다. 또 집이 어디인가를 확인하는 것은 그의 삶의 근저에 더 가까이 다가가려는 무의식적인 욕망 때문이라고 볼 수 있습니다.

집 없는 사람

그러나 한국 사회도 신속한 산업화의 과정을 겪으면서 더 이상 한곳에 오래 살 수 없는 사회가 되었습니다. 일종의 움직이는 사회로 변한 것입니다. 그래서 사람들은 이사하는 일에 익숙해졌습니다. 어떤 경우에는 다시 이사할 생각에 짐을 다 풀지 않고 두기도 합니다. 어쩌면 이것은 현대를 살아가는 대다수 사람의 특성이라고 할 수 있습니다. 이런 의미에서 넓게 본다면 현대인들은 모두가 집을 잃어버리고 사는 사람들입니다. 집 없는 사람(homeless people)이라고 할 수 있습니다.

IMF 이후에 대두되기 시작한 노숙인 문제는 아직까지도 해결하기 힘든 커다란 사회 문제로 자리 잡고 있습니다. 하지만 아주 넓은 의미에서 본다면 우리 역시도 '홈리스 피플'이라 할 수 있습니다. 진정한 집을 잃어버린 사람들이기 때문입니다. 그래서 현대를 사는 한국인들의 마음에 사무치는 호소력를 갖는 것이 있다면 그것은 '돌아갈 집', '영원한 안식처', '고향 생각' 같은 단어들입니다. 이러한 단어들은 아직도 우리를 강력하게 지배하고 있습니다.

성경에도 고향 이야기가 많이 나옵니다. 그러나 성경이 강조하는 고향은 궁극적으로 하나님의 품입니다. 여기서 하나님의 품은 하나님 나라입니다. 본문에는 집을 잃어버린 사람의 이야기가 나옵니다. 집을 잃어버리고 헤매다가 병든 사람에게 예수님이 다시 집을 찾아 주신다는 이야기입니다.

나는 광인입니다

집을 잃어버린 현대인들이 어떻게 다시 고향으로 돌아갈 수 있을까요? 그 질문에 대한 대답을 본문에서 발견합니다. 우리가 집으로 돌아가려면, 무엇보다 집을 잃어버린 병의 심각성을 깨달아야 합니다.

우리는 5장에 들어오기 전에 4장을 살펴보았습니다. 4장에서 제자들은 예수님과 함께 배를 타고 갈릴리 바다를 지나다가 큰 광풍을 만납니다. 그들은 광풍을 뚫고 바다를 잠잠하게 하신 예수님의 도움을 받아 갈릴리 바다 동남쪽으로 건너갑니다. 동남쪽 약 55킬로미터까지 건너가서 데가볼리의 작은 이방인 마을인 거라사 지역에 도착합니다. 그리고 그곳에서 이번에는 광풍(狂風)이 아닌 광인(狂人)을 만납니다. 앞에서 광풍을 경험하게 하신 이유가 무엇이라고 했습니까? 광풍을 통과하게 되면 그들 삶의 어떤 바람이나 파도도 지나갈 수 있기 때문에 제자들을 미리 준비시키신 것이라고 했습니다. 광풍은 인생의 보편적인 경험입니다.

이번에는 광인을 만납니다. 광인은 보통 극단적인 형태의 사람으로 여겨지지만, 저는 광인도 보편적인 현상이라고 생각합니다. 이 광인은 바로 우리의 모습일 수 있기 때문입니다. 정신과 의사들은 "오늘 이 시대를 살아가는 현대인 치고 정신병에서 자유로운 사람은 아무도 없다"라고 진단합니다. 우리는 모두 정신적인 스트레스와 노이로제에 시달리고 있는데, 거기에서 자유로운 사람은 아무도 없습니다. 저마다 독특한 정신병인 삶의 고뇌를 안고 있습니다. 또 남모르게 가슴앓이를 하며 살아가고 있습니다. 이것이 현대인들의 모습입니다. 그러므로 넓은 의미에서 본다면 정도의 차이가 있을지언정 우리는 모두 다 정신병자입니다.

언젠가 용인에 있는 한 정신병원에서 설교한 적이 있습니다. 설교 도중 두 사람이 막 싸우기 시작했습니다. 싸우는 내용을 들어 보니 이런 것이었습니다. 한 사람이 웃었는데, 그것을 보고 있던 옆 사람이 "얘가 미쳤다"라고 말했다는 것입니다. 그것을 보고 있 자니 너무 우스워서 강대상에서 크게 웃었습니다. 그러자 그 사람 이 다시 저를 쳐다보고 손가락질하면서 "야, 저 사람도 미쳤다"라 고 말했습니다. 그 말이 사실일지도 모르겠습니다. 아무도 이 정신 적인 고통에서 예외일 수는 없습니다.

극단적이긴 하지만, 마가복음 5장에 나타난 주인공의 모습은 이 시대를 살아가는 우리 모두의 자화상이라 할 수 있습니다. 그는 어 떤 사람이었습니까?

> "그 사람은 무덤 사이에 거처하는데 이제는 아무도 그를 쇠사슬로
> 도 맬 수 없게 되었으니"(막 5:3).

먼저, 그는 무덤 사이에서 살고 있었습니다. 집을 뛰쳐나와 무덤 사이에서 살고 있으니 무덤이 주소인 희한한 사람입니다. 살기를 포기한 인생, 살아도 죽은 것이나 다름없는 사람들을 우리는 현대 의 거리에서도 얼마든지 만나 볼 수 있습니다. 또한 본문 4절은 그 가 쇠사슬에 결박되어 있었다고 말씀합니다. 자유를 잃어버리고 무엇인가에 꽁꽁 얽매인 채 숨 막히는 인생을 살고 있습니다. 어쩌 면 그것은 우리의 모습일 수도 있고, 우리 이웃의 모습일 수도 있 습니다. 뿐만 아니라 그는 자신 안에서 솟아나는 힘이 아닌 강력한

광기의 지배를 받고 있었습니다.

"이는 여러 번 고랑과 쇠사슬에 매였어도 쇠사슬을 끊고 고랑을 깨
뜨렸음이러라 그리하여 아무도 그를 제어할 힘이 없는지라"(막 5:4).

아무도 그를 제어할 수 없을 만큼 강력한 외부의 힘에 의해 지배
를 받아 살고 있었던 사람입니다. 나중에 예수님이 이 사람을 만나
치유하는 과정에서 이런 질문을 던지십니다.

"네 이름이 무엇이냐"(막 5:9상).

그때 그는 이렇게 대답했습니다.

"내 이름은 군대니 우리가 많음이니이다"(막 5:9하).

군대라는 말은 헬라어로 '레기온'(legiōn)입니다. '레기온'은 로마에
서 6천 명의 군사로 구성된 사단을 가리킬 때 쓰는 군대 용어였습
니다. 그래서 어떤 학자들은 아마도 6천이나 되는 귀신이 이 사람
안에 살면서 그를 지배하고 있었는지 모른다고 주장합니다. 또 어
떤 사람은 6천이 아니라 2천이라고 주장합니다. 나중에 돼지 떼로
들어가서 죽게 된 숫자가 2천 마리였기 때문입니다. 그러나 숫자
가 얼마인가는 중요하지 않습니다. 다만 다수의 악령이 그를 지배

하고 있었다는 것입니다. 이 사람은 영혼이 갈기갈기 찢겨 나간 채로 다른 힘의 지배를 받고 있었습니다.

깨달음, 귀향의 시작

오늘날에도 이처럼 정신이 분열된 채 자신이 아닌 다른 사람이 되어 살아가는 많은 사람의 모습을 볼 수 있습니다. 현대의 거리에서도 이것은 결코 낯선 광경이 아닙니다. 5절을 보면, 이 사람은 스스로를 파괴하고 있었다고 말씀합니다. 자해를 하고 있었던 것입니다.

> "밤낮 무덤 사이에서나 산에서나 늘 소리 지르며 돌로 자기의 몸을 해치고 있었더라"(막 5:5).

그는 돌로 자기 몸에 상처를 내면서 자신을 학대하여 파멸시키고 있었습니다. 스스로 생명을 단축시키고 가능성을 송두리째 포기해 버리는 자기 파괴적인 사람이 우리 주변에 얼마나 많습니까? 이것이 집을 떠난 현대인들의 모습입니다. 저는 이것이 영혼의 고향이 되는 하나님의 품을 떠난 죄인들이 맞이할 수밖에 없는 보편적인 최후라고 생각합니다. 이런 사람이 집으로 돌아오기 위해서는 '내 병은 생각보다 심각하다, 하나님을 떠나는 것은 무서운 일이다, 하나님을 떠난 내 인생의 결말은 참으로 비참할 것이다'라는 사실을 가장 먼저 깨달아야 합니다. 이것이 귀향의 시작입니다.

인도자 예수님

둘째로, 우리 영혼이 집으로 돌아가려면 예수님만이 우리의 집을 찾아 주실 수 있다는 믿음을 가져야 합니다. 예수님만이 우리 영혼의 귀향을 가능하게 하실 수 있습니다.

이 사람이 집을 떠난 원인이 무엇이었습니까? 병이 들었기 때문입니다. 어떻게 해야 집으로 돌아갈 수 있습니까? 병을 고쳐야만 가능합니다. 그런데 이 병은 스스로 나을 수 없다는 것이 문제입니다. 치유의 희망이 없기 때문에 더욱 큰 문제입니다. 이런 불가능한 상황 속에 예수님이 등장하십니다. 그리고 이 사람은 예수님을 만납니다. 이 사람이 예수님을 만나게 된 것은 커다란 기회이자 복음이었습니다.

광인이 만난 예수님은 어떤 분일까요? 우리는 본문을 통해 예수님에 대해 두 가지를 발견할 수 있습니다. 첫째는, 그분에게 병을 고칠 능력이 있다는 것이고, 둘째는, 그분이 병자의 병을 고치기를 원하신다는 것입니다. 사실 능력이 있어도 고쳐 주지 않겠다고 하면 그만인데, 그분은 고칠 수 있는 능력이 있을 뿐만 아니라 이 사람을 고치기를 소원하셨습니다.

예수님이 명령하자 그를 지배하고 있던 더러운 영들이 그 앞에서 벌벌 떨며 떠나갑니다. 그분이 누구입니까? 말씀 한마디로 광풍을 잠재운 분이 아닙니까? 말씀 한마디로 자연을 만들고 다스리시는 분, 뿐만 아니라 영들의 세계를 창조하고 지배하시는 분, 예수님은 바로 하나님이셨습니다. 그렇기에 '예수님을 만났다', '하나님을 만났다'는 것은 소망이자 기회입니다. 예수님은 이 사람을 피하지 않고 만나고자 하셨습니다. 그리고 이 사람을 주목하셨습니다.

세상은 이 사람을 버렸습니다. 가정도 이 사람을 버렸습니다. 자신도 스스로를 포기했습니다. 그러나 예수님은 이 사람을 버리지 않으셨습니다. 그것이 예수님이 이 땅에 찾아오신 목적이었기 때문입니다. 귀신들은 그분이 누구인지 분명히 알았습니다. 그래서 벌벌 떨고 부복하며 예수님 앞에서 "하나님의 아들 예수여"(막 5:7)하고 외쳤습니다. 귀신의 신앙 고백은 정확합니다. 귀신은 예수님이 누구인지를 '귀신같이' 정확하게 알았습니다.

사람의 아들, 인자

복음서에 보면 예수님에 대한 두 가지 칭호가 교대로 등장합니다. 하나는 '하나님의 아들'이고, 또 하나는 '사람의 아들' 혹은 '인자'입니다. 그분은 하나님의 아들이었습니다. 그런데 사람의 아들이 되어 이 땅에 오셨습니다. 왜 오셨습니까? 그분의 오신 목적을 설명할 때 복음서마다 등장하는 말씀이 있습니다. "인자가 온 것은"이라는 표현입니다. 그분은 하나님의 아들인데 사람의 아들이 되어 이 땅에 오셨습니다. 이것이 성육신입니다. 하나님의 아들이 사람의 아들이 되어 이 땅에 오신 이유는 '잃어버린 자를 찾아 구원하려 하심'입니다. 그래서 예수님은 이 사람을 피하지 않으셨던 것입니다. 잃어버린 한 사람을 위해서 예수님이 오셨다는 것은 복음이요, 소망이었습니다. 고금을 막론하고 예수를 만나는 자에게는 새로운 삶이 시작됩니다.

예수님을 만나자 그의 모든 것이 달라졌습니다. 그의 변화된 상태를 본문은 이렇게 전합니다.

> "예수께 이르러 그 귀신 들렸던 자 곧 군대 귀신 지폈던 자가 옷을 입고 정신이 온전하여 앉은 것을 보고 두려워하더라"(막 5:15).

군대와 같은 많은 악령 때문에 영혼이 찢김을 당했던 그가 예수를 만나고 그분의 임재를 경험하자 모든 것이 바뀌게 되었습니다. 그는 구체적으로 어떻게 변화되었습니까? 우선, 옷을 입었다고 했습니다. 정상적인 삶으로 돌아온 것입니다. 그리고 새로운 삶이 시작된 것입니다. 더 이상 그는 부끄러운 존재가 아닙니다. 그 안의 더러운 영이 나가자 깨끗한 사람이 되었습니다. 그리고 그의 정신이 온전해졌습니다. 건강을 회복한 것입니다. 뿐만 아니라 그가 앉아 있었다고 했습니다. 정신적으로 고통 받고 있는 사람은 가만히 앉아 있지 못하고 계속 돌아다닙니다. 안절부절못합니다. 영혼에 안정감이 없고 불안해합니다. 그러던 그가 실로 오랜만에 가만히 앉아 있습니다. 같은 광경을 다른 복음서에서는 '예수의 발치에 앉았다'라고 묘사합니다(눅 8:35 참조). 참으로 오랜만에 찾아온 평화와 안식을 누리며 그는 이제 말씀을 들으려고 주 앞에 앉아 있습니다.

그는 새로워졌습니다. 무엇보다 놀라운 사실은, 그가 자유로운 존재가 되었다는 것입니다. 본문에는 그가 집을 떠난 이유가 자세히 설명되어 있지 않지만, 아마도 자유를 얻기 위해서 집을 떠났던 것으로 보입니다. 그런데 집을 떠난 후에 오히려 자유를 잃고 노예가 되어 버렸습니다. 이것은 큰 역설입니다. 자유는 먼 곳에 있지 않았습니다. 자유는 집 안에 있었습니다. 자유는 하나님과 함께하는 그 자리에 있었던 것입니다. 이 사람은 자유를 찾아 떠났지만 자유를 잃었습니다. 그러나 주님의 도우심으로 자유를 되찾습니다.

이 사람이 자유를 찾는 과정에는 대가가 필요했습니다. 돼지가 2천 마리나 죽어야 했습니다. 어떤 사람들은 왜 애꿎은 돼지 떼를 죽이느냐고 묻습니다. 한 신학자는, 예수님이 귀신을 내어 쫓으면서 이 사람의 치유에 관심이 없었던 사회를 심판하신 것이라고 말합니다. 왜냐하면 이 거라사는 팔레스타인 지역에 있으면서도 유대인들이 기피할 정도로 이방 문화가 널리 퍼진 마을이었기 때문입니다. 유대인들은 돼지를 부정한 동물로 취급했기 때문에 먹지 않았습니다. 그러나 거라사는 이방 마을이었기 때문에 돼지를 사육했고, 돼지 장사도 유행했습니다. 마을 사람들은 돼지를 기르는 일에 바빴습니다. 돼지를 기르는 데는 바쁘면서, 고통 받고 있는 영혼에는 아무 관심도 기울이지 않았던 그 마을을 주님이 심판하셨다는 것입니다.

나름대로 흥미 있는 관찰이라 생각합니다. 어쨌든 주님은 이 사람을 고치셨습니다. 예수를 만난 것은 그에게 구원이었습니다. 이 동일한 예수님은 지금도 우리의 구원이십니다. 우리의 평안이며 안식이십니다. 예수님만이 지금도 거리에서 방황하는 영혼들에게 집을 찾아 주실 수 있습니다. 이 얼마나 위대한 복음입니까?

예수, 내 영혼의 주인

셋째로, 이 사람이 집으로 돌아가려면 예수님이 먼저 그 집의 온전한 주인이 되셔야 합니다. 집에는 사랑하는 가족이 있습니다. 사랑하는 아내가 있고, 남편이 있고, 자녀들과 부모님이 있습니다. 우리의 집이 따뜻한 안식처와 따뜻한 항구가 되려면, 우리뿐만 아니라 우리의 식구 모두가 동일한 평화를 경험해야 합니다. 그러기 위해서는 우리에게 평화를 주신 예수님을 아내도 만나야 하고, 남편도 만나야 하며, 우리의 자식과 부모님도 만나야 합니다. 그래야 우리의 가정이 온전한 안식처가 될 수 있습니다.

흥미롭게도 이 사람은 예수님을 만나 자유를 얻고 변화되자 너무나 감격한 나머지 당장 예수님을 따라가기 원했습니다. 배를 타고 떠나시는 예수님을 따라 제자의 삶을 살기 원했습니다. 이때 예수님은 어떤 반응을 보이셨습니까?

"예수께서 배에 오르실 때에 귀신 들렸던 사람이 함께 있기를 간구하였으나 허락하지 아니하시고 그에게 이르시되 집으로 돌아가 주께서 네게 어떻게 큰일을 행하사 너를 불쌍히 여기신 것을 네 가족에게 알리라 하시니"(막 5:18-19).

집으로 돌아가라

왜 그러셨을까요? 주님은 따라오는 것 자체를 거절하신 것이 아닙니다. 먼저 해야 할 일이 있었기 때문입니다.

"네가 나를 만나 자유를 얻었느냐? 평안을 얻었느냐? 구원을 얻었느냐? 그렇다면 사랑하는 사람들에게 네가 자유를 얻었다는 소식을, 네가 건강을 되찾았다는 소식을 전하는 것이 마땅하지 아니하냐? 그래서 네 집이 진정으로 안식처가 될 때, 네가 나와 함께 먼 곳으로 떠나 예수는 복음이라고, 진리라고, 생명이라고, 희망이라고 전할 수 있지 않겠느냐? 그러니 먼저 집으로 돌아가라. 가서 내가 너에게 어떻게 큰일을 행하였는지를 알려라."

예수의 참된 제자가 되려면 먼저 해야 할 일이 있습니다. 디모데전서 3장을 보면, 교회의 지도자나 감독, 혹은 감독을 도와 함께 일하는 집사의 자질을 말할 때 성경이 일관되게 강조하는 한 가지 중요한 교훈이 있습니다. 그것은 자기 집을 잘 다스리는 자라야 한다는 것입니다. 다시 말하면, '네 집에 하늘나라가 임하고, 주님의 다스림이 있고, 복음의 영광이 나타나야 네가 밖에 나가서도 외칠 수 있지 않겠느냐'는 것입니다. 그것이 주님의 말씀입니다.

물론 아무리 전해도 식구 중에 안 믿는 사람이 있을 수 있습니다. 그렇다고 해서 우리가 도무지 쓰임 받을 수 없다는 것은 아닙니다. 그러나 가족 가운데 예수 안 믿는 사람이 있다면 나가서 전도하는 사역이 제한되고 위축될 수밖에 없습니다. 가족이 완전히 복음화되지 못했는데, 사랑하는 사람이 우리가 경험한 예수의 능력과 사랑을 아직 모르는데, 우리가 어떻게 담대하게 복음을 전할 수 있겠습니까?

주님은 이 사람으로 인해 먼저 그 가정에 하나님 나라가 임하고, 주님의 권세가 드러나기를 희망하셨습니다. 가정은 가장 먼저 복음화가 이루어져야 할 장소가 되어야 합니다. 전도나 간증에 대한 가장 직설적이고 단순한 정의는 주님이 우리에게 어떤 일을 행하셨는지를 그대로 말하는 것입니다.

주님이 당신에게 자유를 주셨다면 그렇게 말하십시오. 주님이 당신의 마음에 평화를 주셨다면 그렇게 말하기 바랍니다. 주님이 당신에게 진정한 안식을 주셨다면 역시 그대로 말하십시오. 우리가 사랑하는 사람들이 이 복음의 소식을 듣고 변화될 때, 우리의 가정은 안식의 항구가 될 것입니다. 당신의 가정에서 복음의 아름다운 등불이 빛나기를 바랍니다. 빛이 드러나는 아름다운 항구, 그것이 당신의 가정의 모습이 되기를 바랍니다.

프리드리히 횔덜린(Friedrich Hölderlin)이라는 독일 시인이 쓴 〈고향〉이라는 아름다운 시 한 편을 소개합니다.

고향

뱃사람은 즐거이 고향의 고요한 흐름으로 돌아간다.

고기잡이를 마치고서 머나먼 섬들로부터

그처럼 나도 고향에 돌아갈지니,

내가 만일 슬픔과 같은 양의 보물을 얻을진대.

지난날 나를 반기어 주던 그리운 해안이여,

아아 이 사랑의 슬픔을 달래 줄 수 있을까.

젊은 날의 내 숲이여 내게 약속할 수 있을까,

내가 돌아가면 다시 그 안식을 주겠노라고.

지난날 내가 물결치는 것을 보던 서늘한 강가에

지난날 내가 떠 가는 배를 보던 흐름의 강가에

이제 곧 나는 서게 되리니 일찍이 나를

지켜 주던 내 고향의 그리운 산과 들이여.

오오 아늑한 울타리에 에워싸인 어머니의 집이여

그리운 동포의 포옹이여 이제 곧 나는

인사하게 될지니, 너희들은 나를 안고서

따뜻하게 내 마음의 상처를 고쳐 주리라.

(후략)

가정이 치유의 장소가 될 수 없다면 어디에서 치유를 경험할 수 있겠습니까? 우리 가정에서부터 예수님의 역사가 시작되어야 합니다. 당신의 가정에서 일하시는 예수님을 통해서 당신의 가정에 안식과 소망이 임하기를 바랍니다. 우리 가정이 안식의 항구가 될 때, 우리는 세계를 살리기 위한 위대한 항해를 시작할 수 있습니다.

그러나 이 항구는 주님의 품이라는 것을 기억하십시오. 주님 앞으로 돌아올 때, 집으로도 돌아갈 수 있습니다. 주님은 우리 영혼의 궁극적인 항구인 것을 믿으십시오. 유명한 성 어거스틴(St. Augustine)의 고백을 기억하십시오.

"오 하나님, 당신의 품 안에 돌아가 쉴 때까지는 내 영혼에 평안함이 없었습니다."

그렇습니다. 예수님이 당신을 하나님의 품으로 돌아가게 하는 길인 것을 믿으십시오. 예수가 소망입니다. 예수가 구원입니다. 예수가 자유입니다. 우리가 돌아갈 항구 되시는 예수 안에서 새로운 삶을 시작하십시오.

"열두 해를 혈루증으로 앓아 온 한 여자가 있어 많은 의사에게 많은 괴로움을 받았고 가진 것도 다 허비하였으되 아무 효험이 없고 도리어 더 중하여졌던 차에 예수의 소문을 듣고 무리 가운데 끼어 뒤로 와서 그의 옷에 손을 대니 이는 내가 그의 옷에만 손을 대어도 구원을 받으리라 생각함일러라 이에 그의 혈루 근원이 곧 마르매 병이 나은 줄을 몸에 깨달으니라 예수께서 그 능력이 자기에게서 나간 줄을 곧 스스로 아시고 무리 가운데서 돌이켜 말씀하시되 누가 내 옷에 손을 대었느냐 하시니 제자들이 여짜오되 무리가 에워싸 미는 것을 보시며 누가 내게 손을 대었느냐 물으시나이까 하되 예수께서 이 일 행한 여자를 보려고 둘러보시니 여자가 자기에게 이루어진 일을 알고 두려워하여 떨며 와서 그 앞에 엎드려 모든 사실을 여쭈니 예수께서 이르시되 딸아 네 믿음이 너를 구원하였으니 평안히 가라 네 병에서 놓여 건강할지어다"(막 5:25-34).

15

누가 내 옷에
손을 대었느냐

치유는 듣고 믿음으로
반응할 때 시작된다

제2차 세계대전 이후, 이 시대를 사는 현대인들을 묘사하는 데 자주 사용되는 두 단어가 있습니다. 하나는 '절망'이고, 또 하나는 '소외'라는 단어입니다. '절망과 소외', 이것은 주로 실존주의 철학자나 작가들을 통해서 현대인을 묘사하는 중요한 단어로 많이 쓰였습니다. 전쟁 후에 폐허를 딛고 문화를 복구하는 데 현대인들은 어느 정도 성공했습니다. 좀 더 잘 사는 세상이 된 것은 사실입니다. 그럼에도 불구하고 사람들은 삶에 대한 의미를 느끼지 못합니다. 자신이 왜 사는지도, 무엇을 위해 사는지도 모르고 있습니다. 내일에 대한 어떤 구체적인 희망도 없습니다. 이것이 절망하고 있는 현대인의 모습이라고 할 수 있습니다.

절망도 비극이지만 더 커다란 비극은, 이런 세상에 살면서 자신과는 통할 사람이 없다고 느끼는 것입니다. 우리는 사람들에게서 벽을 실감합니다. 통할 수 있는 인간을 느끼지 못합니다. 그것이 바로 인간의 실존입니다. 실존적인 고독, 아무도 우리를 이해하지 못하는 그런 고독을 현대인들은 경험하고 있습니다.

사실 이것은 현대인들만의 문제가 아닙니다. 어느 시대에나 하나님과 바른 관계를 맺고 살지 못할 때, 창조주의 그 품 안에서 살지 못할 때, 혹은 그리스도인들이라 할지라도 하나님과의 관계나 교제가 흔들릴 때, 끊임없이 삶에서 경험해야 하는 고통이 바로 절망과 소외라고 생각합니다.

절망과 소외 속의 한 여인

우리는 이 절망과 소외 속에 살았던 한 여인의 모습을 성경에서 보게 됩니다. 본문에 나타난 이 여인의 절망의 원인은 어디에서부터 비롯된 것입니까? 그녀에게는 병이 있었습니다. 이 여인이 앓고 있던 병은 '혈루증'이었습니다. '피를 쏟는 병', '하혈하는 병'입니다. 이 하혈은 단순한 생리적인 증상이 아니었습니다. 레위기 15장에서는 이를 '유출병'이라고 했습니다. 정상적이고 생리적인 출혈이 아닌, 그 밖의 다른 이유로 출혈하는 병이었습니다. 주로 이러한 병들은 '임질' 같은 질병 때문에 하혈하게 되는 경우였을 것으로 추측됩니다. 어쨌든 이 여인은 그 당시로서는 난치병을 앓고 있었던 것입니다. 병을 앓아도 고칠 희망이 있다고 생각하면 견딜 수 있습니다. 그러나 이 여인에게는 낫는다는 희망이 없었습니다. 이 여인은 절망적이었습니다. 이 절망적인 상황을 본문은 어떻게 묘사하고 있습니까?

> "많은 의사에게 많은 괴로움을 받았고 가진 것도 다 허비하였으되 아무 효험이 없고 도리어 더 중하여졌던 차에"(막 5:26).

12년 동안 이 병을 앓았습니다. 25절에 보면 '열두 해를' 앓았다고 기록되어 있습니다. 12라는 숫자는 이스라엘 백성에게 '만수'(滿數)입니다. 긴 세월을 말할 때 12, 40이라는 숫자가 많이 등장합니다. 그런데 이 여인은 12년이나 앓았습니다. 희망 없이 앓아 왔습니다. 자기 병을 고치기 위해서 할 수 있는 모든 노력을 동원해 보았습니다. 우리 식으로 말하면 양의, 한의, 한방병원, 민간의학 등 모든 노력을 다 해 보았지만 아무 효험이 없었다는 것입니다. 이제는 죽음을 기다릴 수밖에 없는 상태, 이것이 여인이 처해 있는 절망적인 상황이었습니다. 그러나 이 절망이라는 고통보다 더 커다란 고통은, 이 여인이 주변으로부터 완전히 격리된 삶을 살고 있었다는 사실입니다.

그 당시 혈루증을 앓으면 사회로부터 철저하게 소외를 당했습니다. 그 사회가 가지고 있었던 무지 때문에, 종종 이런 사람들은 부끄러운 병이라고 해서 성 밖으로 쫓겨나 그곳에 머물게 되었습니다. 성전에 접근하는 것도 금지되었고, 회당 예배에 참석할 수도 없었습니다. 이런 여인과는 이혼해도 무방하다고 합법화되어 있던 시대에 그녀는 철저한 외로움 속에 처해 있었습니다. 아무도 받아 줄 수 없는, 사회가 버린 사람이었습니다. 사랑하는 남편, 사랑하는 자식들에게도 외면당한 철저히 소외된 삶을 살 수밖에 없었습니다. 우리는 절망보다 더 커다란 고통인 소외를 경험하고 있던 여인의 모습을 성경에서 볼 수 있습니다.

성경 바깥의 문서들을 모아 놓은 외경에 의하면, 이 여인의 이름은 '베로니카'(Veronica)라고 합니다. 베로니카는 십자가를 진 예수님이 골고다의 언덕을 넘어지고 쓰러지면서 오르실 때, 이 예수님을 조롱과 모욕의 얼굴로 바라보고 있던 무리 가운데서 뛰쳐나와 손수건으로 예수님 이마의 땀방울을 닦아 드렸는데, 뜻밖에 그 손수건에 예수님의 거룩한 얼굴이 새겨졌다는 전설 같은 이야기를 남긴 여인입니다. 그녀가 이 '베로니카'였을지도 모릅니다. 어쨌든 이 절망의 여인이, 소외 속에 있었던 이 여인이 예수님을 만나고 치료를 받습니다. 새 삶을 살게 됩니다.

치유의 두 가지 계기

두 가지 결정적인 사실이 이 여인에게 치유를 가져다주었습니다.

이 여인에게 치료의 새로운 전기를 맞게 한 이 사건을 본문은 이렇게 보도합니다.

> "예수의 소문을 듣고 무리 가운데 끼어 뒤로 와서 그의 옷에 손을 대니"(막 5:27).

여기에 매우 중요한 두 개의 동사가 나옵니다. '듣다'와 '손을 대다'입니다. 이것이 여인에게 치료를 가져온 전기가 됩니다. '듣고 만졌다', '듣고 손을 댔다'는 것입니다.

복음서를 보면, 사람들이 예수님을 만났을 때 구원을 받습니다. 치료를 경험합니다. 인생이 새로워집니다. 그런 사건을 보도하는 대목마다 두 단어가 어김없이 등장하는데, 그것은 '듣다'라는 단어와 '믿다'라는 단어입니다. 일례로, 많은 사람이 잘 아는 요한복음 5장 24절은 "내가 진실로 진실로 너희에게 이르노니 내 말을 듣고 또 나 보내신 이를 믿는 자는 영생을 얻었고 심판에 이르지 아니하나니 사망에서 생명으로 옮겼느니라"라고 기록되어 있습니다. 즉 두 가지, 듣고 믿었기 때문입니다. 위대한 역사는 들음에서 시작됩니다.

본문에 나타난 여인은 무엇을 들었습니까? 27절에 보면 예수님의 소문을 들었다고 했습니다. 이것이 여인의 운명을 바꾸는 전기가 됩니다. 예수님의 소문을 듣는 자마다 바뀔 것입니다. 운명이 달라질 것입니다. 왜 그렇습니까? 예수님이 복음이기 때문입니다.

예수님이 구원이고, 예수님이 생명이기 때문입니다. 이것이 기독교 복음의 핵심입니다.

할 수 있는 모든 방법을 사용하고 노력을 기울였지만, 병을 고칠 길이 없었습니다. 미래가 없었습니다. 그런데 어느 날 한 소식을 들었습니다.

"예수!"

눈이 번쩍 뜨였습니다.

"예수라고? 죽은 자를 살리고, 병든 자를 치유하고, 사람들의 운명과 인생을 바꾸는 갈릴리 사람, 나사렛 사람 예수, 그 예수가 오신다고? 예수가 오신다!"

이것은 마지막 잎새와 같은 최후의 희망, 이 여인이 걸 수 있는 마지막 희망과 같았습니다. 그런 여인이 예수님의 소문을 듣고 난 다음에는 어떻게 했습니까? 예수님을 향해 달려갔습니다. 그리고 예수님의 옷자락을 만졌습니다. 그 후 모든 것이 달라졌습니다. 들음에서 시작된 것입니다. 믿음은 들음에서 나며, 들음은 그리스도의 말씀으로 말미암습니다.

"예수님이 오신다. 내가 그 예수님을 만날 수 있다. 예수님을 경험할 수 있다."

이 사건은 지금도 복음인 줄 믿습니다.

믿음의 만짐

"예수의 소문을 듣고 무리 가운데 끼어 뒤로 와서 그의 옷에 손을
대니"(막 5:27).

그 당시의 예수님은 '랍비'였습니다. '랍비'라고 불리던 사람들은
보편적으로 거리를 다닐 때 겉옷을 하나로 입었습니다. 겉옷은 직
각처럼 떨어집니다. 그래서 빳빳하게 된 네 귀퉁이에 술을 달게 되
어 있습니다. 청색 끈이 매달립니다. 아마도 이 여인은 밀리고 밀
리는 사람들 속에서 '나는 예수님을 만나야 해. 꼭 만나야 해' 하고
생각하며 사람들을 비집고 들어가 가까스로 예수님의 옷자락을 만
졌을 것입니다.

저는 그 당시에 예수님의 옷에 손을 댄 사람은 이 여인만이 아니
었을 것이라고 생각합니다. 본문의 정황을 좀 더 자세히 살펴보겠
습니다.

"제자들이 여짜오되 무리가 에워싸 미는 것을 보시며 누가 내게
손을 대었느냐 물으시나이까 하되"(막 5:31).

많은 사람이 예수님을 에워싸고 있었습니다. 예수님은 여전히 스
타였습니다. 많은 사람이 그분을 만나고 싶어 했습니다. 인산인해
를 이루었습니다. 무리가 붐비고 있었습니다. 어떤 사람은 호기심

으로 예수님을 만지고, 어떤 이들은 만지기 위해 서로 밀치고 있었을 것입니다. 많은 사람이 예수님께 손을 댔지만 그런 것과는 전혀 다른 종류의 만짐, 이 만짐을 예수님은 즉각적으로 느끼셨습니다. 그리고 물으셨습니다.

"누가 내 옷에 손을 대었느냐?"

이 여인은 다르게 만진 것입니다. 어떤 의미에서 다르다고 할 수 있을까요? 그것은 '믿음의 만짐'이었습니다.

> "이는 내가 그의 옷에만 손을 대어도 구원을 받으리라 생각함일러라"(막 5:28).

'예수님, 어쩌면 내 인생의 마지막 희망일 수 있는 예수님, 나는 저분을 기대한다. 저분이 내 삶을 바꾸고, 나를 해방하고, 내 인생에 새로움을 주실 수 있다'라는 믿음으로 만진 것입니다.

믿음은 상대방과 나를 연결시키는 것

그렇다면 믿음이란 무엇일까요? 믿음은 그 대상과 우리를 연결시키는 것입니다. 결혼식에서 혼인 서약이 이루어집니다. 그 서약에는 '나는 이 남자(여자)를 믿습니다. 그리고 내 일생을 의탁합니다'라는 전제가 깔려 있습니다. 서로를 향한 신뢰를 바탕으로 부부의 혼인 서약이 이루어집니다. 이처럼 믿는 순간, 그 믿음은 상대방과 우리 자신을 연결시킵니다. 그것은 위대한 것입니다. 우리가 주님 앞에 연결되는 순간, 우리가 그분을 우리의 구세주, 주님, 예수 그리스도로 받아들이고 신뢰하는 순간, 그분을 향한 믿음이 고백되는 바로 그 순간, 놀라운 일이 일어납니다. 이 여인에게도 바로 그 순간 사건이 일어났습니다.

> "이에 그의 혈루 근원이 곧 마르매 병이 나은 줄을 몸에 깨달으니라"(막 5:29).

순간적으로 병이 나았습니다. 어떻게 병이 나을 수 있었습니까?

> "예수께서 그 능력이 자기에게서 나간 줄을 곧 스스로 아시고 무리 가운데서 돌이켜 말씀하시되 누가 내 옷에 손을 대었느냐"
> (막 5:30).

부부가 서로를 향한 신뢰를 전제로 결합하는 순간, 모든 것을 공유하게 됩니다. 남편의 것은 아내의 것이 되고, 아내의 것은 남편의 것이 됩니다. 진정한 신뢰를 바탕으로 결합했다면, 모든 것을 공유하게 됩니다. 마찬가지로 "주님, 제가 주님을 믿습니다"라고 자기 일생을 의탁하는 바로 그 순간, 주님 안에 있던 능력이 그 믿음의 통로를 타고 그에게 흘러 들어가는 것입니다.

저는 이 말씀 그대로, 동일한 역사가 문자 그대로 일어날 수 있다고 믿습니다. 예수님을 믿는 순간, 인생의 무력함에 시달리던 사람이 예수님을 만지는 순간, 예수님 안의 능력이 그에게 흘러 들어갑니다. 인생의 불안과 허무 속에서 헤매던 사람이 예수님 앞에 달려와 예수님을 믿음으로, 예수님 안에 있던 엄청난 평화가 그에게 임합니다. 예수님 안에 있던 구원이 그에게 허락됩니다. 믿음으로 주님을 만지는 순간, 주님 안에 있는 능력이 그에게 전달되는 것입니다.

치유받은 자의 책임

이 놀라운 사건이 일어난 후, 주님은 그녀에게 치유받은 자로서의 책임을 요구하십니다. 우리가 치유받고 구원을 얻었다면, 예수님을 믿고 평안과 고침을 받아 새로운 삶이 열렸다면, 주님은 우리에게 하나의 책임을 요구하십니다.

"누가 내 옷에 손을 대었느냐"(막 5:30).

주님은 그 여인이 당신을 신뢰하고, 당신이 그 여인을 치유했다는 사실을 능히 아셨습니다. 그리고 이제 그녀에게 공개적으로 나타날 것을 요구하십니다. 제자들은 "무리가 에워싸 미는 것을 보시며 누가 내게 손을 대었느냐 물으시나이까"(막 5:31)라고 대답했지만, 이 여인은 알았습니다. 피할 수 없다는 것을 말입니다. 이미 주님의 은혜가 자기에게 전달된 것을 숨길 수 없었던 여인은 마침내 그 정체를 드러냅니다.

> "예수께서 이 일 행한 여자를 보려고 둘러보시니 여자가 자기에게 이루어진 일을 알고 두려워하여 떨며 와서 그 앞에 엎드려 모든 사실을 여쭈니"(막 5:32-33).

성경을 살펴보면 주님이 은혜 받고 구원 얻은 사람들에게 일관성 있게 요구하시는 한 가지가 있습니다. 주님이 그들에게 역사하셨다는 사실을 드러내야 한다는 것입니다. 그것이 '전도'입니다. 그것이 '간증'입니다. 주님이 이루신 일들을 사실대로 말하는 것, 이것이 바로 구원받은 사람의, 주의 은혜를 경험한 사람의 시작입니다. 그래서 복음이 이웃들에게 전달되는 것입니다.

종종 교회에 나오는 사람들 중에는 '007크리스천'이 되는 것을 기쁨으로 생각하는 사람이 있습니다. 예수 믿는 것을 숨기겠다는 것입니다. 한번은 어떤 회사의 간부 한 분을 만났는데, 그분을 만나자마자 그분 회사에 우리 교인이 다닌다는 것이 생각났습니다. 그래서 물었습니다.

"○○○를 아십니까?"

"아, 알죠."

"우리 교회에 나오시는 분입니다."

그랬더니 이분이 갑자기 정색을 하면서 "그분도 그리스도인입니까?"라고 되물었습니다. 제가 얼마나 부끄러웠는지 모릅니다. 아주 땅으로 기어들어 가고 싶었습니다.

오늘날 이런 사람이 많습니다. 주님과 상관이 없다면 상관없는 대로 사십시오. 그러나 은혜와 주님의 능력과 구원을 체험했다면, 우리는 나타날 수밖에 없습니다. 이것이 정상입니다. 그리고 복음은 그런 방법을 통해서 전파되는 것입니다. 주님은 우리에게 어떤 일을 행하셨습니까? 주님은 우리에게 구원이셨습니다. 생명이셨습니다. 평안이셨습니다. 주님은 우리의 삶을 새롭게 하셨습니다. 이것을 사실대로 말하는 것, 그것이 전도입니다.

사실이 아닌 것을 말하려고 하지 마십시오. 그것은 허구이고 소설입니다. 사실 그대로 말하는 것이 간증이고, 전도입니다. 자신을 드러내는 것이 아닙니다. 주님이 우리에게 어떤 일을 하셨는지 그리고 이 절망과 소외 속에 있던 인생을 주님이 어떻게 바꾸어 주셨는지, 우리 삶에 이토록 충만함과 감격을 주신 주님을 나타내는 것입니다. 이것이 그리스도인의 새로운 삶의 출발입니다.

이 공개적인 고백, 첫 번째 고백이 바로 세례(침례)의 사건입니다. 세례(침례)를 받는다는 것은 "나는 예수님을 믿고 새사람이 되었습니다. 예수님이 나를 새로운 인간으로 만드셨습니다"라는 것을 고백하는 것입니다. 그러나 세례(침례)라는 의식은 단 한 번이지만, 신앙의 고백은 우리 삶의 장을 통해서 날마다 이루어져야 합니다. 직장에서, 가정에서, 거리에서, "주님이 나를 고치셨어요, 예수님이 나에게 평안을 주셨어요, 주님이 나에게 새로운 삶을 주셨습니다"라고 고백하는 삶을 주님은 우리에게 요구하고 계십니다.

내 딸아, 평안을 향해 가라

예수님은 34절에서 이렇게 말씀하십니다.

> "예수께서 이르시되 딸아 네 믿음이 너를 구원하였으니 평안히 가라 네 병에서 놓여 건강할지어다"(막 5:34).

주님은 여인을 '딸'이라고 부르십니다.

"사랑하는 딸아!"

이 여인은 예수 그리스도를 신뢰하고 먼저 건강을 얻었습니다. 저는 이 여인이 병의 치유를 위해서만 예수님을 믿었다고 생각하지는 않습니다. 예수님이 자기 삶의 근원이 되심을 고백하게 되었을 것입니다. 이 사건을 계기로, 여인은 주님과의 빼앗길 수 없는, 흔들릴 수 없는 관계 속에 들어갔고, 하나님의 딸이 되는 놀라운 경험을 시작하게 된 것입니다.

"내 딸아!"

주님의 이 부르심이 얼마나 감격스러웠을까요? 원문에는 '평안히 가라'라는 말이 '평안을 향해 가라'라고 되어 있습니다. 얼마나 아름다운 말입니까?

"평안을 향해 가라. 너는 평안의 땅을 향해 가라. 이제 네 인생은 새로워졌다. 약속의 땅으로, 새로운 삶을 향해, 새로운 미래를 향해 가라."

오늘 우리의 삶은 그 평안을 향해서 가고 있습니까? 약속의 땅을 향해 가고 있습니까? 만약 오랜 교회 생활에도 불구하고 치료와 변화의 체험이 없다면, 왜 그럴까요?

믿음으로

어떤 사람은 교회에 와서 설교 한 번 듣고 인생이 바뀝니다. 저는 그런 사람을 많이 봤습니다. 딱 한 번 설교를 듣고 인생이 완전히 바뀝니다. 그런데 어떤 사람은 설교를 골백번 듣고도, 10년, 20년의 역사와 전통을 자랑하는 교인이 되고도 바뀌지 않습니다. 어제나 오늘이나 변함없이 그대로 앉아 있습니다. 그 차이가 어디에 있을까요? 그것은 믿음의 차이입니다.

'저 말씀 속에 내 인생을 바꿀 수 있는 생명이 있다. 하나님은 어떤 분이실까? 이 말씀 속에서 내게 말씀하실 주님을 기다린다. 주님, 오늘 이 말씀으로 나를 바꾸셔야 합니다. 제가 이 말씀을 기다립니다. 이것은 주님의 말씀입니다. 제가 주님의 진리를 기다립니다.'

이런 목마른 심정으로 주님에 대한 기대를 갖고 말씀을 받아들일 때 인생이 새로워지는 것입니다. 믿음으로 말씀을 받기 때문입니다.

저는 찬송을 부르다가 인생이 바뀌는 사람을 봤습니다. 이런 간증을 들었습니다.

"목사님, 저 오늘 찬송하다가 인생이 바뀌었어요."

정말 그럴 수 있을까요? 찬양 그 자체가 바꾼 것은 아닐 것입니다. 찬양을 부르다가 가사 속에서 주님을 만난 것입니다. 믿음으로 찬양을 부른 것입니다. 찬양의 가사가 자신의 신앙 고백이 되었고, 신앙의 구함이 되었습니다. 그렇게 찬양 속에 임하시는 주님을 경험한 것입니다.

어떤 사람은 "어, 오늘은 모르는 찬양이네? 찬양을 모르니 잘 안 불린다" 하고는 돌아갑니다. 그것은 찬양이 아닌 노래입니다. 믿음으로 하나님께 기쁨을 드리는 찬양, 믿음으로 연결된 찬양은 인생을 바꿉니다. 노래는 아무리 불러도 인생이 바뀌지 않습니다. 감상은 있지만, 평안은 없습니다.

기도하다 인생이 바뀌는 사람도 있습니다. 기도하다가 인생이 완전히 달라집니다. 기도하다가 은혜를 받습니다. 왜 그럴까요? 믿음으로 기도하기 때문에 그렇습니다. "주님, 제가 주님 앞에 나아갑니다. 주님 앞에 제 문제를 내어놓습니다. 주님만이 저를 아시지요? 주님만이 제 기도를 들으시지요? 주님만이 응답이시지요? 주님만이 저의 희망이십니다. 저의 마지막 소망 되신 주님, 저는 주님만을 신뢰합니다"라고 기도하는 순간 성령이 임하시고, 주님이 우리의 모든 짐을 담당하고, 우리를 바꾸시는 은혜를 체험합니다. 이처럼 믿음의 기도는 우리의 인생을 바꿉니다.

교회에 오랫동안 다니면 기도의 형식을 배웁니다. 머리를 숙일 줄도 알고, 손을 모을 줄도 압니다. 경건한 모습을 나타낼 줄도 압니다. 하지만 그것은 형식의 기도입니다. 형식의 기도, 종교에 속한 기도는 인생을 바꿀 수 없습니다. 믿음의 기도가 우리를 바꿉니다.

믿음으로 예배합니까? 믿음으로 말씀을 듣습니까? 믿음으로 기도합니까? 믿음으로 찬양합니까? 인생의 절망과 소외와 고독을 끌어안고 주님 앞으로 나오십시오.

"오, 주님. 제가 할 수 있는 방법을 다 동원했지만 그것들은 제 삶을 바꾸지 못했고, 제 삶은 여전히 고통이었습니다. 그러나 오늘 주님 앞에 나아갑니다. 그리고 주님을 만집니다."

단 한 번의 만짐으로 주님 안에 있던 능력이 당신에게 흘러 들어가리라 믿습니다.

우리에게 능력이 들어온다는 것은, 주님 편에서 보면 능력을 비워 내는 것입니다. 주님은 우리를 부요하게 하기 위해 당신을 가난하게 하셨습니다. 주님은 우리를 살리기 위해 스스로 십자가에 못박히셨습니다. 이 십자가의 고통과 아픔을 전제로, 지금 주님은 우리를 치료하고자 기다리십니다. 이 사랑하는 주님 앞으로, 우리의 모든 고통을 끌어안고 함께 아파하시는 주님 앞으로 나오십시오.

우리가 부르는 찬양 중에 "고통 가운데 계신 주님"(하스데반, 〈하나
님께로 더 가까이〉)이라는 가사가 있는데, 왜 이 고백이 나왔습니까?
그분은 우리의 고통 중에 함께 아파하시기 때문입니다. 자식이 고
통스러워하면 부모도 함께 고통스러워할 수밖에 없습니다. 우리의
고통 때문에 함께 고통스러워하며 십자가를 짊어지신 주님이 고통
중에 있는 인생을 향해 부르짖으십니다.

"수고하고 무거운 짐 진 자들아 다 내게로 오라"(마 11:28).

"아직 예수께서 말씀하실 때에 회당장의 집에서 사람들이 와서 회당장에게 이르되 당신의 딸이 죽었나이다 어찌하여 선생을 더 괴롭게 하나이까 예수께서 그 하는 말을 곁에서 들으시고 회당장에게 이르시되 두려워하지 말고 믿기만 하라 하시고 베드로와 야고보와 야고보의 형제 요한 외에 아무도 따라옴을 허락하지 아니하시고 회당장의 집에 함께 가사 떠드는 것과 사람들이 울며 심히 통곡함을 보시고 들어가서 그들에게 이르시되 너희가 어찌하여 떠들며 우느냐 이 아이가 죽은 것이 아니라 잔다 하시니 그들이 비웃더라 예수께서 그들을 다 내보내신 후에 아이의 부모와 또 자기와 함께한 자들을 데리시고 아이 있는 곳에 들어가사 그 아이의 손을 잡고 이르시되 달리다굼 하시니 번역하면 곧 내가 네게 말하노니 소녀야 일어나라 하심이라 소녀가 곧 일어나서 걸으니 나이가 열두 살이라 사람들이 곧 크게 놀라고 늘라거늘 예수께서 이 일을 아무도 알지 못하게 하라고 그들을 많이 경계하시고 이에 소녀에게 먹을 것을 주라 하시니라"(막 5:35-43).

16

달리다굼

복음으로
절망을 박차고 일어나라

저의 첫 미국 유학 시절, 신학교 과목 중 '사회봉사전도'가 있었습니다. 사회 봉사나 전도를 실습하고 보고하는 과목이었습니다. 우리는 주말마다 구세군이 운영하는 '보호소'(shelter)에 나가 한 학기 동안 봉사하기로 했습니다. 첫날 구세군이 운영하는 보호소에 갔을 때, 저는 충격을 금할 수 없었습니다.

'이 풍요의 나라 미국에도 이런 사람들이 있었구나!'

알코올 의존자, 마약 중독자 그리고 집을 나와 노숙하고 있는 사람들. 이런 사람들이 눈에 초점을 잃은 채 여기저기 누워 쓰러져 있는 모습을 보았습니다. 그들은 인생을 사는 것이 아니라, 차라리 삶을 포기한 사람들이었습니다. 그중에는 젊은이들도 있었습니다. 제가 한 청년에게 접근해서 "예수 믿으세요"라고 전도했습니다. 그는 들은 체도 하지 않았습니다. 그래서 큰 소리로 "예수님은 당신의 희망이 되십니다" 그랬더니 저를 쳐다보면서 이렇게 내뱉었습니다.

"난, 희망이 없어"(No hope, no hope).

프로그램에 따라서 신학생들의 순서가 시작되어 찬양을 했습니다. 그리고 간증 순서가 되었습니다. 저도 간증하는 세 사람 중에 포함되어 간증을 했습니다. 간증을 하다가 둘러보니, 조금 전 희망이 없다고 소리쳤던 청년이 듣고 있었습니다. 듣고 있으리라고 기대하지 않았는데, 잘 경청하고 있었습니다.

우리 중 한 사람이 짤막한 메시지를 전달하고 초청 시간이 되었습니다. 초청 시간에 함께 갔던 신학생들이 성가대를 만들어 찬송을 했습니다. 그때 마침 복음 성가 하나가 처음으로 소개되었습니다. 1970년대 초반이었는데, 미국 그리스도인들이 아주 좋아하는 찬송이었습니다. 지금은 우리에게도 아주 잘 알려져 있는 〈살아 계신 주〉(Because He Lives)입니다.

(1절)
주 하나님 독생자 예수 날 위하여 오시었네
내 모든 죄 다 사하시고 죽음에서 부활하신 나의 구세주

(후렴)

살아 계신 주 나의 참된 소망 걱정 근심 전혀 없네

사랑의 주 내 갈 길 인도하니 내 모든 삶의 기쁨 늘 충만하네

우리말 번역으로는 '걱정 근심 전혀 없네'지만, 직역하면 '모든 두려움은 사라졌네'(All fear is gone)입니다. 그리고 그다음 가사는 '그분이 계시기에 인생은 살 만한 가치가 있는 것, 그분이 살아 계시기에 나는 내 인생의 미래를 만날 수 있네'입니다.

이 찬송을 부르고 구원 초청을 하는데, 갑자기 그 청년이 뚜벅뚜벅 걸어오더니 앞에 섰습니다. 그리고 메시지를 증거한 우리 중 한 사람이 "정말 예수님을 영접하고 새로운 삶을 살기를 원한다면 이 기도를 따라서 하십시오"라고 했는데, 그 청년이 기도를 따라서 하기 시작했습니다. "주 예수님, 제가 주님 앞에 돌아옵니다. 저는 죄인입니다. 주님을 영접하고 새로운 인생을 살고 싶습니다"라고 고백하는 그의 눈에서 눈물이 흘러내리고 있었습니다. 저는 그날 죽은 사람이 살아나는 것을 보았습니다. 죽은 인생이었다가 그리스도를 영접하고 새로운 생명의 삶을 얻게 된 것입니다.

작은 아이야, 일어나라

본문에서도 열두 살 소녀가 죽음에서 다시 살아나는 기적의 드라마

가 일어납니다. 그 소녀는 죽었습니다. 죽음은 나이 많은 사람뿐 아니라 청년도 삼키고, 어린아이도 삼킬 수 있습니다. 열두 살 먹은 소녀, 죽은 그 소녀 곁에 예수님이 다가와 한마디 말씀을 하십니다.

"달리다굼!"

아람어 '달리다굼'(Talitha kum)은 그 당시 상당히 많이 쓰이던 보편적인 단어였다고 합니다. 아이들이 십 대가 되면 아침에 잘 일어나지 못합니다. 그래서 아침이 되어 날이 밝아 오면 부모가 자녀들을 깨웁니다.

"야, 어서 일어나라."

달리다굼은 이럴 때 사용되었던 말입니다. 여기서 '달리다'는 '아주 작은 것, 미천한 것, 불쌍한 것, 연약한 것'을 뜻하는 단어입니다. 즉 '작은 아이야'라는 말입니다. 그리고 '일어나라'는 '굼' 또는 '구미'입니다. "나의 사랑하는 작은 아이야, 일어나라"라는 이 말씀과 함께 소녀는 벌떡 일어납니다. 새로운 삶이 시작되는 순간입니다. 일어날 수 없는 사람이 일어나는 기적이 일어났습니다.

오늘 우리가 살고 있는 시대는 절망의 시대입니다. 주저앉아 버린 인생을 주변에서 얼마든지 볼 수 있습니다. 그들에게 필요한 것은 기적입니다. 단순한 도덕이나 사회적 갱신이 아닌, 기적이 필요합니다. 생명의 기적이 필요합니다. 그들이 들어야 할 것은 예수님의 음성입니다.

"달리다굼! 사랑하는 아이야, 일어나라!"

이 음성을 듣는 자마다 일어날 것입니다.

주님 앞에 엎드리다

본문에 나타난 부활의 기적, 그것이 우리 삶에서도 일어나기 위해서는 어떻게 해야 할까요? 우리 삶이 부활의 기적을 경험하려면 무엇을 해야 할까요?

첫째는, 문제를 가지고 예수님 앞으로 나아갈 줄 알아야 합니다. 사건의 시작은 사실 35절이 아닙니다. 앞에 기록된 내용을 보십시오.

> "회당장 중의 하나인 야이로라 하는 이가 와서 예수를 보고 발아래 엎드리어 간곡히 구하여 이르되 내 어린 딸이 죽게 되었사오니 오셔서 그 위에 손을 얹으사 그로 구원을 받아 살게 하소서 하거늘"(막 5:22-23).

성경을 보면 소녀의 아버지는 '회당장'이었습니다. 회당장은 이스라엘 사회에서 아주 높은 신분, 높은 지위에 있었던 사람이라고 할 수 있습니다. 우리는 회당을 단순히 종교적 기능을 발휘하는 곳으로만 생각하기 쉽습니다. 그러나 회당은 이스라엘 백성의 삶의 한복판에 있었던 기관입니다. 여기에서는 종교적 기능도 수행되지만, 더 많은 사회적 기능이 수행되었습니다. 회당은 학교의 역할도 했고, 재판소의 역할도 했습니다. 회당장은 문제를 가지고 나오는 사람들에게 마지막 판결을 내리는 재판관과 비슷한 역할까지 겸하고 있었습니다. 그에게는 사회적 명예와 존경이 뒤따르고 있었습니다. 회당마다 적어도 열 명쯤의 관리가 있었고, 큰 회당의 경우에는 회당장이 세 사람씩 배치되어 있었습니다.

이 정도의 신분을 누리는 사람이라면 예수님을 찾는 것이 쉽지 않습니다. 그 당시 예수님은 젊은 예언자, 아직 사회적으로 공인되지 못한 이단의 교주처럼 취급될 수도 있었습니다. 그런데 회당장이 그 예수님 앞에 나와서 엎드립니다. 그냥 나와서 예수님을 만난 것이 아니라, 발아래 엎드렸다고 했습니다.

이 정도의 사회적 신분을 가진 사람이 예수님 앞에 엎드린다는 것은 쉬운 일이 아닙니다. 그러나 그에게는 문제가 있었습니다. 사랑하는 딸이 죽어 가고 있었습니다. 별별 노력을 다했을 것입니다. 그러나 살릴 길이 없었습니다. 이제 마지막 희망, 마지막 소망을 예수님께 걸고, 그는 예수님 앞에 엎드린 것입니다.

그러고 보면 인생을 살아가면서 경험하는 고통이 꼭 나쁘지만은 않습니다. 사랑하는 딸로 인한 고통이 없었더라면 이 회당장이 예수님 앞에 나왔을까요? 우리를 비롯한 주변의 그리스도인 중에도 고통 받지 않았더라면, 인생의 역경이 없었더라면, 비바람과 폭풍우가 없었더라면 예수님 앞에 나올 수 없었던 사람이 많을 것입니다. 그래서 옛날 청교도들은 고통이나 역경을 가리켜서 '변장된 축복'이라고 불렀습니다.

이 고통이, 이 역경이 회당장을 겸손하게 만들었습니다. 그는 자기가 가지고 있는 지식과 사회적 신분과 지위에도 불구하고 겸허하게 나사렛 예수 앞에 엎드립니다. 엎드려서 어떻게 합니까?

"간곡히 구하여"(막 5:23).

개역한글 성경은 "많이 간구하여"라고 옮겼습니다. 한 번만 호소한 것이 아닙니다. "선생님, 살려 주세요. 제 딸을 살려 주세요. 부탁입니다. 제발 살려 주십시오"라고 소리치고 부르짖는 이 사람의 모습을 보십시오.

저는 한국인들에게 있어서 예수님 앞으로 나오지 못하게 하고 하나님의 은혜를 경험하지 못하게 만드는 가장 커다란 장해물은 '체면'이라고 생각합니다. '체면'에 가장 민감한 민족은 아마 한국 사람과 일본 사람일 것입니다. 우리는 체면에 매우 민감합니다. 예수님을 믿고 싶어도, 은혜를 받고 싶어도, 깊이 하나님의 은혜 속으로 들어가고 싶어도 체면 때문에 그렇게 하지 못합니다.

제가 자주 언급하지만, 한국말에서 유달리 발달한 언어 가운데 하나가 바로 얼굴과 관련된 표현입니다. '체면'(體面)에서 '면'(面)이라는 말이 '얼굴'인 것처럼 말입니다. '뵐 낯이 없다', '면목이 서지 않는다', '얼굴을 들 수가 없다', '그 사람 얼굴 한번 넓다', '그 사람 얼굴이면 통하지 않는 데가 없다', '얼굴에 먹칠하지 마라', '제 얼굴을 봐서'와 같이 얼굴에 대한 표현이 얼마나 발달했는지 모릅니다. 사람들은 체면 때문에 인생의 절박한 문제를 안고도, 해결할 수 없는 인생의 딜레마를 안고도 주님 앞에 나오지 못합니다.

예수님과 함께 걸으라

인생에서 주님의 부활의 능력, 부활의 소망을 체험하기 원합니까? 그렇다면 둘째로, 문제를 가지고 예수님 앞에 엎드려 보십시오. 우리 인생의 마지막 희망, 최후의 희망을 걸고 주님 앞에 엎드려 보십시오. 그때 부활의 기적이 시작될 것입니다. 당신의 인생 속에 부활의 능력이 필요하다고 느낍니까? 우선은 그 문제를 가지고 주님 앞에 엎드리고, 아직 문제가 해결되지 않았어도 예수님과 함께 걸어가십시오. 본문 23절을 다시 한번 보십시오.

> "간곡히 구하여 이르되 내 어린 딸이 죽게 되었사오니 오셔서 그 위에 손을 얹으사 그로 구원을 받아 살게 하소서 하거늘"(막 5:23).

그다음에 어떤 사건이 일어났습니까?

> "이에 그와 함께 가실새 큰 무리가 따라가며 에워싸 밀더라"(막 5:24).

어떤 일이 생겼습니까? '그와 함께' 가셨습니다. 예수님이 응답하신 것입니다. 필요하면 주님이 응답하신다는 것을 믿습니까? "주님, 저희 집에 오세요"라고 말할 때, 우리 집에 찾아오기를 즐겨 하시는 주님이라는 사실을 알고 있습니까? 그런데 왜 가지고 있는 문제와 갈등과 불안에도 불구하고 예수 그리스도를 초청하지 않습니까?

초청했을 때 예수님은 함께 가셨습니다. 회당장은 예수님을 만났고, 이제 드디어 예수님과 함께 걷기 시작했습니다. 그러나 아직 그의 문제는 해결되지 않았습니다. 물론 그는 '주님만 우리 집에 가시면 그리고 우리 아이에게 손을 얹으시면 아이는 살아날 것이다'라는 해결의 희망을 안고 걷고 있었을 것입니다. 그런데 그가 주님과 함께 걷고 있었던 도상에서 또 하나의 사건이 발생합니다.

"열두 해를 혈루증으로 앓아 온 한 여자가 있어"(막 5:25).

이 사건은 열두 해 동안 혈루증을 앓아 온 여자가 치료되는 사건과 맞물려 있습니다. 회당장 야이로의 집으로 가고 있었는데, 그 길에서 한 여인이 주님 앞에 나와서 도움을 구합니다. 이 여인은 치료를 받습니다. 좋은 일입니다. 그러나 회당장 야이로 편에서 보면, 이것은 안타까운 일입니다. 사랑하는 딸의 목숨이 지금 경각에 달려 있습니다. 1분, 1초가 아쉬운데 이 열두 해 동안 혈루증을 앓아 온 여인의 출현으로 인해 사랑하는 딸의 치유가 지연될 수밖에 없는 일이 벌어진 것입니다. 회당장 편에서 이것은 방해거리였습니다.

믿음을 강화시키고 테스트하는 사건

왜 주님이 이런 사건을 허용하셨을까요? 이유가 있습니다. 우선, 이 것은 회당장의 믿음을 강화시켜 주시려는 의도적인 사건이 아니었을까 생각합니다. 내 문제가 급합니다. 내 문제가 빨리 해결되어야 합니다. 가만히 보니 주변 사람들은 기도해서 빨리빨리 응답을 받습니다. 다른 사람은 다 응답받는데, 나만 못 받는 것 같습니다. 당신은 이런 느낌을 받은 적이 없습니까? 다른 사람은 다 해결되는데, 나만 해결되지 않습니다.

다른 사람들이 기도 응답을 받고 문제 해결을 경험하는 것을 보면서 무엇을 느낍니까?

"하나님, 다른 사람의 기도는 다 들어주시면서 왜 제 기도는 안 들어주십니까?"

이렇게 접근하지 말고 다음과 같이 접근하기 바랍니다.

"제 친구의 기도에 응답하신 주님, 제 기도에도 응답해 주실 줄 믿습니다."

"제 주변 이웃들에게 자비와 긍휼을 베풀어 주신 주님, 저에게도 동일한 자비와 긍휼을 베풀어 주시리라 믿습니다."

"제 이웃을 불쌍히 여기신 주님, 열두 해를 혈루증을 앓다가 인생을 포기해 버린 사람의 기도를 듣고 자비를 베풀어 치료해 주신 주님, 저희 집에서도 동일한 역사를 이루실 줄 믿습니다."

이처럼 이웃들을 보면서 우리의 믿음이 강화될 수 있어야 합니다.

그러나 한편으로는, 회당장 야이로의 믿음을 테스트하시는 사건이었다고 생각합니다. 갈 길이 바쁩니다. 그러나 주님은 지체하고 계십니다. 성질 급한 사람은 여기서 모든 것을 때려치우고 돌아갈 수도 있습니다. 그런 의미에서 이 사건은 주님이 그의 믿음을 시험하시는 사건이라고 볼 수 있습니다.

"네가 기다릴 수 있느냐? 포기하지 않고 기다릴 수 있느냐?"

바로 이러한 시험이 이 사건에 내재되어 있다고 생각할 수 있습니다.

예수님의 생애를 관찰하던 사고 분석 기자가 특별히 기도의 교훈을 중심으로 써 내려간 복음서가 누가복음입니다. 누가복음을 읽어 보면 유달리 기도에 관한 가르침이 많이 기록되어 있습니다. 누가복음 18장에는 우리가 잘 아는 사건이 나옵니다. 억울한 일을 당한 한 과부가 재판장에게 와서 자기의 억울한 사정을 해결해 달라고 호소하는 사건이 기록되어 있습니다. 그런데 이 비유를 말하면서 누가복음 18장 1절은 어떤 말씀으로 시작됩니까?

"항상 기도하고 낙심하지 말아야 할 것을 비유로 말씀하여."

주님은 단 한 번의 기도로 우리 인생의 모든 문제가 해결된다고 강조하지 않으십니다. 어떤 경우에는 문제 해결보다도 더 중요한 가르침을 위해서 기다리게 하십니다. 주님은 일련의 과정을 통해 주님과의 관계에 신뢰가 생기도록, 문제의 해결을 지연시키면서 기도하게 하십니다. 그렇다면 더 엎드려야 합니다. 더 기다려야 합니다. 항상 기도하고 낙심하지 말아야 합니다. 포기하지 마십시오. 계속 기도하십시오.

"구하라 그러면 너희에게 주실 것이요 찾으라 그러면 찾아낼 것이요 문을 두드리라 그러면 너희에게 열릴 것이니"(눅 11:9).

여기서 '구하라, 찾으라, 문을 두드리라'는 말씀은 한 번만 그렇게 하라는 것이 아닙니다. 본뜻은 '계속해서 구하라, 계속해서 찾으라, 계속해서 문을 두드리라'는 것입니다.

몇 번 두드려 봐도 열릴 것 같지 않습니까? 닫힌 문 앞에서 절망하여 인생을 포기하고 싶습니까? 더 두드리십시오. 아직 포기할 때가 아닙니다. 더 구하고, 찾고, 두드리십시오. 마침내 열릴 것입니다. 아직 문제가 해결되지 않았어도, 주님이 곁에 계신다면 절망의 때는 아닙니다. 계속 두드리기 바랍니다.

주님이 곁에 계신다면 염려하지 마십시오. 계속 구하기 바랍니다. 아직 문제가 해결되지 않았어도 주님 곁에 머물러야 합니다. 우리 인생 속에서 마침내 부활의 기적을 체험하고 하나님의 위대한 능력을 맛보기를 원한다면 말입니다.

절망 속에서도 믿으라

셋째는, 최악의 절망 속에서도 예수님을 믿어야 합니다.

> "아직 예수께서 말씀하실 때에 회당장의 집에서 사람들이 와서 회
> 당장에게 이르되 당신의 딸이 죽었나이다 어찌하여 선생을 더 괴
> 롭게 하나이까"(막 5:35).

집에서 사람들이 왔습니다. 가족도 오고, 하인도 왔을지 모릅니
다. "당신의 딸은 죽었습니다"라는 말로 상황은 끝났습니다. 희망
은 사라졌습니다. 철저한 절망의 보고였습니다. 회당장의 집에서
는 이미 장례식 준비가 한창이었을 것입니다. 38절 이하에서 장례
식의 광경을 들여다볼 수 있습니다.

> "회당장의 집에 함께 가사 떠드는 것과 사람들이 울며 심히 통곡
> 함을 보시고 들어가서 그들에게 이르시되 너희가 어찌하여 떠들
> 며 우느냐"(막 5:38-39).

사람들이 떠들며 울고 있습니다. 시끄럽고 복잡한 상황으로 미
루어 볼 때 사람들은 혼란스러워하고 있습니다. 옆에서는 통곡 소
리가 들려옵니다. 그러나 이 절망의 한복판에서 예수님은 뭐라고
말씀하십니까?

"예수께서 그 하는 말을 곁에서 들으시고 회당장에게 이르시되 두려워하지 말고 믿기만 하라"(막 5:36).

현재 시제로 기록되어 있습니다. 현재 명령형입니다. "두려워하지 말고 믿어라!", "계속해서 믿어라!"라는 말입니다. 상황 끝입니다. 절망입니다. 그런데도 주님은 아직도 "계속해서 믿어라! 이 순간에도 계속해서 믿음을 저버리지 않는다면, 상상할 수 없었던 기적이 일어날 수 있다"라고 말씀하십니다. 그리고 그 기적은 마침내 일어났습니다.

인생을 살면서 경험하는 최후의 절망은 무엇입니까? 바로 죽음입니다. 죽음은 모든 사람을 삼킵니다. 어린이도, 젊은이도, 노인도 삼킵니다. 죽음의 확률은 100퍼센트입니다. 죽지 않을 사람은 아무도 없습니다. 그러나 이 최악의 절망 속에서도 주님은 우리에게 믿음을 요구하십니다.

또 하나의 부활의 드라마라고 할 수 있는 나사로 사건이 있습니다. 나사로가 죽었을 때, 주님은 그의 무덤 앞에서 놀라운 메시지를 선포하셨습니다.

"나는 부활이요 생명이니 나를 믿는 자는 죽어도 살겠고 무릇 살아서 나를 믿는 자는 영원히 죽지 아니하리니"(요 11:25-26상).

그런데 거기서 끝나지 않습니다. 위대한 선포에 이어서 이렇게 말씀하십니다.

"이것을 네가 믿느냐"(요 11:26하).

우리가 최악의 절망 속에서도 주님을 믿으면, 그 믿음을 통해서 하나님의 영광의 기적을 체험하게 될 것입니다.

기적이 일어났습니다. 소녀가 살아나는 부활의 위대한 기적이 일어났습니다. 육체적 사망에 대한 하나님의 대답은 부활입니다. 부활이 확실하다면 죽음을 두려워할 필요가 없지 않습니까? 잠자리에 들면서 절망하는 사람은 없습니다. 부활의 소망이 확실하다면 죽음의 사건 앞에서 절망할 필요가 없습니다. 약속의 말씀을 붙들고 주님에 대한 신뢰를 고백할 수 있습니다.

그러나 육체적 사망 못지않은 또 하나의 절망은 영적 사망일 것입니다. 사람들은 육체적 사망은 두려워하고 고민하면서 영적 사망은 두려워하지 않습니다. 영적 사망이 무엇입니까? 영적 죽음, 그것은 하나님과 단절된 채 인생을 사는 것입니다. 그런 사람은 살아 있으나 죽은 것입니다.

그런데 하나님은 우리를 사랑하여 살리기 위해 당신과 우리 사이에 중보자로 예수 그리스도를 보내셨습니다.

"하나님은 한 분이시요 또 하나님과 사람 사이에 중보자도 한 분이시니 곧 사람이신 그리스도 예수라"(딤전 2:5).

예수님은 하나님과 우리 사이에 오시어 관계를 단절시킨 죄를 짊어지고 십자가에서 보배로운 피를 쏟은 후 장사한 지 사흘 만에 부활하셨습니다. 그 예수 그리스도를 믿고 영접하는 순간, 우리는 죄 사함을 받고 하나님을 '아버지'라 부릅니다. 하나님과 우리 사이의 관계가 연결됩니다. 우리가 영적으로 부활합니다. 새로운 생명을 얻고 새로운 삶이 시작되는 것입니다.

세례(침례)를 받은 사람은 그것을 고백한 것입니다. 물속에 들어갔다가 나오는 순간, '나'는 죽고 예수님 안에 있는 새로운 생명을 받아들임으로 주님 안에서 새로운 피조물이 되어 하나님의 자녀가 되는 것입니다. 그렇게 새로운 사람으로 새 출발하는 것입니다.

동시에 세례(침례)식은 또 하나의 위대한 사건을 상징합니다. 구원받은 사람도 육체적으로는 죽습니다. 그러나 주님이 다시 오시는 날, 육체적으로도 부활할 것입니다. 우리가 물속에서 나오는 광경은 부활의 그림입니다. 주님이 오시는 날, 우리는 다시 살 것입니다.

부활의 위대한 주님은 우리에게 새로운 생명을 주고 새로운 삶을 살게 하십니다. 죽음 건너편에 있는 부활의 소망을 약속하십니다. 인생을 살다가 무력함에 시달려 좌절하고 주저앉아 앞이 캄캄할 때도, 주저앉은 우리 곁에 부활의 주님은 어김없이 다가오십니다. 다가와서 뭐라고 말씀하실까요?

"달리다굼! 나의 사랑하는 자녀야, 일어나라!"

주님의 말씀을 들을 때, 우리는 다시 일어날 수 있습니다. 약속의 말씀은 우리의 소망입니다.

> "내가 진실로 진실로 너희에게 이르노니 내 말을 듣고 또 나 보내
> 신 이를 믿는 자는 영생을 얻었고 심판에 이르지 아니하나니 사망
> 에서 생명으로 옮겼느니라 진실로 진실로 너희에게 이르노니 죽
> 은 자들이 하나님의 아들의 음성을 들을 때가 오나니 곧 이때라
> 듣는 자는 살아나리라"(요 5:24-25).

죽어 있던 자들은 하나님의 음성을 듣는 순간 살아날 것입니다. 그렇습니다. 주님의 음성, 주님의 말씀에는 생명이 있습니다. 주님의 말씀이 소망과 희망이 되어, 우리가 그 말씀을 신뢰하는 순간 절망을 박차고 일어날 것입니다. 달리다굼! 일어나십시오. 새로운 미래를 향해서 걸어가기 바랍니다.

"예수께서 거기를 떠나사 고향으로 가시니 제자들도 따르니라 안식일이 되어 회당에서 가르치시니 많은 사람이 듣고 놀라 이르되 이 사람이 어디서 이런 것을 얻었느냐 이 사람이 받은 지혜와 그 손으로 이루어지는 이런 권능이 어찌됨이냐 이 사람이 마리아의 아들 목수가 아니냐 야고보와 요셉과 유다와 시몬의 형제가 아니냐 그 누이들이 우리와 함께 여기 있지 아니하냐 하고 예수를 배척한지라 예수께서 그들에게 이르시되 선지자가 자기 고향과 자기 친척과 자기 집 외에서는 존경을 받지 못함이 없느니라 하시며 거기서는 아무 권능도 행하실 수 없어 다만 소수의 병자에게 안수하여 고치실 뿐이었고 그들이 믿지 않음을 이상히 여기셨더라 이에 모든 촌에 두루 다니시며 가르치시더라"(막 6:1-6).

17

거기서 권능을
행하실 수 없는 이유

편견에 눈감을 때
기적을 보게 된다

오래전, 미국 LA에 있는 풀러신학교에서 선교신학을 가르치던 교수님에게 들은 이야기입니다. 신학생들이 단기 선교를 떠났습니다. 텍사스주에 멕시코와 국경이 맞닿아 있는 마을을 선택해서 여름철 전도 활동을 하게 되었습니다. 길 하나를 사이에 두고 이쪽은 미국, 길 건너는 멕시코입니다. 전도가 시작되었습니다. 먼저 미국 쪽 길을 따라서 가게마다, 집집마다 들어가 전도지를 주면서 전도를 했습니다.

"예수 믿으세요. 예수 믿으세요."

사람들은 친절하게 전도지를 받았고, 어떤 사람은 "수고하십니다"라며 격려도 해 주었습니다. 전도가 잘되어 가자 단원들은 사기가 올랐습니다. 격려를 받고 힘이 생겼습니다.

미국 쪽 길을 다 전도한 다음 길을 건넜습니다. 멕시코 쪽에서 전도지를 나누어 주기 시작했습니다. 그런데 전도지를 안 받는 것입니다. 오히려 싸늘한 눈초리로 가라며 소리를 질렀습니다. 원래 멕시코인들은 매우 친절합니다. 노래를 좋아하고, 사람들과 어울리기를 좋아하는데, 전혀 예상하지 못한 반응에 신학생들이 충격을 받았습니다. 배척을 받으니 기운도 없어지고 힘도 빠졌습니다. 그날 밤, 전도 팀이 모여서 기도를 했습니다.

"하나님, 왜 그렇습니까?"

그리고 다음 날, 새벽 기도회 중에 아이디어 하나가 떠올랐습니다. 전도하기 전에 먼저 기도 행진(prayer walk)을 하는 것이었습니다. 마음속으로 멕시코인 마을을 위해 열심히 기도하면서 걸었습니다.

"하나님, 이들의 마음을 붙들고 있는 악한 영들이 지금 전도를 훼방하고 있다면, 그 악한 영들을 예수의 이름으로 물리쳐 주시고, 저들의 마음에 복음을 받아들일 수 있는 여유를 주시옵소서. 자유를 주시옵소서."

이렇게 속으로 기도하면서 기도 행진을 한 후에 전도지를 주었더니 잘 받았다고 합니다.

길 하나를 사이에 두고 미국 사람들과 멕시코 사람들이 보여 주었던 복음에 대한 극단적이고 대조적인 반응. 한쪽에서는 환영하고, 한쪽에서는 철저하게 복음을 배척하며 냉담하게 대했던 두 반응을 생각해 보십시오.

선지자는 고향에서 환영받지 못한다

예수님도 이와 비슷한 경험을 하셨습니다. 본문은 이렇게 시작됩니다.

> "예수께서 거기를 떠나사 고향으로 가시니 제자들도 따르니라"
> (막 6:1).

거기가 어디입니까? '가버나움'입니다. 가버나움은 갈릴리 지역의 중심이 되는 곳입니다. 예수님은 가버나움을 중심으로 많은 활동을 하셨습니다. 지금도 이스라엘에 가면 카파르나움 입구에 'The Town of Jesus'(예수님의 마을)라는 간판이 붙어 있습니다. 예수님은 이 마을에서 아주 놀라운 일을 많이 행하셨습니다. 야이로의 딸이 벌떡 일어났고, 열두 해 동안 혈루증을 앓던 여인이 고침을 받았습니다.

예수님은 가버나움 회당의 회당장인 야이로의 초청을 받고 그의 딸을 위해서 걸어가시던 중이었는데, 많은 무리가 에워싸고 있었습니다. 수많은 사람이 그분을 보려고, 그분을 만지려고 몰려들었습니다. 예수님은 가버나움의 영웅이었습니다. 많은 사람이 예수님을 만나고자 했습니다. 그리고 예수님은 그곳에서 놀라운 일을 행하셨습니다.

그런데 갑자기 고향 생각이 나셨습니다. 왜 그랬을까요? 아마 이제는 좀 쉬고 싶으셨는지도 모릅니다. 고향은 언제나 우리에게 안식을 줍니다. 그래서 갑자기 고향에 가고 싶은 생각이 들었는지도 모릅니다. 어쩌면 가버나움에서 행한 놀라운 기적과 권능을 고향 사람들과 함께 나누고 싶으셨는지도 모릅니다. 어쨌든 예수님은 고향으로 가고 싶어 하셨습니다.

예수님의 고향이 어디입니까? 나사렛입니다. 베들레헴에서 태어나셨지만, '베들레헴 예수'라고 부르지 않습니다. 예수님의 부모가 호적 때문에 잠시 베들레헴에 내려갔다가 그곳에서 태어나신 것일 뿐, 예수님이 자라난 곳은 나사렛이었습니다. 나사렛과 가버나움은 먼 거리가 아닙니다. 제가 차를 타고 가 보니 가버나움에서 나사렛까지 30분 안에 갈 수 있을 것 같았습니다. '수지-분당' 정도밖에 안 되는 거리입니다. 가버나움에서 환영을 받고 기적을 행하셨던 주님이 이제 고향 나사렛으로 오십니다.

그 당시 유대인 랍비들은 길을 갈 때 혼자 걷지 않았습니다. 항상 아들을 데리고 걸었습니다. 예수님도 공적 생애를 시작하고 제자들을 부르셨습니다. 랍비가 된 예수님은 제자들을 데리고 고향 나사렛에 오셨습니다.

결론부터 말하자면, 예수님이 나사렛에서 환영받으셨습니까, 배척받으셨습니까? 우리가 잘 아는 대로 배척받으셨습니다. 이상하게도 얼마 전 가버나움에서는 놀라운 환영을 받고 사람들의 관심의 대상이었던 예수님이 고향에 와서는 냉대를 받으십니다. 이때 예수님이 하신 유명한 말씀이 바로 4절입니다.

> "선지자가 자기 고향과 자기 친척과 자기 집 외에서는 존경을 받지 못함이 없느니라"(막 6:4).

그런데 중요한 것은, 예수님이 나사렛에서는 기적을 행하지 않으셨다는 것입니다. 가버나움에서는 기적을 나타내고 주의 권능과 은혜를 베풀어 주셨던 주님이 나사렛에서는 아무 기적을 행하지 않으셨습니다.

> "거기서는 아무 권능도 행하실 수 없어 다만 소수의 병자에게 안수하여 고치실 뿐이었고"(막 6:5).

이 얼마나 비극입니까? 나사렛 마을 사람들은 손해를 본 것입니다. 그들은 주님의 은혜와 구원을 경험하지 못했고, 주님의 영광을 목격하지도 못했으며, 주님의 위대한 능력을 체험할 기회도 잃었습니다. 그분을 통해서 나타나야 할 위대한 은혜와 사랑과 기적의 기회를 상실하고 말았습니다. 커다란 비극입니다.

오늘 이 비극이 우리 집, 우리 자신에게 일어나고 있는 것은 아닐까요?

호기심을 넘어서지 못하다

그러면 예수님이 나사렛 땅에서 기적을 행하시지 않은 이유는 무엇이었습니까? 나사렛 사람들은 호기심 그 이상을 추구하지 못했기 때문입니다. 그들이 진리를 찾는 데 있어서 호기심의 차원을 넘어서지 못한 것이 첫 번째 원인이라 할 수 있습니다.

> "안식일이 되어 회당에서 가르치시니 많은 사람이 듣고 놀라 이르되 이 사람이 어디서 이런 것을 얻었느냐 이 사람이 받은 지혜와 그 손으로 이루어지는 이런 권능이 어찌됨이냐"(막 6:2).

나사렛 고향 마을 사람들도 예수님께 관심은 있었습니다. 그들이 잘 알던 예수님의 가르침에 상당히 놀랐습니다.

'도대체 어디서 저런 지혜를 얻었을까? 가버나움에서는 기적을 많이 행했다는데, 그런 권능의 출처는 도대체 어디일까?'

그들의 마음속에서 의문이 생겼습니다. 그것은 어쩌면 진지한 호기심이었을 것입니다. 그러나 불행하게도, 나사렛 사람들이 예수님에 대해 가졌던 호기심은 생산적인 결과를 유도하지 못했습니다.

호기심은 좋은 것입니다. 호기심 때문에 과학이 발달하고, 예술이 발달하고, 문화가 발달합니다. 호기심은 우리에게 생산적인 결과를 가져오기도 합니다. 그러나 호기심은 불행하고 파괴적인 결과를 가져올 수도 있습니다.

살아 있는 사람이라면 호기심이 있게 마련입니다. 건강한 사람도, 자라고 있는 사람도 호기심이 있습니다. 십 대들을 생각해 보십시오. 십 대가 되면 이성에 눈을 뜨기 시작합니다. 호기심이 생깁니다. 성(性)에 대한 호기심은 자연스러운 것입니다. 생물발달학적으로 누구나 가질 수밖에 없는 호기심입니다. 어떤 사람은 이 호기심을 잘 발달시켜서 건강한 데이트를 하고, 또 건강한 짝을 만나 건강한 결혼을 하고 건강한 가정을 형성합니다. 어떤 사람은 사랑 때문에 시를 짓다가 시인이 되고, 어떤 사람은 사랑 때문에 노래를 하다가 위대한 음악가가 되기도 합니다. 호기심은 우리에게 생산적인 결과를 가져올 수 있습니다.

그러나 어떤 십 대들은 성에 대한 호기심이 극도로 부자연스럽게 발전된 나머지 포르노 중독자가 되기도 합니다. 음란 잡지, 음란 영상물 등을 주목하고 탐닉하다가 자기도 모르게 성적 도착증 환자가 되어서 일생을 그르치는 사람도 없지 않습니다. 호기심이 잘못 유도된 파괴적인 결과라 할 수 있습니다.

또 살다 보면 돈에 대한 호기심도 생깁니다.

'아, 돈에는 상당한 능력이 있구나. 힘이 있구나. 돈은 정말 필요한 거구나. 돈을 벌자. 돈을 벌기 위해서 열심히 일하자.'

그래서 땀 흘리며 일하기 시작합니다. 열심히 일합니다. 그래서 좋은 사업가가 됩니다. 돈을 벌어서 돈을 잘 관리합니다. 이것은 좋은 결과, 생산적인 결과입니다. 그러나 어떤 사람은 '돈이 최고야. 수단과 방법을 가리지 말고 돈을 모으자' 하며 남의 집을 넘습니다. 창문을 부수고 들어갑니다. 두드려 패고 빼앗습니다. 강도가 됩니다. 똑같은 호기심이지만 결과는 너무 다릅니다.

허레이쇼 앨저(Horatio Alger)라는 미국 문학가가 있습니다. 《누더기를 입은 딕》(Ragged Dick)이라는 소설로 유명한 작가인데, 그의 작품 중에 안데르센(Hans Christian Andersen)의 작품과 제목이 비슷한 《성냥 파는 소년 마크》(Mark the Match Boy)라는 작품이 있습니다. 아주 아름다운 이야기입니다. 성냥을 파는 가난한 소년, 그 소년은 가난하지만 꿈이 있었습니다. 꿈은 돈보다 귀한 것입니다. 소년은 꿈을 잘 관리하고 키워서 불행한 삶을 극복하고 행복한 삶을 찾습니다. 그러나 아름다운 이야기를 썼던 앨저의 인생은 그의 작품처럼 아름답지 못했습니다. 아름답지 못한 정도가 아니라 비극이었습니다.

앨저는 하버드 출신의 신학생이었습니다. 잠시 목사 일을 했던 그는 그 일이 적성에 맞지 않는다고 생각하여 목회를 그만두고 사업에 뛰어들어 돈을 벌기 시작했습니다. 그런데 돈을 벌수록 욕심이 생겼습니다. 그는 그렇게 돈에 대한 욕망을 키워 가며 사업에 매달렸습니다. 돈이 계속 들어왔습니다.

그러나 돈은 사람을 부패시키기 시작합니다. 앨저는 방탕한 삶을 시작합니다. 결혼을 했지만 곧 파경을 맞았습니다. 깊은 방탕 속에서 도박에도 손을 댔습니다. 나중에는 삶의 방향을 완전히 잃어버리고, 조현병(정신 분열증) 환자가 되어 비참한 최후를 맞았습니다.

돈에 대한 호기심이 그의 인생을 망쳐 버리고 만 것입니다.

호기심을 넘어 탐구로

이렇듯 우리 인생은 여러 가지 호기심을 가지고 살아갑니다. 섹스에 대한 호기심, 돈에 대한 호기심, 권력에 대한 호기심. 그렇다면 우리의 진리에 대한 호기심은 어떨까요?

'예수님을 알고 싶다. 하나님은 어떤 분일까? 예수 안에서 살아가는 삶은 어떤 것일까?'

당신에게는 이런 진리에 대한 호기심이 있습니까?

나사렛 사람들은 예수에 대한 호기심이 생겼습니다. '우리가 알던 예수인데 달라졌다. 저 예수가 누구일까?' 하는 호기심이 생겼습니다. 그러나 그들은 그 호기심을 예수님에 대한 진지한 탐구로 연결시키지 못했습니다. 그들이 가졌던 예수님에 대한 호기심을 믿음으로 연결시키지 못했습니다. 이것이 나사렛 땅의 비극입니다.

종교에 대한 호기심, 예수에 대한 호기심, 기독교에 대한 호기심 등, 이 호기심이라는 면에서는 같지만 어떤 사람은 호기심을 넘어서서 참된 신앙을 가지는가 하면, 여전히 호기심의 차원을 넘어서지 못한 사람도 있을 것입니다. 호기심으로 교회에 나오는 사람도 많지만, 불행한 사실은 많은 사람이 호기심이라는 수준을 넘어서지 못한다는 것입니다. 예수님을 알고도 싶고 체험하고도 싶지만, 이 호기심을 구체적인 탐구의 단계로 연결시키지 못합니다. "예수님을 공부해 보셨습니까?"라고 물으면 "뭐, 공부까지 할 필요가 있나요?" 하고 되묻습니다. 그렇게 교회만 왔다 갔다 하다가 삶에 별다른 일이 발생하지 않는 것 같으면 어느 날 그것도 그만두고 그냥 어둠 속으로 떠나 버리는 불행한 사람들이 있습니다. 교회에 출입한 과거는 있지만, 하나님의 능력을 모릅니다. 하나님의 구원을 체험한 적이 없습니다. 나사렛 땅의 비극이 현대의 거리에서 재현되고 있습니다. 호기심을 넘어서지 못했기 때문입니다.

익숙함의 편견

나사렛 비극의 두 번째 원인은, 편견을 극복하지 못했기 때문입니다.

> "이 사람이 마리아의 아들 목수가 아니냐 야고보와 요셉과 유다와 시몬의 형제가 아니냐 그 누이들이 우리와 함께 여기 있지 아니하냐 하고 예수를 배척한지라"(막 6:3).

나사렛 사람들이 회당에서 예수님의 말씀을 듣고 어떤 반응을 보였습니까? 처음에는 호기심이 있었습니다. 그러나 이내 그들은 이렇게 말했습니다.

"예수라면 마리아의 아들이 아니냐?"

요셉이 아닌 마리아의 아들이라고 말한 것으로 보아 요셉은 이미 세상을 떠났을 가능성이 큽니다. 그러니 이 말속에는 '예수는 홀어미의 아들'이라는 편견이 밑바탕에 깔려 있는 것입니다. 우리 한국 사회에도 전통적으로 홀어머니 슬하에서 자란 아이에 대한 편견이 있지 않습니까? 그러나 '마리아의 아들'이라는 말속에는 더 깊은 경멸이 그 바탕에 깔려 있었을지도 모릅니다. 마리아와 요셉 가까이에 살던 사람들은 이 집에서 일어난 '스캔들'을 아직도 잊어버리지 않았습니다. 이 편견이 아직도 나사렛 사람들의 마음을 지배하고 있었을 것입니다.

마리아의 아들, 나쁜 직업은 아니지만 그렇다고 특별히 부러움을 살 만한 직업도 아닌 목수였던 아버지를 도와 목공실에 있었던 예수에 대한 편견이 아직도 그들 마음속에 있었습니다. 그것이 아마 그들로 하여금 예수를 알고 싶은 마음을 더 억누르게 한 요소라고 할 수 있을 것입니다. 저는 이런 편견을 다른 말로 바꾸어 '익숙함의 편견'이라고 부르고 싶습니다.

편견은 두 가지 때문에 생깁니다. 하나는 무지 때문입니다. 모르니까 편견이 생깁니다. 또 하나는 잘 안다고 착각하기 때문에 일어나는 편견입니다. 그것이 익숙함의 편견입니다. 나사렛 사람들은 이렇게 말했을 것입니다.

"아! 예수? 다 알아. 그 집안? 다 알아."

계속되는 이야기를 보십시오.

"이 사람이 마리아의 아들 목수가 아니냐 야고보와 요셉과 유다와 시몬의 형제가 아니냐 그 누이들이 우리와 함께 여기 있지 아니하냐"(막 6:3).

"아, 예수의 남동생과 여동생들, 우리가 다 알아. 지금도 우리 집 옆에 살잖아. 그런데 그 예수에게 뭐가 있다는 거야? 똑같은 사람이지."

이러한 편견이 그들로 하여금 예수님을 알아보고, 추적하고, 탐구하고 싶은 구도의 열망을 가로막고 있었습니다.

제가 목회를 하면서 마음속에 늘 안타깝고 부담이 되는 성도가 이런 부류입니다. 교회에는 열심히 나옵니다. 특히 주일 아침 예배에는 빠지지 않고 참석합니다. 그렇게 세월이 흐릅니다. 10년, 20년이 지나고, 30년이 지납니다. 이쯤 되면 역사와 전통을 자랑하는 교인이 됩니다. 시간이 흐르면서 교회에서 직분도 받고 제직도 되었습니다. 그런데 이야기를 가만히 들어 보면 예수님에 대한 고백이 없습니다. 신앙의 감동이 없습니다. 감격이 없습니다. 마음속에 하나님에 대한 설레는 고백과 간증이 없습니다. 예수님을 전혀 모르는 사람 같습니다. 교회에 나온 지 20년, 30년의 세월이 흘렀지만 하나님의 은혜도, 하나님의 임재도, 하나님의 사랑과 기적도 전혀 모르는 사람이 있다는 것입니다. 답답한 마음에 "집사님, 성경 공부 좀 하세요"라고 하면 "에이 뭐, 다 해 봤어요, 옛날에. 다 알아요. 뻔한 거 아니에요?"라고 말합니다. 주일에 와서 설교 제목만 보고 "아, 뻔할 뻔자지. 다 알아요, 다 알아"라고 말합니다. 더 이상 거기에서 나아가려고 하지 않습니다. 이것이 익숙함의 편견입니다.

얼마나 무지한가!

꽤 오래전 일입니다. 언젠가 대전의 한 신학교 교수님을 모시고 '목자 수련회'를 가진 적이 있습니다. 그때 그분의 이야기 중 특별히 공감되는 대목이 있었습니다. 그분이 어느 날 성경을 공부하다가 깜짝 놀랄 사실을 깨달았다고 합니다.

'내가 교회를 잘 모르고 있었구나! 교회가 얼마나 영광스러운가! 교회론, 교회의 영광, 예수 그리스도의 몸의 영광, 예수 그리스도의 몸의 아름다움을 발견했다! 내가 교회에 대해서 이렇게 몰랐던가!'

그분은 신학교 교수로 교회에 대해서 밤낮 가르치는 사람이었습니다. 목사가 될 사람들을 가르치는 사람이었습니다. 그런데 '교회를 새롭게 발견하고, 다시 깨닫고, 그것에 참 놀랐다'는 것입니다. 밤낮 보고 가르치는 성경이었지만 그분은 그 안에서 다시 깨달은 것입니다. 저는 그 심정을 어느 정도 이해합니다. 저도 말씀을 묵상하고 연구하다가 깜짝 놀라는 순간들이 있습니다.

'아, 여기에 이런 보배로운 진리가 있었구나!'

성경을 안다면서 신앙의 참된 깊이로 들어가지 못하는 사람들을 보면 이런 익숙함의 편견 앞에 주저앉은 경우가 많습니다. 당신은 어떻습니까? 정말 다 알고 있습니까? 저는 아직도 성경에 대해 제가 얼마나 무지한가를 깨닫고 있습니다. 성경의 깊이, 진리의 깊이에 들어갈수록 성경은 저를 감격하고, 감동하게 합니다. 교회 생활에 조금 역사가 있다고 해서 성경을 다 알고 있다고 착각하지 마십시오. 그것은 문자 그대로 착각일 수 있습니다.

오랜 세월이 지난 지금도 소크라테스(Socrates)가 존경을 받는 이유가 무엇입니까? 그가 한 유명한 말을 보면 알 수 있습니다.

"나는 정말 많은 것을 모른다. 그러나 한 가지는 안다. 내가 모른다는 사실을 나는 안다."

얼마나 많은 성도가 성경을 안다고, 교회를 안다고 착각하고 있습니까? "교회 생활이 뭐 다 그런 거지"라고 말하는 명목상의 그리스도인들, 거듭나지 못하고 교회 역사만 오래된 사람들은 교회 생활에 대한 태도도 부정적이고, 비판적이며, 비틀어져 있습니다.

문제는 그들에게 구도가 없다는 것입니다. 하나님의 사랑과 은혜의 깊은 곳에 들어가고자 하는 타오르는 열망이 없습니다. 정말 다 알고 있습니까? 하나님의 깊이, 성령의 깊이, 말씀의 깊이, 하나님의 임재의 깊이에 들어가 그분의 영광과 능력을 체험해 보았습니까? 편견, 그것은 무서운 것입니다.

구도 정신

편견이 얼마나 인류의 역사를 방해했을까요? 한번은 대학원에서 논문을 쓰는 사람과 대화를 나눈 적이 있습니다. 그는 외국에 있는 대학에서 종교학을 공부하고 있었습니다. 그 대학에는 불교 교수도 있고 이슬람 교수도 있는데, 기독교 지도 교수가 떠나는 바람에 할 수 없이 다른 종교 교수에게 지도를 받게 되었다고 합니다. 그가 지도 교수에게 찾아가 인사를 하면서, "'기독교 중세 역사'에 대해서 논문을 쓰고 싶은데, 잘 지도해 주십시오" 했더니 교수가 냉소적으로 웃으면서 말하더랍니다.

"자네, 그리스도인 아닌가?"

"맞습니다."

"그렇다면 그리스도인인 자네가 중세 기독교의 역사에 대해 편견 없이 쓸 수 있을까?"

굉장히 속이 상했다고 합니다. 그래서 이렇게 대답했다고 합니다.

"교수님, 저도 질문이 하나 있습니다. 정말 교수님답게 편견 없이 저를 지도하고 판단해 주실 수 있을까요?"

편견에서 자유로운 인생은 아무도 없습니다. 마크 트웨인(Mark Twain)은 "인류의 역사는 편견의 역사"라고 말했습니다. 편견을 극복하려면 진지한 구도 정신이 필요합니다. 그런데 어떤 그리스도인들을 보면 이런 진지한 노력 없이 너무 쉽게 받아들이는 경우가 있습니다.

"목사님, 저는 성경 공부 안 해도 괜찮아요. 저는 다 믿거든요. 공부 안 해도 다 믿습니다. 하나님이 그렇다고 하신 것은 다 받아들여요."

한 가지 이야기가 생각납니다. 어떤 신학생이 학교에서 시험을 치르는데, 이상하게 답이 하나도 생각나지 않았습니다. 백지를 낼 수는 없고, 너무 고민스러운 나머지 시험지 맨 아래에 이렇게 적었습니다.

"하나님은 모든 정답을 아십니다. 그리고 저는 그 정답에 동의합니다."

얼마 후에 교수님이 채점한 답안지가 돌아왔는데, 거기에는 이렇게 쓰여 있었습니다.

"하나님은 100점, ○○○는 0점."

하나님은 진리를 가지고 계시고, 우리에게는 하나님이 가지고 계신 진리에 접근하려는 노력이 필요합니다. 당신은 무지와 편견을 넘어서서 진리를 알려는 진지한 노력을 얼마나 해 보았습니까? 왜 나사렛 땅에 축복이 없었습니까? 나사렛 땅에 왜 하나님의 기적이 없었습니까? 편견을 극복하지 못했기 때문입니다.

다수가 틀릴 수 있다

마지막 세 번째 원인은, 나사렛 사람들이 믿지 않았기 때문입니다.

"거기서는 아무 권능도 행하실 수 없어 다만 소수의 병자에게 안수하여 고치실 뿐이었고 그들이 믿지 않음을 이상히 여기셨더라"(막 6:5-6).

나사렛 사람들이 왜 믿지 않았을까요? 저는 단순한 이유 때문이라고 생각합니다. 나사렛 마을에 사는 대다수의 사람이 믿지 않았기 때문입니다.

"예수 그렇게 열심히 안 믿고도 잘만 사는 사람 많더라."

이 다수의 유혹, 다수가 선택한 삶의 모양 때문에 자신도 그렇게 살고 싶다고 생각할 수 있습니다. 그러나 다수가 진리가 아닐 수 있다는 사실 앞에 정신을 차려야 합니다. 다수가 틀릴 수 있습니다.

1492년, 지구상에 살던 대다수는 지구가 평평하다고 생각했습니다. 그러나 콜럼버스(Christopher Columbus)는 홀로 지구가 둥글다고 생각했습니다. 그는 자기의 이론을 입증하기 위해 배를 타고 항해에 올랐습니다. 대부분의 사람이 틀렸고, 콜럼버스가 옳았습니다. 1610년, 갈릴레이(Galileo Galilei)는 이 지구가 움직이고 있다고 생각했습니다. 지구는 가만히 있는 것이 아니라 계속해서 움직이고 있다는 '지동설'을 주장한 것입니다. 대부분의 사람은 지구가 움직이지 않는다고 생각했습니다. 당시의 가톨릭교회는 지구가 움직인다고 주장한 갈릴레이를 종교 재판에 회부했습니다. 그를 위협하고 가족들을 위협했습니다. 할 수 없이 그는 '지구는 움직이지 않을지도 모른다'에 서명을 했습니다. 하지만 법정에서 나오면서 그 유명한 말을 남깁니다.

"그래도 지구는 돈단 말이야."

아주 재미있는 역사적 기록이 하나 있습니다. 1842년에 미국 펜실베이니아주에 사는 의학자들과 의사들이 모여서 위대한 결정을 했습니다. "뜨거운 물에 목욕을 하면 안 된다. 류머티즘과 폐렴의 원인이 될 수 있기 때문이다"라는 이상한 결정을 한 것입니다. 사람들 대부분은 그것이 진리라고 믿었습니다. 그래서 펜실베이니아주 일대의 수많은 사람이 무려 3년간 뜨거운 물에 목욕을 하지 않은 역사가 있습니다. 수년 후에 그 이론은 뒤집어집니다. 다수가 틀렸습니다.

1903년, 라이트(Wright) 형제는 기계도 하늘을 날 수 있다고 믿었습니다. 친구들과 동네 사람들은 그들이 미쳤다고 생각했습니다. 공상이라고 생각했고, 만화라고 생각했습니다. 대부분의 경우에 기계는 하늘을 날 수 없다고 생각했습니다. 그러나 라이트 형제는 기계도 하늘을 날 수 있다는 꿈을 버리지 않았습니다. 오늘날 우리는 그 기계를 타고 하늘을 날고 있습니다. 이처럼 다수가 틀릴 수도 있습니다.

진리의 소수

다수의 길이 진리가 아닐 수도 있다는 것 그리고 그것이 어쩌면 영원한 생명을 좌우할 수 있다는 심각성을 아셨던 예수님은 산상수훈에서 이렇게 말씀하십니다.

"좁은 문으로 들어가라 멸망으로 인도하는 문은 크고 그 길이 넓어 그리로 들어가는 자가 많고 생명으로 인도하는 문은 좁고 길이 협착하여 찾는 자가 적음이라"(마 7:13-14).

당신은 다수를 선택합니까, 아니면 진리의 소수를 선택합니까? 똑같은 본문이 누가복음에도 나옵니다. 예수님이 나사렛 회당을 방문해서 사람들의 배척에도 불구하고 설교를 계속하시는 부분입니다. 마가복음에는 없는 내용입니다. 이야기를 듣던 나사렛 사람들이 화가 나서 예수님을 끌고 낭떠러지 끝까지 데리고 가서 밀어 버리려고 했습니다.

나사렛 사람들을 분노하게 만든 이야기가 무엇이었습니까? 두 가지였는데, 하나는 엘리야 시대에 많은 과부가 있었지만 은혜를 받은 과부는 '사렙다 과부' 한 사람밖에 없었다는 이야기였습니다. 왜 그랬습니까? 선지자가 찾아와 가루 한 움큼과 병의 기름을 달라고 했습니다. 자기 먹고살기도 어려운데, 그녀는 하나님의 사람을 섬기기 위해 그것을 내놓았습니다. 그때 엘리야는 이런 말을 합니다.

"하나님의 말씀에 그 통의 가루가 떨어지지 않을 것이고, 그 병의 기름이 없어지지 않을 것이다."

그녀는 선지자를 통해서 들려온 하나님의 말씀을 믿었습니다. 이 말씀을 하신 하나님을 믿었습니다. 이 믿음을 보고 하나님은 여인에게 은혜를 주셨습니다. 고통의 시대였지만, 믿음이 그녀를 하나님의 특별한 보호와 능력 안에 살게 했습니다. 많은 과부가 있었지만 오직 이 여인만 은혜를 받았습니다. 이 이야기를 듣고 많은 사람이 화가 났습니다.

또 하나는, 엘리사 시대에 많은 나병 환자가 있었지만 은혜 받은 사람은 '나아만'뿐이었다는 이야기입니다. 선지자가 말합니다.

"요단강에 일곱 번 들어가서 씻으시오."

처음에는 우스꽝스러운 미신이라고 일축해 버리고 싶었지만, 그는 그것이 하나님의 말씀이라면 진리일 수 있다고 생각했습니다. 그래서 하나님께 기대를 걸고 요단강에 들어갔다 나왔습니다. 그 결과 그의 몸은 깨끗함을 얻었습니다.

많은 사람이 가는 길이어도 진리가 아닐 수 있습니다. 많은 사람이 복음을 배척하고 예수님을 거절해도, 당신은 예수님을 선택하고 하나님의 은혜 안에 살아가기를 원합니까? 왜 많은 사람의 마음이 딱딱한 나사렛 땅처럼 되어 하나님의 은혜와 축복을 경험하지 못하는 것일까요? 바로 자신에게 찾아오시는 하나님에게 믿음으로 반응하지 않기 때문이 아닐까요? 요한복음 1장 11-12절은 이렇게 말씀합니다.

"자기 땅에 오매 자기 백성이 영접하지 아니하였으나 영접하는 자 곧 그 이름을 믿는 자들에게는 하나님의 자녀가 되는 권세를 주셨으니."

세상이 예수님을 외면하고, 소외시키고, 등지고 살아가는 형편 속에서도 예수님을 영접하는 자, 예수님을 믿는 자들은 하나님의 자녀가 될 것입니다. 은혜를 받을 것입니다. 기적을 체험할 것입니다. 당신은 이 기적을 체험하는 소수에 속하기를 원합니까, 아니면 주변 이웃처럼 그리스도를 거절하는 완악하고 딱딱한 나사렛 땅이 되어 살기를 원합니까?

"열두 제자를 부르사 둘씩 둘씩 보내시며 더러운 귀신을 제어하는 권능을 주시고 명하시되 여행을 위하여 지팡이 외에는 양식이나 배낭이나 전대의 돈이나 아무것도 가지지 말며 신만 신고 두 벌 옷도 입지 말라 하시고 또 이르시되 어디서든지 누구의 집에 들어가거든 그곳을 떠나기까지 거기 유하라 어느 곳에서든지 너희를 영접하지 아니하고 너희 말을 듣지도 아니하거든 거기서 나갈 때에 발 아래 먼지를 떨어 버려 그들에게 증거를 삼으라 하시니 제자들이 나가서 회개하라 전파하고 많은 귀신을 쫓아내며 많은 병자에게 기름을 발라 고치더라"(막 6:7-13).

18

전도자의
준비

복음을 전하는 자가
천국의 영웅이다

그리스도인은 전도자다

'전도자' 또는 '전도인' 하면 어떤 느낌이 듭니까? 마음에 어떤 그림
이 떠오릅니까? 어떤 사람은 서울역 광장이나 전철 안에서 "예수 천
당!" 하고 소리치는, 어떻게 생각하면 매우 용기 있는 그리스도인을,
또 어떻게 생각하면 조금은 비정상적으로 열심 있는 프로 전도자를
연상할지 모르겠습니다. 또 어떤 사람은 영화 〈엘머 갠트리〉(Elmer
Gantry)에서처럼 한 장소에서 다른 장소로, 약간은 사기성을 가지고
돌아다니면서 집회를 인도하는 떠돌이 부흥사를 생각할지도 모릅
니다. 또는 전 세계 유수의 도시에 있는 대표적인 광장에 사람들을

가득 채워 놓고 고고한 복음의 메시지를 전하는 빌리 그레이엄 같은 세계적인 전도자를 마음속에 연상할지도 모르겠습니다.

그러나 놀라운 것은, '전도자'는 '그리스도인'이라는 말과 동의어라는 사실입니다. 전도자는 그리스도인이고, 그리스도인은 전도자입니다. 예수님을 영접하고 거듭난 그리스도인이라면 전도자가 아닌 사람은 한 명도 없는 것입니다. 다만 자신이 전도자인 것을 알고 전도의 사명을 다하려고 노력하는, 전도하는 일에 쓰임을 받고 있는 전도자와 자신이 전도자로 부르심을 받았으면서도 그 사실을 전혀 깨닫지 못한 채 전도와 상관없이 살고 있는 '전도하지 않는 전도자', 이 두 부류의 전도자로 나누어질 뿐입니다.

'그리스도인'이라는 말은 '그리스도를 따라가는 사람'이라는 뜻입니다. 예수님이 제자들을 부르실 때, 특히 수제자 베드로를 부르실 때 뭐라고 말씀하셨습니까?

"나를 따라오라."

그다음에 어떤 약속을 하셨습니까?

"내가 너희로 사람을 낚는 어부가 되게 하리라."

한 사람이 정상적으로 신실하게 그리스도를 따라가다 보면, 지금쯤 그는 어떤 사람이 되어 있어야 마땅합니까? 사람을 낚는 어부, 즉 하나님과 상관없이 살아가는 사람들에게 접근해서 하나님을 소개하고, 그가 하나님이신 예수 그리스도를 영접하여 하나님의 사람이 되게 하는 전도자로 살아가는 것이 정상적인 그리스도인의 삶의 모습입니다.

과거에도 그랬지만, 오늘날 한국 교회 안에는 다양한 전도 프로그램이 있습니다. 그런데 안타까운 것은, 대다수 그리스도인에게 이러한 훈련은 특별한 사람이나 받는 것이라는 개념이 내재되어 있는 것 같습니다. 마치 특공대에게나 필요한 훈련처럼 여깁니다. 하지만 이러한 훈련은 모든 사람이 받아야 합니다. 우리는 모두 훈련을 받고, 전도하는 삶의 자리에 서 있어야 마땅합니다.

그렇다면, 하나님께서 우리를 전도자로 부르셨다면, 우리는 어떻게 준비하고 주님 앞에 서야 하는 것일까요? 이에 대한 대답을 위해서는 예수님이 처음 제자들을 부르셨을 때 그들과 함께하고 그들을 내보내면서 어떤 준비를 시키셨는지 주목해 볼 필요가 있습니다.

둘씩 둘씩

첫 번째 준비는, 교회 공동체의 비전과 전략을 수용하는 것입니다. 저는 그것이 전도자 준비의 첫 단계라고 생각합니다.

> "열두 제자를 부르사 둘씩 둘씩 보내시며 더러운 귀신을 제어하는 권능을 주시고"(막 6:7).

예수님은 제자를 부를 때 한 사람씩 만나 개인적으로 부르셨지만, 그들을 부른 다음에는 열두 제자로 하여금 하나의 공동체가 되게 하셨다는 사실에 먼저 주목하십시오. 열두 제자는 바로 신약 교회 공동체의 모체가 됩니다. 요한계시록 21장의 천국을 설명하는 부분에서 새 하늘과 새 땅은 열두 기초석, 즉 열두 보석 위에 천국이 세워진 것이라고 설명합니다. 열두 보석은 열두 사도, 즉 열두 제자를 가리킵니다. 이들은 단순히 열두 사람이 모인 모임이 아니라 교회입니다. 그들이 교회의 기초가 되었습니다. 신약 교회의 시작입니다. 예수님은 열두 제자를 부르고, 그들을 교회, 즉 공동체가 되게 하신 것입니다. 그리고 그들을 전도를 위하여 내보내면서 둘씩 짝을 지으셨습니다.

한 사람씩 뿔뿔이 흩어지도록 하는 것과 둘씩 짝지어 보내는 것에는 어떤 차이가 있을까요? 혼자 나가서 전도한다고 생각해 보십시오. 쉽지 않을 것입니다. 하다 보면 어려움을 느낍니다. 그러다가 지치면, 그냥 집에 오면 그만입니다. 혼자이기 때문에 언제든지 쉽게 포기할 가능성이 큽니다. 그러나 두 사람이 함께 묶여서 하다 보면 어떻습니까? 서로를 의식할 수밖에 없습니다.

'내가 여기서 그만두면 저 사람이 나를 어떻게 생각할까?'

긴장도 할 것입니다. 그러므로 인간에게는 공동체가 필요합니다.

이 외에도 예수님이 둘씩 짝을 지어 내보내신 데에는 몇 가지 중요한 의미가 있다고 생각합니다. 우선 '2'라는 숫자는 구약이나 신약 전체를 통해서 법정 증거에 효율적인 숫자입니다. 신명기 19장 15절에 보면, 구약 시대에 한 사람이 죄인 판결을 받기 위해서는 증인이 필요했습니다. 한 사람으로는 증인이 성립하지 않습니다. 혼자서 마음대로 꾸며 낼 수 있기 때문입니다. 객관적 증거를 확보하고 그 사람의 죄가 입증되기 위해서는 두 명 이상의 증인이 필요하다는 것이 구약 시대의 전통입니다. 어떤 사람이 심판 날 하나님 앞에 서서 심판을 받으며 말합니다.

"하나님, 저는 전도를 받은 일이 없습니다."

그때 하나님은 "증인이 있느니라" 하면서 한 사람이 아닌 두 사람 이상을 세우실 것입니다. 법정 증거의 효율성을 확립하기 위해서 주님은 두 사람 이상씩 짝지어 보내셨습니다.

그러나 이보다 더 중요한 의미가 있습니다. 둘은 격려를 나누는 공동체가 되기 위한 최소 단위라고 할 수 있습니다. 전도서에 이런 말씀이 있습니다.

"두 사람이 한 사람보다 나음은"(전 4:9).

혹시 한 사람이 넘어지면 다른 사람이 일으켜 세우고 격려하며 살아갈 수 있습니다. 교회가 격려의 공동체가 될 것을 기대하는 것입니다.

짝과 공동체의 성숙

둘씩 짝지어 보내신 데에는 또 다른 의미가 있다고 생각합니다. 그것은 그들의 인격적, 영적 성숙을 위한 전략이었습니다. 마가복음에는 어떻게 짝이 되었는지 나오지 않지만, 동일한 사건을 기록하고 있는 마태복음을 읽어 보면 두 사람이 어떻게 짝이 되는지가 흥미롭습니다.

예를 들어, 안드레와 베드로가 짝이 됩니다. 환상의 콤비일 것입니다. 형제인 두 사람은 자라면서 함께 보조를 맞추었습니다. 그러나 어울려 보이지 않는 짝도 있습니다. 예를 들면 시몬과 유다입니다. 시몬은 아주 격렬한 열심당원이자 민족주의자 출신입니다. 열심이 아주 많은 사람이었습니다. 그는 예수님의 제자가 된 후에도 특별한 열심을 보였습니다. 그러나 가룟 유다는 탐욕스러우며 비판적인 인물입니다. 이러한 이유로 시몬은 고민이 많았을 것입니다. 그는 유다를 어떻게 품어야 할지 늘 생각했을 것이고, 비판적인 유다를 위해 기도하면서 그의 마음을 다독거리는 가운데 굉장한 성숙이 있었을 것입니다. 사람이 마음이 맞아야만 성숙이 일어나는 것은 아닙니다. 마음이 안 맞는 사람과 짝을 이루어 공동체 안에서 서로를 위해 기도하고 용서하는 법을 배우는 것, 이것이 공동체를 성숙시키는 하나님의 전략인 것입니다.

오늘날 우리의 진정한 그리스도인다운 신앙생활을 저해하는 장해물 중의 하나는 이 시대의 정신이라고 생각합니다. 이 시대의 정신 중 하나가 철저한 개인주의입니다. 이것은 그리스도인들에게도 예외 없이 영향을 끼칩니다. 그래서 우리는 공동체 의식을 상실한 채 살아갑니다.

왜 주님은 공동체가 필요하다고 판단하고 교회를 세우셨을까요? 교회는 선교하는 공동체, 전도하기 위한 공동체입니다. 그러나 전도한다는 것은 보통 사건이 아닙니다. 전도는 '세상을 변화시키는 것'입니다. 세상을 변화시킨다는 말을 들으면 어떤 느낌이 듭니까? '나 같은 사람이 어떻게 세상을 변화시켜?'라고 생각할지 모르겠습니다. 그러나 부족하고 연약한 대로, 하나님의 은혜를 경험한 사람으로서 함께 모여 공동체가 되었을 때 그 공동체의 저력은 대단한 것입니다.

하나님은 바로 이 교회라는 공동체에 지상 명령의 숙제를 위임하셨습니다. 주님은 마지막 열한 명의 제자에게 말씀하십니다.

"너희는 가서 모든 민족으로 내 제자를 삼아라. 세상을 바꿔라."

이것이 열한 제자, 즉 교회 공동체의 원형을 향해 주님께서 주신 명령입니다. 공동체 의식이 있어야 합니다. 그런데 이 공동체 의식을 갖기가 어렵습니다. 시대의 영향을 받은 탓에 우리는 개인으로 살아갑니다. 한 시대가 어떻게 흘러가고 있는지를 알 수 있는 자료가 되는 것은 그 시대의 유행과 그 시대의 유머입니다. 그래서 저는 아무리 바빠도 유행가 가사를 들춰 봅니다. 배우려는 것이 아니라, 사람들이 무슨 생각을 하며 살고 있는가를 알기 위해서입니다. 그리고 유머는 그 시대를 풍자합니다.

'사오정 시리즈'의 현실

한때 젊은 사람들 가운데서 '사오정 시리즈'가 크게 유행했었습니다. 요즘에는 '사오정 시리즈'가 무엇인지를 아예 모를지도 모릅니다. 그 당시 이 시리즈를 연구해 보았는데, 아무리 생각해도 웃음이 나오지 않았습니다. 왜 그런 것을 유머라고 하는지 알 수가 없었습니다. 아무리 웃으려고 노력해도 전혀 웃기지 않았습니다. 그런데 '사오정 시리즈'를 검토하면서 하나의 공통점을 발견했습니다. 사오정이 기가 막히게 현대인을 대표한다는 것이었습니다. 사오정이 바로 현대인의 모습이었던 것입니다. 이 '사오정 시리즈'의 공통점은 서로 다른 이야기를 한다는 것입니다. 진정한 대화가 없습니다. 마음이 통하지 않습니다.

그런데 똑같은 비극이 교회 안에서도 일어나고 있습니다. 교회에 와서 예배드리고 갑니다. 그러나 통하지 않습니다. 만남이 없습니다. 대화의 접촉점이 없습니다. 예배드린 후에는 바로 흩어져 버립니다. 이런 교회가 세상을 변화시킬 수 있겠습니까?

주님이 의도하신 교회는 진정한 공동체, 곧 인생의 기쁨과 슬픔을 함께 나누고 삶의 역경과 환희 및 실패의 상처도 함께 나누면서 서로 위로하고 격려하며 일어나는 공동체입니다. 교회 안에 깊이 들어가 보십시오. 마음에 안 드는 사람도 만나게 됩니다. 하지만 그 과정에서 그들을 용납하고 용서하는 것을 배웁니다. 그래서 용서하는 공동체, 사랑하는 공동체가 됩니다. 그러면서 사랑과 용서를 모르는 세상을 향해서 이렇게 외칩니다.

"당신에게도 이 사랑이 필요하지 않습니까?"

하나님은 바로 이런 공동체를 통해서 세상을 바꾸어 나가기를 원하시는 것입니다.

제대로 된 교인

당신은 어떻게 교회 생활을 하고 있습니까? 간혹 이런 생각을 가지고 교회 생활하는 사람이 있습니다.

'교회 생활을 제일 잘하는 방법은, 주일 아침 예배에만 나가고 축도가 끝나기 무섭게 바람과 함께 사라지는 것이다.'

'교회에 깊이 들어가면 골치 아프다.'

이것이 오늘날 교회 생활을 하는 많은 사람을 지배하고 있는 생각입니다. 그래서 사람들은 교회에 나오면서 등록도 하지 않습니다. 그것이 편하기 때문입니다. 하지만 이런 사람이 결코 경험할 수 없는 두 가지가 있습니다. 하나는, 주님께 효율적으로 쓰임 받지 못한다는 것입니다. 또 하나는, 사람들과 어울리는 역동적인 인간관계 속에서 상처를 치료하고, 서로를 위로하고 용서하는 경험을 하지 못한다는 것입니다. 다시 말하면, 성숙이 일어나지 않는다는 것입니다. 진정한 영적 성숙을 기대할 수 없습니다.

그러므로 전도자가 되는 것을 굉장한 것으로 생각하지 마십시오. 훌륭한 전도자가 되는 첫 번째 단계는 교회가 선교 공동체, 전도하기 위해서 묶인 공동체가 되기 위해 우리가 먼저 제대로 된 교인이 되는 것입니다. 교회에 등록하십시오. 거기서부터 시작하는 것입니다.

동네 사람들과 함께 모여 앉아 인생의 좌절과 슬픔을 나누십시오. 비판하지 말고, 서로를 끌어안고 용서하며 세워 주십시오. 교회의 소그룹과 같은 여러 공동체에도 소속되십시오. 성경 공부 그룹에도 참여하고, 같은 또래의 형제자매들과 만나 함께 울고 웃으며 인생의 슬픔과 애환을 나누는 가운데 그 안에서 우리를 치료하시는 그리스도, 우리를 성숙시켜 주시는 그리스도를 경험하십시오. 그리고 세상을 향해서 이렇게 외치십시오.

"이 그리스도가 소망이십니다. 이 그리스도가 구원이십니다."

세상을 바꾸는 선교의 위대한 소명은 공동체의 비전과 전략을 우리 각 사람이 따라가는 것에서부터 시작됩니다.

혼자서 전도하고 세상을 바꾸는 것은 엄청나고 힘든 일입니다. 하지만 공동체를 이루면 달라집니다. 교회 안에서 좋은 교인이 되어 성도들과 교제하면서 교회가 "전도합시다!" 하면 함께 전도하고, "훈련받읍시다!" 하면 훈련받으면 됩니다. 그러다 보면 주변에 작은 영향을 끼치게 됩니다. 세상이 바뀌기 시작합니다. 그래서 주님은 열두 제자를 부르고 그들을 하나의 공동체로 세우신 것입니다.

철저한 신뢰

두 번째 준비는, 주님의 능력을 철저하게 신뢰하는 것입니다.

> "명하시되 여행을 위하여 지팡이 외에는 양식이나 배낭이나 전대의 돈이나 아무것도 가지지 말며"(막 6:8).

무엇만 가지고 가라고 하셨습니까? 지팡이 하나입니다. 이어지는 말씀을 보십시오.

> "신만 신고 두 벌 옷도 입지 말라 하시고"(막 6:9).

두 가지만 가지고 가라고 하셨습니다. 지팡이와 신발뿐입니다. 팔레스타인의 지형을 알면 쉽게 이해할 수 있는 말입니다. 예루살렘은 무려 해발 760미터나 되는 높은 언덕 위에 건설된 도시입니다. 예루살렘에서 버스를 타고 30분만 내려가면 사해에 도착합니다. 그런데 이 사해는 어떤 곳입니까? 해발 -430.5미터에 위치한, 세계에서 가장 낮은 지역입니다. 이 낮은 지역과 고지인 예루살렘 사이에는 사막이 있습니다. 이 지역 사람들은 이런 곳을 왔다 갔다 하며 오르내립니다. 매우 위험한 지형입니다. 그러니 다니려면 무엇이 필요하겠습니까? 지팡이와 신발이 필요합니다.

이것은 최소한의 준비입니다. 그러면서 그 나머지에 대해서는 걱정하지 말라고 말씀하십니다.

"나를 믿어라. 나를 의지해라. 네가 정말로 내가 기뻐하는 일을 한다면, 내가 너를 그대로 놓아두겠니?"

전도자가 너무 많은 것을 소유하고 있으면 거추장스럽습니다. 그들에게 필요한 것은 단순한 삶입니다. 하나님을 의지하는 것입니다. 전도하다 보면 사건이 일어납니다. 그러나 걱정할 필요가 없습니다. 전능하신 주님을 의지하면 됩니다.

우리가 주님의 능력에 순종해서 전도를 시작하면 제일 먼저 만나게 되는 대상이 있습니다. 바로 귀신입니다. 귀신을 만나 보았습니까? 귀신을 만나 보지 못했다면 아직 전도해 보지 못한 사람입니다. 전도하면 귀신을 만납니다. 전도는 하나님이 가장 기뻐하시는 일입니다. 그러면 누가 제일 전도를 싫어하겠습니까? 귀신입니다. 그래서 전도를 시작하면 귀신이 먼저 공격합니다. 그런데 주님은 "걱정하지 말아라"라고 하십니다.

"열두 제자를 부르사 둘씩 둘씩 보내시며 더러운 귀신을 제어하는 권능을 주시고"(막 6:7).

예수님은 제자들을 보내기 전에 먼저 귀신을 제압하는 권세를 주셨습니다. 귀신을 만나겠지만 걱정할 필요가 없습니다. 귀신은 패배할 것입니다. 우리는 거기에서 귀신을 패배시키는 부활하신 주님의 능력을 만나게 될 것입니다. 그 능력을 체험하게 될 것입니다.

종종 선교지에 계시는 선교사님들의 보고를 듣습니다. 기적이 일어났다는 보고입니다. 그때 어떤 생각이 듭니까? 선교지에서 일어나는 기적이 왜 우리 교회 안에서는, 아니, 우리 주변에서는 일어나지 않을까 하는 생각이 듭니다. 저는 어디서든지 기적이 일어날 수 있다고 믿습니다. 선교사님들이 전적인 순종을 통해서 복음의 최전선에 설 때 하나님이 전능한 능력을 부여하시는 것처럼, 우리가 동일한 심정으로 복음 전도의 명령 앞에 순종하여 전도의 자리에 선다면, 기적은 그곳에도 일어날 것이라 믿습니다.

부르심을 받은 그대로

저는 목회를 하면서 인생이 바뀌는 체험을 한번 해 보려면 선교사가 안 되어도 좋으니 단기 선교를 떠나 보라고 늘 강조해 왔습니다. 젊은 청년뿐만 아니라 장년들도 단기 선교를 한번 가 보십시오. 우리와 전혀 다른 문화권, 우리보다 가난한 곳, 어려운 곳, 영적인 어둠이 있는 곳, 그들에게 가서 땀을 흘리는 수고를 해 보십시오. 인생이 바뀌어서 돌아올 것입니다.

언젠가 워싱턴 교회에서 젊은이들을 멕시코에 보낸 적이 있습니다. 단기 선교는 언제나 축복이지만, 그해 단기 선교는 특별한 축복이었습니다. 다녀온 모든 사람이 변했습니다. 그들은 멕시코의 빈민 지역에 약품을 가지고 가 병든 사람들을 치료해 주면서 의사 및 간호사 역할도 하고, 기도도 해 주었습니다. 그런데 어떤 젊은이가 한 시각 장애인을 위해 기도해 주다가 정말 눈을 뜨는 일이 벌어졌습니다. 누가 가장 놀랐을까요? 기도한 사람입니다. 있을 수 없는 사건이 일어난 것입니다. 이게 진짜인가 싶어 자꾸 만져 보았다고 합니다. 이 사람이 변했겠습니까, 안 변했겠습니까? 인생이 달라졌습니다. 그는 후에 신학교에 갔다고 합니다.

우리가 정말 주님의 명령에 순종한다면, 거기에서 하나님의 능력과 기적을 체험할 거라 믿습니다. 전적으로 주님을 신뢰하고 복음을 전하는 것입니다. 어떤 사람은 직업을 버리고 전적으로 복음을 전하라는 명령을 받기도 합니다. 목사, 전도사, 선교사와 같은 부류가 그런 경우일 것입니다. 그러나 어떤 사람은 생업이나 직업을 포기하지 않고, 직업의 장에서 복음을 전하도록 부르심을 받습니다.

이런 부르심의 문제를 공부하고 싶다면 고린도전서 7장을 읽으십시오. '독신의 부르심', '결혼의 부르심'이 나옵니다. 하나님은 독신자도 부르고, 기혼자도 부르십니다. 독신자는 독신자대로, 결혼한 사람은 결혼한 사람대로 쓰십니다. 독신자와 기혼자 가운데 누가 더 열심히 하나님을 섬길 수 있을까요? 독신자가 더 편할 것입니다. 기혼자가 되면 아내 걱정, 남편 걱정, 자식 걱정 등 걱정이 많지 않겠습니까? 그러나 바울은 이렇게 말합니다.

"각자 부르심을 받은 그대로 주님을 섬겨라."

부르심이 다르다는 말입니다. 목사나 전도사처럼 주님을 섬기는 사람과 직업을 가지고 있으면서 복음을 전하는 사람 중에 누가 더 힘들까요? 저는 평신도의 부르심이 더 힘들다고 생각합니다. 가정을 지키면서 직장에서 전도하는 것은 쉽지 않습니다. 직장에서 전도하려면 직장 생활 그 자체를 잘해야 합니다. 직장 생활은 적당히 하면서 "예수 믿으십시오" 하면 누가 그 말을 듣겠습니까? 무슨 설득력이 있겠습니까? 안 믿는 사람보다 몇 배는 더 충성스러워야 합니다. 야근도 더 하고, 일도 더 열심히 하면서 생활의 모범이 되는 가운데 "예수님은 구원이십니다"라고 말해야 합니다. 그래야 더 설득력이 있지 않겠습니까?

그래서 복음을 전하는 것이 어렵습니다. 저는 종종 직장 생활을 열심히 하면서 복음을 전하는 사람들에게 힘들지 않은지를 묻곤 합니다. 그러면 이런 대답이 돌아옵니다.

"힘들지요. 그러나 즐겁습니다."

하나님의 능력이 함께하는 것을 볼 수 있습니다. 이런 사람들에게 지금도 그분의 능력이 부어지는 것입니다. 전능하신 주님의 능력은 복음의 명령에 순종하는 사람, 즉 어떤 형태의 부르심이든 부르심을 받은 삶의 자리에서 그리스도의 이름을 높여 드리며, 믿지 않는 자들을 하나님의 사람으로 만드는 일에 헌신하는 사람들에게 나타나리라 믿습니다. 그 능력을 신뢰합니까? 주님이 우리의 삶을 책임져 주시고, 또한 이 삶을 감당할 수 있도록 하신다는 것을 믿기 바랍니다. 전도자의 준비는 그분의 능력을 신뢰하는 것에 있습니다.

발 아래 먼지를 떨라

세 번째 준비는, 환영과 박해를 함께 받을 각오를 해야 합니다. 본문 10절을 보십시오. 이것은 환영입니다.

> "또 이르시되 어디서든지 누구의 집에 들어가거든 그곳을 떠나기까지 거기 유하라"(막 6:10).

어떤 집에 가면, "아! 수고하십니다. 저희 집에 머물다 가시지요" 하는 대접과 환영을 받습니다. 전도하다가 인정받고 환영받으면 얼마나 용기백배합니까? 그럴 수 있습니다. 전도자들을 격려하기 위해서 하나님은 그런 상황을 펼쳐 주십니다. 그러나 이것이 전부가 아닙니다. 어떤 때에는 전혀 기대하지 않았던 냉담한 거절과 박해를 받을 수도 있습니다.

> "어느 곳에서든지 너희를 영접하지 아니하고 너희 말을 듣지도 아니하거든 거기서 나갈 때에 발 아래 먼지를 떨어 버려 그들에게 증거를 삼으라 하시니"(막 6:11).

어떤 사람은 성경을 문자 그대로 받아들여서, 전도하는데 안 받아들이는 집이 있으면 그 집을 나오면서 신발의 먼지를 털고 떠난다고 합니다. 그러나 이 말씀은 그런 뜻이 아닙니다. '먼지'라는 것

354

은 '세속성', '죄악'의 상징입니다. 사람들이 예수님을 영접하지 않고 복음을 거절하는 가장 중요한 이유가 있습니다. 말은 하지 않지만 숨겨진 동기 가운데 하나는 죄를 사랑하기 때문에 그렇습니다. 죄를 포기하기 싫어서 복음을 안 받아들이는 것입니다. 그래서 발에 있는 먼지를 떤다는 것은 '당신의 죄악에 나는 참여할 수 없습니다'라는 의미입니다.

저는 전도했던 사람 중에서 솔직하게 "나는 죄짓는 것이 좋아서 예수 믿지 않습니다"라고 말하는 사람을 본 적이 있습니다. 그는 당시 한국에서 모르는 사람이 없을 정도로 유명한 가수였습니다. 미국에서 6개월 정도 인근 지역에 살면서 거의 매주 만났고, 많은 이야기를 나누었습니다. 사람들은 그가 성가를 잘 부르기 때문에 그리스도인이라고 착각하지만, 본인은 그리스도인이 아니라고 말했습니다. 예수님을 영접하라고 하니까 솔직하게 말했습니다.

"예수님을 영접하면 죄를 지을 수 없지 않습니까?"

그는 죄짓는 것이 너무 좋다고 했습니다.

본문은 죄짓는 것이 좋아서 복음을 받아들이지 않는 이들을 버리라는 이야기가 아닙니다. 그들의 냉대와 거절에도 불구하고, 또다시 복음을 전해야 합니다. 그들을 사랑한다고 말해야 합니다. 심판의 날에 주님 앞에 설 수 있도록 준비하라고 계속 촉구해야 합니다. 우리는 더 큰 박해를 받을 수도 있습니다. 심지어 전도하다가 목숨을 잃을 수도 있습니다. 그러나 끊임없는 사랑으로 다가서는 것, 이것이 진정한 용기가 아닙니까?

진정한 영웅

기독교 신앙에 대해 비판적인 입장을 취하는 사람들은 "신앙을 갖는 가장 중요한 이유가 어디 있느냐? 마음이 약하기 때문에 위로받으려고 종교를 갖는 것이다"라고 말합니다. 철학자 니체(Friedrich Wilhelm Nietzsche)는 "종교는 약자의 지팡이"라고 말했습니다.

그러나 전도는 진정한 그리스도인의 용기를 보여 주는 것입니다. 복음 때문에 목숨을 버린 순교자들이 약자입니까? 하나밖에 없는 목숨이 아깝지 않은 사람이 어디 있겠습니까? 그러나 복음을 위해서 목숨을 내놓을 수 있는 용기, 그리스도인이야말로 정말 이런 위대한 용기가 있는 사람이어야 합니다. 이런 자들만이 세상을 변화시킬 수 있습니다.

요한계시록에서 요한은 "내가 보니 보좌에 앉아 계신 주와 함께 앉아서 세상을 영원토록 다스리는 사람들"이라고 했습니다. 주의 말씀과 복음의 증거 때문에 목 베임을 당한 영혼들이 주와 함께 다스릴 것이라는 것입니다. 그들은 천국의 스타가 될 것입니다. 진정한 영웅은 복음을 전하는 사람들입니다. 복음을 전하기 위해서 때로는 냉대와 거절을 당하고 목숨까지도 버리는 사람들, 세상은 이런 진정한 영웅들을 기다리고 있습니다.

영화 〈타이타닉〉(Titanic)이 전 세계에서 선풍적인 인기를 끌었습니다. 이 영화를 보면서 많은 사람이 눈물을 흘렸습니다. 이 비극 속에 나타난 영웅들의 모습 때문이었습니다. 거기에는 많은 영웅이 있었습니다. 사랑하는 여인을 살리기 위해 목숨을 버린 주인공 '잭', 마지막까지 침착하게 키를 붙들고 배와 함께 침몰하는 함장 '스미스', 구명보트에 사람들을 실으며 한 명이라도 더 살리기 위해 끝까지 노력하는 선원들, 이들 모두가 영웅이었습니다.

그러나 제가 가장 많이 감동한 장면은, 마지막 순간까지 악기를 붙들고 음악을 연주하던 악사들에게서였습니다. 악단장은 '월리스 하틀리'(Wallace Hartley)라는 사람이었습니다. 사실 영화 속 주인공의 이야기는 허구입니다. 그러나 침착하게 악기를 연주하여 사람들의 마음을 안정시키고, 찬양의 가사를 통해서 하늘의 거룩한 소망을 바라보도록 촉구했던 단장 월리스는 실존했던 인물입니다. 그리스도인이었던 그는 전도하기 위하여, 무너질 수 없는 그 화려한 배를 타고 바다를 횡단하는 수많은 사람에게 복음을 전하기 위하여 자진해서 배에 탄 악장이었습니다. 이 배는 절대 무너질 수 없다고 착각하며 소망을 두고 배에 올랐던 사람들이 죽어 가는 마지막 순간까지도 그는 침착하게 단원들을 격려하면서 장엄한 곡들을 연주했습니다. 그리고 계속 외쳤습니다.

"예수 그리스도를 의지하십시오. 그분을 가까이하십시오. 그분이 소망이십니다."

사람들은 침몰해 가는 배에서 마지막으로 이 찬양을 통해 메시지를 들었습니다. 그 찬양은 바로 〈내 주를 가까이하게 함은〉(새찬송가 338장)입니다.

(1절)

내 주를 가까이하게 함은

십자가 짐 같은 고생이나

내 일생 소원은 늘 찬송하면서

주께 더 나가기 원합니다

(3절)

천성에 가는 길 험하여도

생명 길 되나니 은혜로다

천사 날 부르니 늘 찬송하면서

주께 더 나가기 원합니다

단원들은 이 찬송을 연주하면서 끝까지 외쳤다고 합니다.

"예수님! 예수님! 그분을 의지하십시오. 그분은 소망이십니다."

무너지는 '세상'이라는 배를 타고 살면서 소망의 근거를 잘못 알고 있는 사람들, 그래서 이 세상이 무너질 때 아무것도 기대할 수 없는 사람들에게 "예수는 소망이십니다"라는 메시지를 토해 낼 수 있는 영웅이 필요합니다. 그리스도인들은 이런 영웅이어야 합니다. 전도자들은 이 시대의 빛나는 영웅일 수 있습니다. 성경은 "많은 사람을 옳은 데로 돌아오게 한 자는 별과 같이 영원토록 빛나리라"(단 12:3)라고 약속합니다. 이 시대는 이런 영웅을 기다리고 있습니다. 우리가 그런 복음에 대한 소망을 던지는 영웅적 전도자가 되기를 바랍니다.

———

진정한 영웅은 복음을 전하는 사람들입니다.

복음을 전하기 위해서 때로는

냉대와 거절을 당하고 목숨까지도 버리는 사람들,

세상은 이런 진정한 영웅들을 기다리고 있습니다.

"이에 예수의 이름이 드러난지라 헤롯왕이 듣고 이르되 이는 세례[침례] 요한이 죽은 자 가운데서 살아났도다 그러므로 이런 능력이 그 속에서 일어나느니라 하고 어떤 이는 그가 엘리야라 하고 또 어떤 이는 그가 선지자니 옛 선지자 중의 하나와 같다 하되 헤롯은 듣고 이르되 내가 목 벤 요한 그가 살아났다 하더라 전에 헤롯이 자기가 동생 빌립의 아내 헤로디아에게 장가든 고로 이 여자를 위하여 사람을 보내어 요한을 잡아 옥에 가두었으니 이는 요한이 헤롯에게 말하되 동생의 아내를 취한 것이 옳지 않다 하였음이라 헤로디아가 요한을 원수로 여겨 죽이고자 하였으되 하지 못한 것은 헤롯이 요한을 의롭고 거룩한 사람으로 알고 두려워하여 보호하며 또 그의 말을 들을 때에 크게 번민을 하면서도 달갑게 들음이러라 마침 기회가 좋은 날이 왔으니 곧 헤롯이 자기 생일에 대신들과 천부장들과 갈릴리의 귀인들로 더불어 잔치할새 헤로디아의 딸이 친히 들어와 춤을 추어 헤롯과 그와 함께 앉은 자들을 기쁘게 한지라 왕이 그 소녀에게 이르되 무엇이든지 네가 원하는 것을 내게 구하라 내가 주리라 하고 또 맹세하기를 무엇이든지 네가 내게 구하면 내 나라의 절반까지라도 주리라 하거늘 그가 나가서 그 어머니에게 말하되 내가 무엇을 구하리이까 그 어머니가 이르되 세례[침례] 요한의 머리를 구하라 하니 그가 곧 왕에게 급히 들어가 구하여 이르되 세례[침례] 요한의 머리를 소반에 얹어 곧 내게 주기를 원하옵나이다 하니 왕이 심히 근심하나 자기가 맹세한 것과 그 앉은 자들로 인하여 그를 거절할 수 없는지라 왕이 곧 시위병 하나를 보내어 요한의 머리를 가져오라 명하니 그 사람이 나가 옥에서 요한을 목 베어 그 머리를 소반에 얹어다가 소녀에게 주니 소녀가 이것을 그 어머니에게 주니라 요한의 제자들이 듣고 와서 시체를 가져다가 장사하니라"(막 6:14-29).

19

양심의
죽음과 회복

회개는 하나님의 시선으로
나를 보는 것이다

꽤 오래전의 일입니다. 열 살 먹은 소년이 1천만 원의 상해보험을 들은 아버지에게 손가락이 절단되었다는 사건으로 사람들은 커다란 충격을 받았습니다. 이제 정말 이 땅에 사는 사람들에게 아직도 양심이 존재하느냐를 물어야 하는 시대가 되었습니다.

성경은 인간의 양심을 고정된 것이 아닌 매우 가변적인 것으로 가르치고 있습니다. 양심은 더럽혀질 수 있습니다. 성경에는 '양심이 더러워지다'라는 표현이 많이 나옵니다. 양심은 약(弱)해질 수도 있고, 악(惡)해질 수도 있습니다. 또 성경에는 '양심이 불타서 없어지다', '화인 맞은 양심'이라는 표현들이 등장합니다. 다시 말하면, '양심이 불타 버려서 실종될 수 있다, 없어질 수 있다', 즉 '양심을 포기할 수 있다'는 것입니다.

타락한 양심, 양심(兩心)

본문은 이스라엘의 한 시대를 다스리던 통치자의 양심이 죽어 가는
광경을 그리고 있습니다. 그의 이름은 '헤롯'입니다. 이 헤롯은 예
수님이 태어났을 때 어린아이들을 죽였던 헤롯이 아닙니다. 이 사
람은 그 헤롯 대왕(Herod the Great)의 아들입니다. 그 유명한 헤롯 대
왕이 사마리아인인 '말다케'(Malthace)와 결혼해서 낳은 아들이 매우
많은데, 그 많은 아들 중의 한 사람이 '헤롯 안티파스'(Herod Antipas)
입니다. 헤롯 안티파스는 나바테아 왕국의 왕이었던 아레타스 4세
(Aretas IV Philopatris)의 딸과 결혼했는데, 마음에 들지 않아 이혼을 합
니다. 못생겼다는 것이 그 이유였습니다. 그 후 헤롯 안티파스는 동
생인 헤롯 필립(Philip Herod Ⅰ)의 아내, 그러니까 자기의 제수가 되
는 '헤로디아'(Herodias)라는 여자와 결혼을 합니다. 헤로디아는 헤
롯 안티파스의 조카이기도 했습니다. 관계가 복잡합니다. 헤롯 집
안은 근친상간의 역사로 얼룩진 매우 부도덕하고 비윤리적인 집안
이었습니다.

이렇게 조카이자 제수를 아내로 삼는 이상한 사건이 일어나자,
당시 하나님이 쓰시던 선지자 세례(침례) 요한이 가만있을 수 없었
습니다. 세례(침례) 요한은 그의 죄를 지적하고 회개하라고 촉구했

습니다. 그런데 헤롯 안티파스는 자신을 꾸중하고 책망한 요한에 대해서 상당한 존경심을 가지고 있었던 것으로 보입니다. 자기의 약점이 밝혀지면 누구나 다 고통스러울 수밖에 없지만, 그럼에도 불구하고 그는 요한의 메시지를 달게 듣는, 양심이 살아 있는 사람이었습니다. 그 증거를 20절에서 찾아볼 수 있습니다.

> "헤롯이 요한을 의롭고 거룩한 사람으로 알고 두려워하여 보호하며 또 그의 말을 들을 때에 크게 번민을 하면서도 달갑게 들음이러라"(막 6:20).

그는 요한의 설교를 번민을 느끼면서도 달게 들었습니다. 또한 요한이라는 선지자를 '거룩한 사람, 의로운 사람'이라 생각했고, 이런 사람은 보호받아야 한다고 판단했습니다.

그러나 시간이 흐르면서 일련이 사건이 전개되자, 그는 이런 요한에 대한 좋은 생각에도 불구하고 마침내 요한의 목을 치는 결론을 내리는 비극의 주인공이 되고 말았습니다. 그의 양심은 흔들리기 시작했고, 마침내 그는 자기의 양심과 전혀 상관없는, 양심을 배반하는 결정을 내린 것입니다. 양심이 타락하면 '양심'(兩心)이 됩니다. 헤롯의 양심은 이중성을 드러내기 시작했고, 그는 마침내 자기의 양심을 거스르는 결정을 하게 됩니다.

우리는 여기서 헤롯 안티파스가 자신의 양심을 버리는 결정을 내린 원인이 어디에 있었는가를 살펴보아야 합니다. 이것은 주변에서 보는 우리 이웃들이 왜 양심을 버리는가를 이해하기 위해서입니다. 그리고 쉽게 양심을 포기할 수 있는 이 시대의 흐름 속에서 우리의 양심을 지키기 위해서입니다.

잘못 관리된 욕심

본문에서 헤롯 안티파스가 양심을 버린 원인을 몇 가지로 진단해 볼 수 있습니다. 첫째는, 욕심 때문이었습니다. 어떤 욕심일까요? 성적인 욕심 때문이었을 것입니다. 성욕이 없는 사람은 없습니다. 그것은 살아 있다는 증거입니다. 인간은 많은 욕심을 가지고 살아 갑니다. 욕심 자체가 반드시 다 나쁜 것만은 아닙니다. 욕심이 없는 사람이 있겠습니까? 의욕이 없는 사람을 생각해 보십시오. 인생을 살아갈 수 있는 의욕도 욕심입니다. 이처럼 많은 종류의 욕심은 매우 중립적일 수 있습니다. 성욕, 물욕, 명예욕처럼 말입니다. 인간이 많은 욕심을 갖지만, 그 욕심 때문에 삶을 사는 추진력도 생기는 것입니다.

그러나 욕심을 잘못 관리하면 그때부터 욕심은 죄가 될 수 있습니다. 욕심에 대한 올바른 청지기적 책임을 행사하지 못할 때, 욕심을 통제하지 못할 때, 욕심은 죄가 됩니다. 문제가 생깁니다. 성경은 "욕심이 잉태한즉 죄를 낳고 죄가 장성한즉 사망을 낳느니라"(약 1:15)라고 말씀합니다.

"나는 내 머리 위에 새들이 날아다니는 것을 방해할 수가 없다. 그러나 그 새가 내 머리 위에 둥지를 틀지 못하도록 할 책임은 나에게 있다."

성 어거스틴의 유명한 말입니다. 그렇습니다. 욕심은 지나가지만, 그 욕심을 조절할 책임은 우리 자신에게 있습니다.

헤롯 안티파스와 헤로디아, 이 두 사람만 잘 살았으면 괜찮았을 텐데, 1세기 문서들을 살펴보면 이들은 그 후에도 엉망이었습니다. 계속해서 섹스 파트너를 바꾸면서 궁중과 나라의 기강을 문란하게 한 장본인들이었습니다. 나중에는 자신들이 누구와 사는지도, 자식이 누구인지도 몰랐습니다. 타락하면 그렇게 될 수 있습니다.

한 목사님이 저에게 이런 말을 했습니다.

"목사님, 치매의 마지막 단계 증상을 아십니까?"

"글쎄요. 모르겠는데요?"

"부부 사이가 갑자기 좋아지는 거라고 합니다."

서로가 다른 사람인 줄 알고 좋아진다는 것입니다. 사람이 타락하면 거기까지 갈 수 있습니다. 헤롯의 타락이 그런 양상이었습니다. 자기 욕심을 도무지 통제하지 못했습니다. 이것은 비극적인 결과를 낳았습니다. 잘못 관리된 욕심에서부터 양심이 더럽혀지는 타락이 시작됩니다.

속 빈 영광

욕심과 함께 헤롯 안티파스의 양심을 오염시키고 타락시킨 또 하나의 중요한 원인은 허영심이었습니다. 저는 허영심을 단순하게 이렇게 정의하고 싶습니다.

'분수 없는 자기 과시의 욕구.'

자기의 분수를 알지 못하고 그것을 넘어서서 자기를 과시하고 싶은 욕구, 이것이 허영입니다.

빌립보서에 보면 바울 사도는 빌립보 교인들에게 정말 기쁜 삶, 건강한 삶을 살도록 권면하는 메시지를 보냅니다. 그중 2장 3절에 보면, "다툼이나 허영으로 하지 말고"라고 했습니다. 여기서 '허영'은 'vain-glory'라 하는데, 'glory'는 '영광'이고, 'vain'은 '비어 있다'는 뜻입니다. '속이 비어 있다'는 것입니다. 내세울 것도 없으면서 자신을 과시하고 싶은 욕구, 이것이 바로 허영의 본질입니다. 이 허영심이 헤롯 안티파스에게 어떻게 나타나고 있습니까? 잔치의 절정에서 헤로디아의 딸이 춤추는 모습을 보고 황홀해진 나머지 헤롯은 갑자기 이렇게 말합니다.

> "또 맹세하기를 무엇이든지 네가 내게 구하면 내 나라의 절반까지라도 주리라"(막 6:23).

사실 그는 나라의 절반을 줄 수 있는 위치에 있지 않았습니다.

왕이기는 하지만 엄격하게 말하면 그는 '분봉왕'이었습니다.

그 당시 로마는 이스라엘을 네 개의 구역으로 나누었는데, 4분의 1에 해당하는 갈릴리, 베뢰아 지역을 맡고 있던 왕이 바로 안티파스였습니다. 이러한 분봉왕은 여러 가지로 제한을 받고 있었습니다. 더군다나 거기에는 로마 총독이 와 있었습니다. 유명한 빌라도 총독도 있었습니다. 그렇게 대단한 사람도 아닌 데다가 여러 가지 행동의 제약을 받고 있었음에도 불구하고, 기분이 좋아지자 갑자기 한다는 소리가 '나라의 절반을 주겠다'는 것입니다. 마치 나라의 절반을 줄 수 있는 권한이라도 있는 것처럼 말입니다.

성경에 보면 나라의 절반을 주겠다고 했던 사람이 또 있습니다. 독재자 아하수에로가 에스더에게 한 말입니다. 그에게는 그럴 수 있는 권한이 있었습니다. 그런데 안티파스는 권한도 없으면서 그렇게 말했습니다. 이것은 허영입니다. 우리는 허영에 사로잡힌 많은 사람이 얼마나 우리나라를 망쳐 놓는 데 일조했는지를 보았습니다.

성경은 '비전'은 강조하지만 '허영'은 경계합니다. 비전과 허영은 다릅니다. 자신이 가진 은사에 근거해서 하나님이 주신 소명을 추구하기 위해 꿈을 갖는 것은 꼭 해야 할 일입니다. 비전은 필요합니다. 그러나 자기와 전혀 상관없이 무엇을 가질 수 있다고, 가지고 있다고, 가지고 있는 것처럼 착각하는 허영은 우리 인생을 망칩니다.

시편 131편의 기자는 이렇게 고백합니다.

"여호와여 내 마음이 교만하지 아니하고 내 눈이 오만하지 아니하오며 내가 큰일과 감당하지 못할 놀라운 일을 하려고 힘쓰지 아니하나이다"(시 131:1).

바울도 로마서 12장 3절에서 "마땅히 생각할 그 이상의 생각을 품지 말고"라고 말하며 허영을 경계합니다. 허영이 양심을 더럽히기 때문입니다. 허영심에서부터 우리 인생은 망가지기 시작합니다. 바로 이 허영심이 헤롯 안티파스의 인생을 망친 중요한 원인이라는 것을 알 수 있습니다.

사람만 의식하는 것

안티파스의 양심을 더럽힌 또 하나의 중요한 원인은, 사람만 의식하는 '인간 의식'입니다. 사람이 사람을 어떻게 의식하지 않을 수 있겠습니까? 우리는 사람을 의식하며 살아야 합니다. 또 의식할 수밖에 없습니다. 옆 사람 눈치도 보고 다른 사람을 쳐다도 보고, 타인을 의식하면서 살아갈 수밖에 없는 것이 인생입니다.

물론 사람을 의식하는 자체를 정죄하는 것이 아닙니다. 사람만 의식하는 것이 문제입니다. 거기에는 중요한 전제가 있습니다. 하나님을 의식하지 않는다는 점입니다. 사람만 의식합니다. 사람만 기쁘게 하면 된다고 생각합니다. '하나님은 어떻게 생각하실까? 나를 창조하신 하나님, 나를 섭리하신 하나님, 인생의 마지막 날에 나를 심판하실 하나님, 그 하나님은 지금 나의 결정을 어떻게 생각하실까?' 하는 생각이 없다는 것입니다.

> "왕이 심히 근심하나 자기가 맹세한 것과 그 앉은 자들로 인하여 그를 거절할 수 없는지라"(막 6:26).

세례(침례) 요한의 목을 베라고 마지막 결론을 내린 원인 중에 하나가 거기 앉아 있는 사람들 앞에서의 자기 체면입니다.

'저 사람들이 나를 어떻게 생각할까? 약속을 했으면 지켜야지.'

그러나 사람의 목을 치는 것, 의인 한 사람을 없애는 것을 하나님은 어떻게 생각하실까요? 그에게는 하나님에 대한 생각, 하나님에 대한 의식이 없었습니다.

이처럼 사람들의 눈만 잠깐 속이면 인생이 행복하다고 생각하는 사람이 얼마나 많은지 모릅니다. 사람을 의식하며 사는 사람들은 현장에서 그 사람만 잠깐 속이면 된다는 무서운 판단을 얼마든지 할 수 있습니다. 그래서 사람을 속이는 자로 자기 양심을 더럽힐 수 있는 것입니다.

어느 추운 겨울날, 한 신사가 다리를 건너다가 어린 소녀가 맹인처럼 까만 안경을 쓰고 노래를 부르면서 구걸하는 모습을 보았습니다. 추운 날 너무 안됐다는 생각에 신사는 지갑에서 지폐 몇 장을 내놓았습니다. 사람들은 대개 동전을 던져 주는데, 지폐가 오니까 소녀가 깜짝 놀랐습니다. 신사는 몇 걸음 가다가 뒤를 돌아보았습니다. 그런데 그 소녀가 지폐를 자세히 보고 있는 것이 아닙니까? 기분이 이상해서 되돌아가 "너, 맹인 아니지?" 하면서 안경을 벗기자 소녀는, "아저씨, 죄송해요. 저는 맹인이 아니에요. 우리 아저씨가 잠깐 앉아 있으라고 해서 앉아 있는 거예요"라고 고백했습니다. "네 아저씨는 어디 가셨니?"라고 묻자, "아저씨는 영화관에 갔어요"라고 대답했다고 합니다.

그 순간만 잠깐 모면하면 된다는 사고방식이 이 시대를 살아가는 각계각층, 모든 사람의 마음속을 지배하고 있습니다.

종교 개혁이 일어났을 당시 유럽의 상황은 그다지 좋지 못했습니다. 수많은 가치관의 혼란과 정치적인 혼란이 가중되고 있었습니다. 그때 유럽의 많은 도시 가운데서 가장 편안한 도시, 살기 좋은 도시, 바람직한 도시로 변하고 있는 곳이 있었는데, 스위스의 제네바였습니다. 그것은 제네바의 개혁자인 칼빈(John Calvin) 때문이었습니다. 제네바 시민들은 그를 '제네바의 양심'이라고 불렀습니다. 칼빈은 종교 개혁만 한 것이 아니라, 제네바라는 도시의 문화, 정치, 삶의 패턴을 완전히 바꾸어 가고 있었습니다. 사람들은 그를 신뢰했습니다. 그는 문자 그대로 '제네바의 양심'이었고, '유럽의 양심'이었습니다.

칼빈이 그런 생애를 살 수 있었던 데에는 중요한 원인이 있었습니다. 그에게는 일생을 지배하는 중요한 삶의 좌우명이 있었습니다. '코람 데오'(Coram Deo), 곧 '하나님 앞에서'라는 뜻입니다. '하나님 앞에서 산다.' 그는 평생 이 좌우명을 가지고 살았습니다. 이것은 '하나님은 나를 어떻게 판단하실까?'와 상통합니다.

그리스도인들조차도 종종 죄를 범할 때 '아무도 나를 보지 않는다'라고 생각합니다. 그러나 하나님은 보고 계십니다. 하나님은 이런 사람을 어떻게 생각하실까요? 전능하신 하나님, 살아 계신 하나님, 불꽃 같은 눈으로 우리를 감찰하시는 하나님이 우리를 어떻게 생각하실까요?

헤롯 안티파스가 이런 범죄 속에 비극의 주인공이 된 원인은 바로 이 하나님 의식이 없었던 까닭입니다. 그는 결국 어떻게 되었습니까? 그는 한평생 '죄책감'이라는 이름의 감옥에서 살아야만 했습니다. 왕이었기에 몸은 궁중에서 살았지만, 그의 마음은 감옥이었습니다. 차라리 지옥이었습니다. 그가 이 가책을 갖고 살았다는 증거가 있습니다.

"헤롯은 듣고 이르되 내가 목 벤 요한 그가 살아났다 하더라"
(막 6:16).

헤롯이 이 이야기를 하게 된 동기가 어디에 있습니까? 14절부터 다시 한번 살펴보십시오. 14절 처음에 무슨 이야기가 나옵니까?

"이에 예수의 이름이 드러난지라"(막 6:14).

예수님이 제자들을 전도를 위하여 내보내셨습니다. 복음이 전해지면서 귀신이 쫓겨 나가고, 병자가 고침을 받고, 사람들이 회개하고 하나님 앞으로 돌아왔습니다. 이 소문이 퍼지자 헤롯이 보인 반응이 16절 내용입니다.

"내가 목 베었던 요한이 살아났는가?"

연대적으로 요한이 예수님보다 앞섭니다. 요한이 회개의 메시지를 전파했을 때 많은 사람이 하나님 앞으로 돌아왔습니다. 그 광경을 기억하고 있던 헤롯 안티파스는 예수님을 통해서 복음이 전해지고 사람들이 회개한다는 소식을 듣자마자 즉각적으로 요한이 살아난 것은 아닐까 생각했습니다.

그는 요한을 죽인 후에 한순간도 요한의 환상에서 자유롭지 못했습니다. 자기가 죽인 요한이 그를 붙들고 있었던 것입니다. 정확하게 말하면 양심의 가책, 죄책감이 그를 붙들고 놓아 주지 않았습니다. 그는 평생 그 감옥 속에서 살았습니다. 양심의 괴로움을 느끼며 살아갔습니다.

이것이 지옥 아닙니까? 이 사람은 살아서뿐 아니라 죽은 후에도 지옥에서 살았을 것입니다. 저는 지옥을 이렇게 정의하고 싶습니다.

'지옥이란 깨지 않는 영원한 악몽이다.'

깨지 않는 악몽, 영원한 괴로움 속에서 영원을 살아야 하는 지옥, 이것이 그의 마지막 삶의 모습이었습니다.

헤롯 안티파스에게 양심을 회복할 수 있는 기회, 회개할 수 있는 기회가 없지는 않았습니다. 그러나 그는 끝까지 이 기회를 붙잡지 못했습니다. 후에 빌라도와 함께 예수님을 처형하는 일에 앞장을 섰던 사람이 되었고, 끝내 양심을 회복하지 못했습니다.

양심은 살아날 수 있다

그러면 여기서 중요한 질문이 생깁니다. 양심은 회복될 수 있을까요? 더럽혀진 양심, 불타 버린 양심, 실종된 양심, 죽은 양심이 살아날 수 있을까요? 깨끗함을 얻을 수 있을까요? 성경은 가능하다고 말씀합니다. 그래서 성경의 메시지는 기쁜 소식, 복음입니다. 양심은 깨끗해질 수 있습니다. 살아날 수 있습니다. 양심의 회복은 가능합니다.

그러면 어떻게 회복될 수 있을까요? 양심 회복의 첫 번째 단계는, 하나님 앞에 서는 것입니다. 양심의 주인이신 하나님 앞에 나아와 서야 합니다.

양심이라는 헬라어 단어는 두 단어의 결합입니다. '-과 함께'와 '알다'라는 단어입니다. '함께'라는 것은 '하나님과 함께'를 전제로 합니다. '하나님이 더불어 주신 양심.' 그래서 우리의 양심은 하나님을 느끼게 되어 있습니다. 그 하나님 앞에 서야 합니다. 그분의 관점에서 자신을 보는 것, 회개는 거기에서 시작됩니다.

하나님 앞에 서 보십시오. 양심을 주신 그 하나님 앞에 서 보십시오. 유명한 철학자 이마누엘 칸트(Immanuel Kant)는, "저 하늘에는 무수한 별이 반짝이고, 내 마음속에는 양심의 도덕률이 빛나고 있다"라는 말을 남겼습니다. 우리의 양심이 우리에게 말하고 소리치지 않습니까?

"안 돼! 해서는 안 돼!"

양심이 우리를 향해 경고합니다. 양심이 우리를 향해 책망합니다. 우리 속에 양심을 주신 하나님, 양심의 주인 되신 하나님 앞에 서서 그분의 관점으로 자신을 보는 것이 회개의 시작이라고 했습니다. 한마디로, 회개하면 양심이 회복되는 것입니다.

찬송 중에도 "내 주께 회개한 영혼은 생명수 가운데 젖었네"(〈구주의 십자가 보혈로〉, 새찬송가 250장)라는 가사가 있습니다. 회개는 어떻게 합니까? 하나님의 눈으로 자신을 바라보는 것입니다. 하나님 앞에 서서 하나님이 자신을 어떻게 생각하실지 생각하는 것입니다. '인생을 살면서 그 정도 부정행위 안 하고 사는 사람이 어디 있나? 그 정도는 다 한다'고 생각하면 회개가 되지 않습니다. 우리는 사람과 사람, 다른 사람과 우리 자신을 비교해서는 안 됩니다. 거룩하신 창조주 하나님은 우리 각 사람을 어떻게 생각하실지, 하나님의 입장에서 보아야 합니다.

즉각 인정하라

그러므로 결론은 하나입니다. "하나님, 제가 죄를 범했습니다"라고 고백해야 합니다. 죄를 인정하는 것이 회개의 시작입니다. 그런 후에 하나님의 입장에서 자신의 죄를 바라보며 "하나님, 이 죄를 이제 포기하겠습니다"라고 말하는 것입니다. 이것이 회개 의식입니다.

미국 교계에 상당한 영향력을 끼치는 목사님과 시간을 함께 보낸 적이 있습니다. 그분이 그 당시 대통령이었던 빌 클린턴(Bill Clinton)을 만났을 때 "빨리 전 국민 앞에서 '나는 죄를 범했습니다'"라고 이야기할 것을 권했다고 합니다. 그러나 클린턴은 그 말을 끝까지 하지 않았습니다. '부적절한 관계'라는 말로 그 위기 상황을 빠져나가려 했습니다. 한마디로, 회개할 용의가 없다는 것입니다. 그러나 하나님은 회개할 때까지 몰아붙이실 것입니다. 끝까지 추적하실 것입니다. 빨리 고백할수록 좋습니다. 죄를 포기하는 것은 차차 할 일이 아닙니다. 한순간에, 단숨에 해 버려야 합니다.

어느 날, 미국의 세금을 걷는 기관인 국세청(IRS)에 편지 한 통이 날아왔습니다. "제가 세금을 보고할 때 의도적으로 잘못 보고했습니다. 양심이 괴로워서 잠을 자지 못하다가 이렇게 국세청에 수표를 보냅니다"라는 내용의 편지와 함께 150달러짜리 수표가 들어 있었습니다. 그런데 재미있게도 그 아래에는, "제가 계속 양심이 괴롭고, 계속 잠을 잘 수 없다면 수표를 더 보내겠습니다"라는 내용이 적혀 있었습니다. 이 사람은 아직 제대로 회개하지 않은 것입니다. 회개는 단숨에 해야 합니다.

죄를 인정하고, 죄를 전적으로 포기할 결심을 하고 주님 앞에 엎드러지십시오. 그리고 이렇게 말하십시오.

"하나님, 용서해 주십시오."

이것이 회개입니다. 우리가 주님 앞에 서서 진지하게 용서를 구한다면, 주님은 용서하십니다. 그리고 우리 양심은 회복될 것입니다. 살아날 수 있습니다. 깨끗함을 얻을 수 있습니다. 이것이 '복음'입니다.

하물며!

성경은 이 복음을 우리에게 이렇게 전합니다.

> "하물며 영원하신 성령으로 말미암아 흠 없는 자기를 하나님께 드린 그리스도의 피가 어찌 너희 양심을 죽은 행실에서 깨끗하게 하고 살아 계신 하나님을 섬기게 하지 못하겠느냐"(히 9:14).

앞의 구절은 구약의 제사를 언급합니다. 옛날 구약 시대의 이스라엘 백성은 염소나 황소의 피를 뿌려 육체를 정결하고 거룩하게 했습니다. 죄를 범했을 때 속죄의 제물을 잡아 제사를 드리면서 하나님께 용서를 구했고, 그 속죄의 제물이 대신 죽어 흘린 피는 일시적으로 이스라엘 백성의 죄를 덮고 용서하는 기능을 가지고 있었습니다.

그 염소와 황소의 피로도 이스라엘 백성의 죄가 일시적으로 덮어질 수 있었다면, 14절 시작 부분을 보십시오. 여기서 "하물며"는 참으로 중요합니다. "하물며 영원하신 성령으로 말미암아 하나님이 준비하여 이 땅에 보내신 흠 없는 예수 그리스도, 당신이 준비하신 제물인 당신의 아들 그리스도가 십자가에서 흘리신 보혈이 어찌 너희의 양심을 죽은 행실에서 깨끗하게 하지 못하겠느냐? 또한 살아 계신 하나님을 다시 한번 섬기는 자리에 세우지 못하겠느냐?"라는 말입니다.

다시 풀이하면, "하나님이 일시적으로 준비하신 구약 시대의 제물들도 이스라엘 백성의 죄를 덮고 속하는 기능을 가지고 있었다. 하물며 우리를 사랑하여 보내 주신 당신의 아들 예수 그리스도가 우리의 죄를 짊어지고 붉은 피를 쏟은 그 십자가 앞에 나와서 자기 죄를 인정하고 용서를 구하는 사람들을 깨끗하게 못 하겠느냐? 너희의 양심을 깨끗하게 하지 못하겠느냐? 살아 계신 하나님을 새로운 마음으로 섬기는 자리에 다시 한번 너희들을 세우지 못하겠느냐?"는 것입니다.

주님의 보혈을 신뢰하십시오. 십자가에서 흘리신 그 보혈은 우리를 양심의 갈등에서 해방시킬 것입니다. 주님이 용서하실 것입니다. 진지한 회개, 곧 자신의 죄를 인정하고 주님 앞에서 그 죄를 포기할 결심으로 엎드려 십자가 앞에서 "주여, 용서해 주십시오"라고 하십시오. 주님이 우리를 깨끗이 씻어 주실 것입니다. 양심의 자유가 올 것입니다. 그리고 우리는 새로운 감격을 가지고 미래를 향해서 떠날 것입니다. 새로운 마음, 새로운 자유, 새로운 담대함을 가지고 다시 하나님을 섬기는 자리에 설 수 있을 것입니다.

이 용서를 믿으십시오. 양심은 회복될 수 있습니다. 지금은 온 세계가 십자가 앞으로 돌아와야 할 시간입니다. 십자가 앞에 거꾸러져 자신들의 죄에 대한 용서를 구하며 진지하게 회개할 때, 양심의 회복은 시작될 것입니다. 먼저 당신 안에서 양심이 회복될 수 있기를 구하십시오.

구원받고 하나님의 자녀 된 우리도 세상을 살다 보면 어느새 우리 자신도 모르게 양심을 더럽힐 수 있습니다. 자유한 마음의 감격을 가지고 주님을 섬기지 못하게 하고, 삶에서 신바람이 빠져 버리게 하며, 감동과 감격이 사라지게 할 뿐 아니라 우리를 괴롭히는 어떤 양심의 억압이 있을지 모릅니다. 지금 십자가 앞에 엎드리십시오. 전능하신 주님 앞에 회개하기 바랍니다. 살아 계신 하나님, 우리의 양심을 꿰뚫어 보실 뿐 아니라 삶의 현장을 보고 계시는 하나님 앞에 지금 엎드려 회개하십시오. 그리고 도우심과 용서하심을 체험하기 바랍니다. 보혈이 강같이 흘러들 것입니다. 양심의 자유가 올 것입니다. 이러한 하나님의 능력을 체험하는 시간을 가지기를 바랍니다.

양심의 자유가 없습니까? 하나님이 기쁘게 여기셨던 하나님의 사람 다윗도 어느 날 죄를 짓고 깊은 갈등 속에 있었습니다. 그러나 주님 앞에 정직하게 죄를 자백하기 시작하자, 하나님은 그를 향한 용서를 부어 주셨습니다. 주님 앞에 엎드려 용서를 체험하기 전에 그는 이런 기도를 드렸습니다.

"우슬초로 나를 정결하게 하소서 내가 정하리이다 나의 죄를 씻어 주소서 내가 눈보다 희리이다"(시 51:7).

이 시대를 살아가는 신약 시대의 우리는 이렇게 기도해야 합니다. "주님의 피로 저를 씻어 주십시오. 정결한 마음을 주십시오. 정직한 영을 새롭게 해 주십시오. 저를 주님 앞에서 멀리 두지 마시고, 주님의 성령의 감동을 소멸하지 않게 도와주십시오. 엎드려 구합니다. 깨끗하게 하시고, 용서하시고, 진실한 마음으로 다시 주님을 섬길 수 있도록 저를 회복시켜 주십시오."

"사도들이 예수께 모여 자기들이 행한 것과 가르친 것을 낱낱이 고하니 이르시되 너희는 따로 한적한 곳에 가서 잠깐 쉬어라 하시니 이는 오고 가는 사람이 많아 음식 먹을 겨를도 없음이라 이에 배를 타고 따로 한적한 곳에 갈새 그들이 가는 것을 보고 많은 사람이 그들인 줄 안지라 모든 고을로부터 도보로 그곳에 달려와 그들보다 먼저 갔더라 예수께서 나오사 큰 무리를 보시고 그 목자 없는 양 같음으로 인하여 불쌍히 여기사 이에 여러 가지로 가르치시더라"(막 6:30-34).

20

잠깐
쉬십시오

안식은 수고하고
짐 진 자들이 얻는 복이다

문화부 장관을 지낸 이어령 교수는 《신한국인》(문학사상)이라는 책에서 새로운 시대의 한국인과 옛날의 전통적인 한국인을 비교하고 있습니다. 그는 옛날 한국인과 새 시대 한국인의 생활 패턴의 가장 커다란 차이를 속도감에서 찾고 있습니다. 속도 감각이 다르다는 것입니다. 옛날 한국인은 기다림에 익숙한 세대였다면, 새로운 시대의 한국인은 조급해진, 소위 '빨리빨리' 세대라고 할 수 있습니다. 그분의 다른 표현을 빌리면, '밥 세대와 라면 세대의 차이'입니다. 옛날 한국인은 우리 어머니들이 늦게 들어오는 남편이나 자녀들을 위해 지어 놓고 뜸을 들이려고 아랫목에 묻어 놓은 밥의 온기처럼 은근한 기다림의 세대였다면, 새로운 시대의 한국인은 그런 여유나

낭만을 상당히 잃어버린 세대라는 말입니다. 조급하고, 어쩌면 독하기까지 한 사람들의 얼굴을 거리에서 쉽게 만나 볼 수 있습니다.

과거에 읊던 김소월의 "엄마야 누나야 강변 살자"라는 시는 요즘 바뀌었습니다. "엄마야 누나야 간편 살자." 이 간편한 삶을 대표하는 상징이 바로 라면입니다. 인스턴트 문화를 대표한다고 할 수 있습니다. 이런 패스트푸드 산업의 발달은 확실히 우리의 속도감을 촉진시켰습니다. 이렇게 좋은 결과도 있지만, 우리가 잃어버린 것도 많습니다. 그중 가장 커다란 손실은, 인내심의 상실입니다. 우리는 가만히 있는 것을 낭비로 생각하기 시작했습니다. 그 결과 휴식의 의미, 혹은 안식의 축복을 상실해 버렸습니다.

본문은 이렇게 시작합니다.

> "사도들이 예수께 모여 자기들이 행한 것과 가르친 것을 낱낱이 고하니"(막 6:30).

예수님의 제자들이 전도하러 나갔다가 들어왔습니다. 사도란 '보내심을 받은 자'입니다. 그들은 보내심을 받고 전도했습니다. 그리고 그 전도에서 상당한 실적을 거두고 돌아왔습니다. 그런 그들이 보고를 시작합니다. 아마 숨 돌릴 겨를도 없이 헐레벌떡 예수님 앞에서 보고를 시작했을 것입니다. 예수님은 그러한 제자들을 쳐다보고는 그 보고를 중단시키신 것 같습니다. 그리고 이렇게 말씀하십니다.

"너희는 따로 한적한 곳에 가서 잠깐 쉬어라 하시니 이는 오고 가는 사람이 많아 음식 먹을 겨를도 없음이라"(막 6:31).

제자들의 갈릴리 사역은 상당한 성공을 거두었습니다. 가버나움을 중심으로 한 그들의 전도 활동으로 많은 결신자가 생겼습니다. 또한 병든 사람들이 고침을 받고, 귀신 들린 자들은 자유를 얻었으며, 많은 무리가 회개하고 하나님 앞으로 돌아왔습니다. 예수의 이름은 높아졌고, 주님의 이름은 찬양을 받았습니다. 제자들은 다소 지치기는 했지만, 흥분을 가누기 어려운 감동이 아직 살아 있었습니다. 그들이 격앙된 심정으로, "주님, 우리가 가버나움에서 이런 일을 경험했고요, 또 저기서는 이런 놀라운 결과가 일어났습니다"라고 보고를 올리는 도중, 주님이 갑자기 보고를 중단시키고 휴식을 제안하신 것입니다. 왜 주님은 제자들에게 휴식을 제안하셨을까요? 우리는 이 질문을 '인생의 도상에서 왜 휴식이 필요할까요?'라는 매우 중요한 질문으로 바꿔 볼 수 있습니다. 왜 휴식이 필요합니까?

돌아보는 여유를 가져라

먼저는, 성취를 돌아보기 위한 여유를 갖기 위해서입니다. 우리의 성취를 돌아보기 위한 여유를 위해서 휴식이 필요하다는 것입니다.

30절을 읽다 보면 긴장과 스트레스를 일으키는 한 단어를 발견하게 됩니다. '낱낱이'입니다. 정확하다는 면에서는 매우 좋은 단어입니다. 그러나 제자들은 아마도 도착하자마자 숨 돌릴 겨를도 없이 겪었던 일들을 막 보고하기 시작했을 것입니다. 낱낱이 보고하자, 주님은 제자들의 얼굴을 바라보다가 그 보고를 중단시키신 것 같습니다. 그보다 더 중요한 안식의 여유가 제자들에게 필요하다고 판단하셨기 때문입니다.

성경에서 '안식'이라는 단어가 맨 처음 나오는 곳은 창세기 2장입니다. 하나님은 엿새 동안 세상을 창조하고 일곱째 날에 쉬셨습니다. 중요한 것은, '하나님도 쉬셨다'는 사실입니다. 이것이 중요합니다. 왜 쉬셨을까요? 저는 그 이유가 돌아봄의 여유를 갖기 위해서라고 생각합니다. 하나님도 돌아보고 싶으셨습니다.

창조의 한 단계가 끝날 때마다 창세기에는 "보시기에 좋았더라"라는 말이 나옵니다. 그런데 여섯째 날 창조를 완료하신 다음, 성경은 이렇게 기록합니다.

"하나님이 지으신 그 모든 것을 보시니 보시기에 심히 좋았더라"

(창 1:31).

하나님이 당신이 창조해 놓은 것을 보면서 좋다고 하신 것입니다.

당신은 나름대로 인생을 열심히 살아왔을 것입니다. 지금은 고통의 시기, 시련의 시기를 지나고 있을지 모르지만, 땀 흘려 여기까지 왔습니다. 그러나 중요한 것은, 그 인생의 길을 최근에 돌아볼 수 있는 여유를 가졌느냐는 것입니다. 돌아볼 수 있는 여유, 이것이 중요합니다.

시카고의 기독교 명문, 휘튼대학교(Wheaton College)의 총장인 라이켄(Philip Graham Ryken) 박사는 이런 말을 했습니다.

"하나님은 우주와 만물을 기능적으로만 창조하지 않으셨다. 하나님은 보다 더 심미적으로 우주를 지으셨다."

심미적 우주라는 말은 아름다운 우주(artistic universe)로 지으셨다는 것입니다. 만약 하나님이 이 지구라는 땅덩이를 살기 편리한 곳으로만 지으셨다면, 우리는 그냥 편리하게 살아가면 됩니다. 그러나 라이켄 박사는, 이 지구는 살기에 편리할 뿐만 아니라 살기에 아름답다고 말합니다. 또한 그는 이런 글을 남겼습니다.

"만약 편리만이 목적이라면, 이 자연, 사철마다 옷을 갈아입는 이 자연에게 번거롭고 황홀한 변신이 왜 필요합니까? 여름마다 바다에는 해일이 넘치고, 가을에는 낙엽이 져야 하고, 겨울에는 백설이 대지를 덮어야 하는 이유는 무엇입니까? 왜 이 우주는 신묘한 음악 그리고 절묘한 미학을 지닌 광채로 가득 차 있을까요? 그 이유는 하나밖에 없습니다. 하나님은 우리가 이 모든 것을 즐기기를 원하시는 것입니다."

만약 전도에서 돌아온 제자들이 전도의 상당한 실적을 보고하고픈 급한 마음을 누르고 "주님, 감사합니다. 저희를 내보내어 이처럼 놀라운 결과가 있게 하시고, 전도의 보람을 체험하도록 도우신 주님, 정말 감사합니다. 오늘 우리가 주님 앞에 보고를 드리기에 앞서 주님을 찬양하고 싶습니다. 주님을 예배하고 싶습니다" 하고 예배를 드렸다면 주님은 절대로 중단시키지 않으셨을 것 같습니다. 그러나 그들은 서둘러 보고하는 데만 급급했습니다. 주님은 제자들의 마음속에 그 아름다운 일, 그들이 성취한 놀라운 일들을 마음으로 즐거워할 수 있는 여유가 없어진 모습을 보셨습니다.

현대는 소위 실용주의적 가치관, 실용주의적 윤리관에 설득된 나머지 행동하는 시간, 움직이고 있는 시간만이 가치 있다고 생각합니다. 그래서 가만히 있는 것은 시간 낭비이고, 시간을 잃어버리고 있다고 여깁니다. 그러나 사실은 여유, 한가함, 이들이 더 위대한 창조의 전제가 될 수 있다는 것을 기억할 필요가 있습니다.

두 사람이 숲속에서 아침부터 저녁까지, 똑같은 시간 동안 도끼를 들고 나무를 찍는 작업을 했습니다. 한 사람은 점심시간에 20분 정도 쉬는 시간을 제외하고는 아침부터 저녁까지 계속 부지런히 나무를 찍었습니다. 다른 한 사람은 적어도 네 차례 정도 넉넉히 쉬어 가며 일했습니다. 그런데 저녁이 되어 일을 끝낸 후 성과를 비교해 보니, 네 번이나 쉬며 일한 사람이 더 많은 나무를 벤 것입니다. 조금밖에 쉬지 않은 사람이 놀라면서 물었습니다.

"아니, 당신은 나보다 훨씬 더 많이 쉬었는데, 어째서 나보다 더 좋은 결과를 얻은 거지?"

그러자 쉬어 가면서 일한 사람이 대답했습니다.

"나는 쉬면서 도끼를 다듬으며 날을 세우고 있었다네. 그러고 나서 더 힘차게 나무를 찍었고, 자네보다 더 좋은 결과를 얻게 된 것이지."

여유는 낭비가 아닙니다. 여유는 성취를 돌아보게 할 뿐 아니라, 한 걸음 더 나아가 우리의 미래를 준비할 수 있는 바탕이 됩니다. 그런데 우리는 얼마나 여유를 가지고 살고 있습니까? 당신은 지금 까지 달려온 인생을 돌아볼 수 있는 여유, 그 여유를 갖고 살았습니까? 그 여유를 위해서 휴식은 필요합니다. 지나온 삶의 성취를 잠시 돌아보기 위해서 말입니다.

쉼은 새로워지는 힘이다

두 번째는, 한 걸음 더 나아가 새로운 힘을 회복하기 위해서입니다. 휴식이 필요한 이유는, 인간이 휴식을 필요로 하는 육체를 가지고 있기 때문입니다. 본문 31절을 깊이 생각하면서 읽어 보십시오.

> "이르시되 너희는 따로 한적한 곳에 가서 잠깐 쉬어라 하시니 이는 오고 가는 사람이 많아 음식 먹을 겨를도 없음이라"(막 6:31).

예수님은 제자들에게 어떤 문제가 있는 것을 보셨습니까? 마지막에 쉬라고 제안하신 이유가 무엇입니까? 제자들은 음식도 먹지 못한 채 '보고'라는 행동에 매달려 있었습니다. 조금 있으면 음식도 먹지 못한 상태에서 탈진할 것이 뻔합니다. 예수님은 탈진의 징후를 보셨던 것입니다. 그래서 제자들에게 휴식을 제안하셨습니다.

우리에게는 잠깐 접어 두고 먼저 가서 쉬는 것, 쉬면서 이야기하는 것이 필요합니다. 쉼이 필요 없는, 안식이 필요 없는 유일한 분이 있다면 하나님뿐일 것입니다. 그럼에도 불구하고 하나님도 쉼을 필요로 하셨습니다. 쉼을 필요로 하신 이유 중의 하나는, 하나님도 새로워지고자 하셨기 때문입니다. 무슨 말입니까? 하나님에게도 새로워짐의 필요가 있었을까요?

어느 날 저는 안식을 주제로 하는 한 성경 구절 앞에서 무척 놀랐습니다. 출애굽기 31장 17절을 보십시오.

> "이는 나와 이스라엘 자손 사이에 영원한 표징이며 나 여호와가 엿새 동안에 천지를 창조하고 제 칠 일에 쉬어 평안하였음이니라 하라"(개역한글).

여호와 하나님이 엿새 동안에 천지를 창조하고 일곱째 날에는 무엇을 하셨습니까? 성경에 보면 쉬었다는 단어만 강조된 것이 아니라 '평안하였다', 즉 '쉬어 평안하였다'라고 말씀하고 있습니다. 그런데 이 '평안하다'라는 말이 대부분의 영어 성경에는 "God refreshed himself"(하나님이 쉬면서 당신을 새롭게 하셨다)라고 번역되어 있습니다.

하나님이 새로운 힘을 얻으신다는 말씀입니다. 하나님께도 새로워짐의 필요가 있는데, 우리는 어떻겠습니까? 그 순간, 예수님의 제자들은 먹어야 할 필요가 있었고, 쉬어야 할 필요가 있었습니다.

그래서 예수님은 제자들에게 휴식을 제안하신 것입니다. '한적한 곳'은 문자 그대로 말하면 '사막'입니다. 꼭 멀리 가야 사막이 있는 것은 아닙니다. 갈릴리 바다에서 멀지 않은 곳에 '벳새다'라는 평야가 있습니다. 거기도 일종의 아주 작은 사막이었습니다.

저는 인생을 살아가는 우리에게도 문자 그대로 자기만의 사막, 자기만의 광야가 필요하다고 생각합니다. 집에 있는 방 하나를 사막으로 만들 수 있습니다. 그래서 조용히 쉴 수 있습니다. 혹은 집 근처의 조용한 오솔길, 혹은 어느 산마루가 사막이 될 수도 있습니다. 이처럼 마음이 아프고 괴로울 때마다 찾을 수 있는 사막, 주님 앞에 엎드려 기도할 수 있는 자기만의 사막, 자기만의 광야가 있다면 얼마나 좋을까요? 삶의 회복을 위해서는 이처럼 한적한 곳이 필요하다고 생각합니다.

미국의 한 심리학자가 아주 흥미로운 실험을 했습니다. 한 조용한 도서관을 찾아가 아침부터 저녁까지 하루를 머물면서 한 시간 간격으로 책을 잔뜩 끼고는 사람들이 옆에 지나가려고 하면 그 책을 고의적으로 떨어뜨렸습니다. 책을 왕창 떨어뜨리니까 지나가던 사람이 도와주었겠지요? 몇 명이나 도와주었을까요? 적어도 50퍼센트 정도가 도와주었습니다.

다음 날에도 똑같은 실험을 했는데, 이번에는 실험 전 도서관 관리자에게 양해를 구하고 도서관 바로 옆에서 잔디 깎는 기계를 작동시켰습니다. 잔디 깎는 기계가 작동하자 시끄러워졌습니다. 그러고는 전날처럼 똑같은 시간에 똑같은 간격으로 책을 떨어뜨렸습니다. 얼마나 많은 사람이 지나가다가 도와주었을 것 같습니까? 10퍼센트 미만이었습니다. '시끄러움'이 사람들의 마음속에서 여유를 빼앗아 간 것입니다. 사람은 조용함 속에서 여유를 가질 수 있습니다. 우리는 얼마나 '조용함의 여유', '조용함의 축복'을 누리고 있습니까?

예수님의 일상생활을 복음서에서 가만히 관찰해 보면 굉장히 바쁘셨습니다. 한가한 분이 아니었습니다. 그럼에도 불구하고 예수님은 전혀 허둥대는 모습을 보여 주지 않으십니다. 바쁘셨으나 여전히 침착한 삶이었습니다.

예수님의 일생을 기록한, 예수님의 전기를 쓰려고 시도한 사람이 많습니다. 그중의 한 명인 르낭(Ernest Renan)의 글의 한 부분을 기억합니다. 그는 절묘한 필치로 예수님의 일상생활을 이렇게 그리고 있습니다.

"예수 그리스도의 삶, 이처럼 완벽하고 조화된 삶의 모범이 어디에 있겠는가. 그는 열심히 일하셨다. 그러나 적절히 쉬셨다. 그는 일할 때와 쉴 때를 아셨다. 그는 열중할 때와 관조할 때를 아셨다. 그는 사람들과 어울릴 때를 아셨고, 홀로 있을 때를 아셨다. 그는 사람들과 어울릴 때 즐거워하셨다. 그러나 그는 홀로 있을 때에도 여유로우셨다. 그에게는 언제나 여유가 있었다. 그래서 사람들은 즐겁게 그를 따라다닐 수 있었다. 그가 있는 곳에 잔치가 있었다. 그가 있는 곳에 웃음이 있었고, 그가 있는 곳에 평화가 있었다. 그러나 그는 한순간 조용히 다시 자기 침묵의 성소로 돌아오셨다. 그는 자주 하늘을 응시하셨다. 그리고 그는 자주 들판을 내다보셨다. 그의 눈길은 숲과 산에 머물고 있었다. 겟세마네 동산 가는 길, 포도원 밭길, 기드론 시냇가. 이 길은 언제나 정겨운 예수의 산책로요, 오솔길이었다. 그는 확고하셨으나 부드러우셨다. 그는 천천히 단호하게 십자가를 향해 걸어가셨다. 그리고 마침내 '내 사명을 이루었다'고 고백할 수가 있었다. 그의 삶은 충만한 생명, 그 자체였다."

어떤 느낌이 듭니까? 이 글도 여유가 있어야 어떤 느낌을 받을 것입니다. 휴식이 우리 주님에게도 이러한 여유를 주었던 것입니다. 새로워짐의 회복을 위해서 말입니다.

새로운 창조를 위한 휴식

휴식이 필요한 세 번째 이유는, 휴식이 우리 미래의 사역을 준비하기 위해서 필요하기 때문입니다. 예수님은 쉬셨습니다. 그렇다고 계속해서 마냥 쉬신 것은 아닙니다. 사실 예수님은 쉬실 수도 없는 형편이었음을 본문을 봐도 알 수 있습니다.

"그들이 가는 것을 보고 많은 사람이 그들인 줄 안지라 모든 고을로부터 도보로 그곳에 달려와 그들보다 먼저 갔더라"(막 6:33).

예수님이 벳새다 광야에 가신다는 소문이 나니까, 사람들이 먼저 가서 예수를 만나려고 진을 치고 기다리고 있었습니다. 이때 예수님은 어떻게 하셨습니까?

"예수께서 나오사 큰 무리를 보시고 그 목자 없는 양 같음으로 인하여 불쌍히 여기사 이에 여러 가지로 가르치시더라"(막 6:34).

이처럼 쉬실 수도 없었습니다. 그러나 저는, 예수님은 잠깐의 안식을 취하셨을 거라는 한 주석학자의 지적에 동의합니다. 본문 32절을 보십시오. 예수님은 갈릴리, 가버나움에서 벳새다 광야로 배를 타고 가시는 중이었습니다.

"이에 배를 타고 따로 한적한 곳에 갈새"(막 6:32).

예수님이 취할 수 있었던 유일한 안식의 시간은 아마도 선상(船上)에서의 휴식, 배를 타고 가면서 제자들과 잠깐 가질 수 있었던 시간이었을 것입니다. 그러나 이 잠깐의 휴식이 얼마나 중요한지 모릅니다. 잠깐의 낮잠, 잠깐의 새우잠, 잠깐의 여유, 잠깐의 산책, 이 잠깐의 휴식도 우리에게는 굉장한 도움이 될 때가 많습니다.

주님은 이 휴식의 시간을 통해서 다시금 회복하셨습니다. 그리고 당신을 필요로 하는 사람들 앞에 서서 다시 말씀을 가르치며 사역에 열중하셨습니다. 쉼은 그분을 새롭게 만들었고, 재충전시켰습니다. 그분은 새로운 역사, 새로운 창조를 위하여 다시 일하셨습니다.

그런 의미에서 휴식이란 새로운 창조입니다. 새로운 미래를 만들고, 새로운 역사를 만들고, 새로운 내일을 만들기 위해서도 휴식은 필요합니다. 그러니 억지로라도 휴식을 만들어야 합니다. 휴식을 선택해야 합니다. 우리는 선택할 수 있는 많은 것 가운데서 일부러 우선순위를 두고 휴식을 선택할 필요가 있습니다.

안식도 선택이다

빅터 프랭클(Viktor Frankl)이라는 유명한 유대인 출신 심리학자가 있습니다. '의미 요법'(Logo-Therapy)을 창안한 사람입니다. 후에 그는 나치 독일 치하에서 수용소 생활을 했을 때를 이렇게 기록하고 있습니다. 감방 안에 있는 사람들에게 자주 이 이야기를 했다고 합니다.

"여러분, 나치 독일은 우리에게서 많은 것을 빼앗아 갔습니다. 우리의 부모를 빼앗아 갔습니다. 우리의 처자식을 빼앗아 갔습니다. 우리의 사랑하는 사람을 빼앗아 갔습니다. 또 우리의 편리한 것을 다 빼앗아 갔습니다. 그러나 사랑하는 여러분, 나치가 우리에게서 결코 빼앗아 갈 수 없는 것 한 가지가 있습니다. 그것은 우리가 불편한 상황, 고통스러운 환경 속에 있지만, 이 환경에 대해서 어떻게 반응하느냐 하는 반응의 자유, 그 자유로운 선택만은 저들이 결코 우리에게서 빼앗아 갈 수가 없습니다."

다 같이 고통당합니다. 개인차는 있지만, 대부분의 사람이 경제 위기 속에서 고통스러워합니다. 그러나 이 고통 앞에 반응하는 방법은 다 다릅니다. 어떤 사람은 아예 인생을 포기하고 절망합니다. 그러나 어떤 사람은 '이 고통은 견뎌 볼 만한 가치가 있다. 도전해 볼 만한 가치가 있다. 나는 고통 속에서 견디며 끝까지 하나님을 의뢰하고 싸우겠다'고 다짐합니다. 이것은 선택입니다. 선택의 자유는 여전히 남아 있습니다. 그는 계속해서 이렇게 말합니다.

"여러분, 나는 이 고통스러운 환경에서 묵상을 선택하겠습니다."

감방 안에서 자주 그는 눈을 감고 묵상을 했다고 합니다.

"나는 이 묵상 속에서 미래를 바라봅니다. 이 감옥에서 나가 다시 한번 자유인이 되어 많은 사람 앞에서 강의할 수 있는 그날을 바라봅니다. 나는 그 상상을 선택합니다. 그 미래를 선택합니다. 나는 희망을 선택합니다. 나는 그 의미를 선택합니다."

다 같이 어려움을 당하고 있지만, 아직 우리에게는 선택의 자유가 주어져 있습니다. 그렇다면 괴롭고 아프지만 잠시 휴식을 선택해 보십시오. 참으로 오랜만에 온 가족이 함께 둘러앉아 보십시오. 휴대폰을 꺼 보십시오. 오랜만에 가족과 함께 예배를 드려 보십시오. 예배도 영적 휴식입니다. 제가 이해할 수 없는 것 가운데 하나가 예배 시간까지 휴대폰을 켜 놓고 있는 것입니다. 그 짧은 시간도 안식하지 못하는 것입니다. 우리는 잠시의 안식도 취하지 못합니다. 그래서 늘 쫓겨 다닙니다. 휴대폰 전원을 끄고 지나온 이야기를 하면서, 어렵지만 서로 용기를 북돋아 주며 푹 쉬어 보십시오. 조용히 기도하고, 서로 손을 잡거나 안마를 해 주면서 푹 쉬어 보십시오. 안식을 선택해 보십시오.

주님과 깊은 교제를 나누어 보십시오. 우리 주님은 안식의 주인이십니다. 바쁘고 서두르는 제자들에게 휴식을 제안했던 주님이십니다. 우리가 잘 아는 마태복음 11장 28절에서는 어떻게 말씀하십니까?

"수고하고 무거운 짐 진 자들아 다 내게로 오라 내가 너희를 쉬게 하리라."

주님이 정녕 안식의 주인인 것을 마음에 받아들이십시오.

나와 함께 가자

왜 안식을 잃어버렸을까요? 많은 원인이 있지만, 성경은 근본적인 원인을 죄 때문이라고 가르칩니다. 그래서 하나님은 예수님을 보내셨습니다. 예수님은 우리의 죄와 불행과 고통을 짊어지고 십자가에서 하나님의 저주와 심판을 대신 받으셨습니다. 그런 주님이 우리에게 이렇게 말씀하십니다.

> "수고하고 무거운 짐 진 자들아 다 내게로 오라 내가 너희를 쉬게
> 하리라"(마 11:28).

우리 대신 저주와 진노를 감당하고, 그 앞에 오는 자에게 구원을, 영생을 그리고 새로운 삶을, 새로운 미래를, 영원을 선물로 주기 위해 우리를 초청하시는 그 주님 앞에 와 보십시오.

본문 31절을 묵상하는데, NIV 성경에는 이렇게 쓰여 있었습니다.

"Come with me"(나와 함께 가자).

진정한 안식은 주님과 함께하는 것입니다. 예수님과 함께 있는 것이 안식입니다.

세계적인 전도자요, 학자이자 신학교 학장이었던 버논 맥기(Vernon McGee) 박사가 어느 날 안식교인 한 사람을 만났습니다. 안식에 대한 토론이 벌어졌습니다. 안식교인이 입에 거품을 물고 버논 맥기에게 항의했습니다.

"안식일이 토요일에서 일요일로 바뀌었다는 성경적인 근거가 어디에 있습니까?"

이에 버논 맥기 박사가 대답했습니다.

"나는 그날이 바뀌었다고 생각하지 않습니다."

그랬더니 안식교인이 깜짝 놀라면서 물었습니다.

"안식일이 바뀌지 않았다면, 당신들은 왜 토요일에 안식일을 지

키지 않고 일요일에 지킨단 말입니까?"

그때 버논 맥기 박사가 그 유명한 대답을 했습니다.

"그날이 바뀐 것이 아니라, 내가 바뀌었습니다. 내가 변화되었습니다"(The day was not changed. But! I am changed.).

예수님이 우리에게 찾아오시고, 그분이 우리를 용서하시고, 우리에게 영생을 선물로 주시고, 그분이 우리를 바꾸어 주셨습니다. 그분은 우리를 바꾸기 위해 십자가에 달려 돌아가셨습니다. 우리의 죄의 대가를 지불하셨습니다. 그리고 장사한 지 사흘 만에 부활하셨습니다. 안식 후 다음 날, 토요일 다음 날 부활하셨습니다. 그 살아 계신 주님이 영생과 평안을 주셨습니다. 그분이 부활하신 날, 그분이 우리에게 영생의 소망을 주실 수 있었던 날, 그 부활의 날에 주님을 예배하는 것이 왜 잘못이란 말입니까?

부활의 주님이 우리에게 안식을 주신 것으로 인하여 주님을 찬양하기 바랍니다. 그분이 우리의 안식, 생명, 소망 그리고 영원한 희망의 근거인 것을 믿기 바랍니다.

마음으로 쉬지 못하는, 쉴 수 없는 고통, 잠자고 싶어도 잠잘 수 없는 고통, 가슴을 짓누르는 고통 속에 있습니까? 사랑하는 주님의 음성을 다시 들어 보십시오.

"수고하고 무거운 짐 진 자들아 다 내게로 오라 내가 너희를 쉬게
하리라"(마 11:28).

"때가 저물어 가매 제자들이 예수께 나아와 여짜오되 이곳은 빈 들이요 날도 저물어 가니 무리를 보내어 두루 촌과 마을로 가서 무엇을 사 먹게 하옵소서 대답하여 이르시되 너희가 먹을 것을 주라 하시니 여짜오되 우리가 가서 이백 데나리온의 떡을 사다 먹이리이까 이르시되 너희에게 떡 몇 개나 있는지 가서 보라 하시니 알아보고 이르되 떡 다섯 개와 물고기 두 마리가 있더이다 하거늘 제자들에게 명하사 그 모든 사람으로 떼를 지어 푸른 잔디 위에 앉게 하시니 떼로 백 명씩 또는 오십 명씩 앉은지라 예수께서 떡 다섯 개와 물고기 두 마리를 가지사 하늘을 우러러 축사하시고 떡을 떼어 제자들에게 주어 사람들에게 나누어 주게 하시고 또 물고기 두 마리도 모든 사람에게 나누시매 다 배불리 먹고 남은 떡 조각과 물고기를 열두 바구니에 차게 거두었으며 떡을 먹은 남자는 오천 명이었더라"(막 6:35-44).

21

너희가
먹을 것을 주라

예수님처럼
상처 입은 치유자가 되라

우리는 21세기를 살아갑니다. 세계 인구는 82억 명에 가깝고, 그중 명목상의 기독교 인구는 26억 명에 도달할 것입니다. 26억, 많은 수 같아 보이지만 그중에서 진정으로 예수 그리스도를 구주로 영접하고 복음으로 거듭난 그리스도인의 숫자는 얼마나 될까요? 아마도 6억 명이 채 안 될 것입니다. 그렇다면 6억 명이 76억 명을 복음으로 인도하도록 책임져야 한다는 말인데, 이것이 가능할까요? 불가능한 과제일 것입니다.

한국 교회는 어떨까요? '한국갤럽조사연구소'에 의하면 개신교의 인구는 2021년 기준 17퍼센트로 많은 수가 감소했습니다. 그렇다면 이 가운데 예수 그리스도에 대한 진정한 복음의 부담감을 가지고 있는 사람은 얼마나 될까요? 아마 10퍼센트 미만일 것입니다. 그렇다면 10퍼센트 미만이 90퍼센트 이상의 사람을 책임져야 한다는 불가능한 결과가 나오게 됩니다.

매스컴을 통해서 북한의 비참한 소식을 들을 때마다 우리가 어떻게 도와야 하는지, 아니 그들을 과연 도울 수 있는지에 대한 대답은 불가능한 과제처럼 보입니다. 그런가 하면 한국은 계속되는 경기 침체로 실직자가 늘고 있고, 향후 몇 년 후로도 현실은 별반 나아질 것이 없다고 말하고 있습니다. 이처럼 방관할 수 없는 사회적 현실에 대한 윤리적 책임 의식과 자기 생존과 싸워야 하는 우리가 이웃에게 도움을 주는 존재가 될 수 있을까요? 불가능하다고 생각할 것입니다. 우리는 불가능한 숙제가 산적한 현실에 살고 있는 것 같습니다. 과연 희망이 있는 것일까요? 있다면 그것은 하나님의 기적일 것입니다. 그리고 우리는 그 기적을 믿는 사람들입니다.

어느 날, 벳새다의 빈 들판에 허기지고 병들고 소망을 찾아 모여든 2만여 명의 군중을 바라보면서 예수님은 제자들에게 불가능한 과제를 주셨습니다.

"너희가 먹을 것을 주라"(막 6:37).

자기 한 몸 감당하기도 버거운 제자들에게 너무 어려운 과제를 내셨습니다. 그러나 자의적이든 타의적이든, 수동적이든 능동적이든 제자들은 예수님께 순종했고, 그때 기적이 일어났습니다. 우리를 둘러싸고 있는 문제에 대한 유일한 대안과 소망은 '하나님의 기적'입니다. 복음서에 나오는 기적의 이야기가 흥미로운 이유는, 인간적 사실이 있기 때문입니다.

기적은 하나님이 행하시는 일입니다. 그것은 감히 우리가 접근할 수 없는 영역으로 하나님만이 초자연적으로 행하시는 것이지만, 그 속에 인간적 요인이 있습니다. 기적을 발생시키는 상황적 요인이 있다는 것입니다. 기적은 하나님이 행하시지만, '사람을 통해' 행하십니다. 그 기적이 불가능한 현실 과제를 풀어낼 수 있습니다.

상처 받은 치유자

그렇다면 우리가 할 수 있는 일은 무엇입니까? 기적과 하나님의 구원과 소망이 이 땅에 임하게 하기 위해서 우리가 해야 할 일은 무엇일까요? 첫째는, 책임을 느끼는 것입니다.

> "무리를 보내어 두루 촌과 마을로 가서 무엇을 사 먹게 하옵소서
> 대답하여 이르시되 너희가 먹을 것을 주라 하시니 여짜오되 우리
> 가 가서 이백 데나리온의 떡을 사다 먹이리이까"(막 6:36-37).

대책 없이 모여든 허기진 군중의 식사 문제를 해결하는 것은 불가능했기에, 제자들은 각자 해결하게 하자고 예수님께 제안합니

다. 그러나 이때 뜻밖에 "너희가 먹을 것을 주라"고 예수님은 강조하십니다. '너희'가 책임져야 한다는 것입니다. 자기 한 몸 추스르기도 어려운 제자들에게 예수님은 강한 도전을 주고 계십니다.

우리는 어떤 문제가 생길 때 정부나 지도자의 책임으로 돌릴 수 있습니다. 주변의 다른 환경에 책임을 물을 수도 있습니다. 그러나 기도할 때 주님은 이런 문제에 대해 뜻밖의 대답을 하십니다. 그것은 바로 우리의 책임이라는 것입니다. 주님은 이 땅의 소금이고 빛이어야 할 그리스도인의 책임이라고 말씀하십니다. 다른 사람이 아니라 바로 '나'의 책임을 물으십니다.

예수님은 허기진 군중을 바라보면서 그들을 불쌍히 여기셨습니다.

> "예수께서 나오사 큰 무리를 보시고 그 목자 없는 양 같음으로 인하여 불쌍히 여기사 이에 여러 가지로 가르치시더라"(막 6:34).

'불쌍히 여기다'는 영어로 'compassion'(함께 느끼다)입니다. 주님은 그들을 불쌍히 여기사 고통을 함께 느끼셨습니다. 그들의 절망, 좌절, 고통을 함께 느끼셨습니다. '불쌍히 여기다'라는 단어의 원뜻은 '저 깊은 곳의 창자가 끊어지는 고통'을 느끼는 것을 말합니다. 그런 격렬한 고통으로 대중의 고통을 느끼셨습니다. 그리고 제자들에게 이 고통을 느껴야 한다고 말씀하시며, 그들에게 먹을 것을 주라고 명하십니다.

그리스도인에 대한 여러 가지 표현 중 '상처 받은 치유자'라는 표현이 있습니다. 그분을 따라가는 우리 모두가 고통을 받으면서 십자가 앞에 나아왔고, 상처의 치유를 경험했습니다. 이제 새로운 소망을 경험한 우리에게 주님은 우리보다 더 절망하고 어려운 처지에 있는 사람에게 치유자가 되라고 말씀하십니다. 우리는 우리 자신보다 더 어려운 이웃의 손을 잡아야 할 책임을 갖고 있습니다.

충북 음성의 꽃동네가 시작된 사연이 있습니다. 걸인 한 명이 신부님의 숙소를 찾아왔는데, 신부님은 그에게 한 끼 분의 돈을 주었습니다. 얼마 후에 그는 다시 찾아왔고, 그 후에도 계속 찾아왔습니다. 문득 그의 행보가 궁금해진 신부님이 그를 추적했는데, 그 걸인이 아홉 사람의 식사비 정도를 구걸하는 것이었습니다. 그러고 나서 숙소로 향했는데, 형편없는 그곳에는 아홉 사람이 누워 있었습니다. 그가 다시 신부님에게로 와서 구걸했을 때, 신부님이 그에게 물었습니다.

"당신은 자신의 몸도 성하지 않은데 어떻게 아홉 사람을 도울 수 있습니까?"

이 질문에 그는 아주 충격적인 대답을 했습니다.

"신부님, 저는 걸어 다닐 수 있거든요. 걸어 다닐 수 있는 제가 누워 있는 이 사람들을 책임지지 못한다면, 이 사람들은 어떻게 되겠습니까?"

이 한마디가 신부님의 가슴을 찔렀습니다.

'나는 얼마나 이웃 사람들에 대한 책임을 지고 있었는가?'

"너희가 먹을 것을 주라"는 예수님의 말씀에 아직 대책은 없고,

403

누군가는 책임을 져야 했습니다. 제자들은 어렴풋이 책임감을 느꼈고, 무엇인가를 해야 한다고 생각했습니다. 바로 그때가 기적이 시작되는 순간이었습니다. 책임을 느끼는 순간이 기적이 시작되는 순간이었던 것입니다.

오병이어를 드리라

둘째는, 주님께 드려야 합니다. 우리가 가진 것이 무엇이든지 그것을 드려야 합니다. 우리의 '오병이어'를 주님께 드려야 합니다. 이 '오병이어'의 기적은 사복음서 모두에 기록되어 있습니다. 이것은 이 사건의 중요성을 말해 주는 것입니다. 기록자에 대한 시각의 차이는 있을지라도 똑같이 중요한 사실은, '오병이어'가 주님 앞에 드려졌다는 것입니다.

본문 37절을 보면 어떤 제자가 "우리가 가서 이백 데나리온의 떡을 사다 먹이리이까"라고 묻고 있습니다. 요한복음에 의하면 이 제자는 '빌립'인데, 계산에 뛰어난 사람이었던 듯합니다.

벳새다의 들판에 있는 사람 중 떡을 먹은 남자의 수가 5천 명이 넘었다고 되어 있습니다. 남자의 수만 5천 명이 넘었으니, 전체는 2만 명 가까이 되는 수였을 것입니다. 이런 사람의 수를 보고 빌립은 적어도 200데나리온 정도 되는 식사비가 필요하다고 생각했을 것입니다. 그 당시 하루 열심히 일하면 받는 품삯이 1데나리온이었으니, 200데나리온은 결코 적지 않은 돈입니다. 오늘날의 일당을 10만 원으로 잡으면, 200데나리온은 2천만 원 정도 되는 금액입니다. 이 많은 사람의 식사비를 위해서는 2천만 원이 필요하다고 예수님께 대답하는 것입니다. 그러나 이 대답은 별로 진지한 것 같지 않습니다. 그냥 "없습니다, 못 하겠습니다" 하는 대답이라고 할 수 있습니다. 그러나 주님의 말씀이 계속됩니다.

"이르시되 너희에게 떡 몇 개나 있는지 가서 보라 하시니 알아보고 이르되 떡 다섯 개와 물고기 두 마리가 있더이다 하거늘"(막 6:38).

예수님은 우리에게 무엇이 있는지를 찾아보라고 하십니다. 그러나 우리는 "못 합니다, 책임질 수 없습니다"라고 여러 가지 이유를 댑니다.

오래전, 제가 섬기던 교회에서 노숙자를 돕는 일에 대해 이야기하는 도중, 어떤 사람이 그 일은 보건복지부에 맡기자는 의견을 내놓았습니다. 그러나 주님은 우리에게 말씀하십니다.

"너희가 먹을 것을 주라."

우리는 "못 합니다. 책임질 수 없습니다. 우리에게는 너무 많은 일이 있습니다"라고 대답하지만, 주님은 우리에게 우리가 할 수 있는 일이 무엇인가를 생각하게 하십니다. 가지고 있는 것이 무엇인지 찾게 하십니다. 모세에게 이스라엘을 이끄는 위대한 과제를 수행시키고 그를 민족 해방의 주역으로 삼겠다고 하셨을 때, 모세는 할 수 없다고 했습니다. 이에 하나님께서는 "네 손에 가진 것이 무엇이냐?"라고 물으셨고, 그때 모세에게는 지팡이 하나밖에 없었습니다. 그러나 그것이 중요한 것입니다.

가진 것이 무엇이냐고 물으시자 제자들은 찾기 시작했습니다. 그리고는 안드레가 어린아이의 도시락을 찾아냈습니다. 제자들은 그것이 얼마나 되겠느냐고 했지만, 주님은 그것을 가져오라고 하셨습니다. 어린아이는 단순한 마음으로 그것을 예수님께 드렸습니다.

헌신은 물질적인 것만이 아닙니다. 고통스러워하고 아파하는 이웃에게 건네줄 수 있는 말 한마디가 기적의 시작입니다. 작은 것이 주님 앞에 드려지는 순간, 기적은 시작됩니다. 당신의 가장 작은 것도 주님이 쓰시겠다면, 기꺼이 드리겠습니까?

순종이 믿음이다

이 땅에 주님의 기적이 이루어지도록 하기 위해서는 셋째로, 순종이 있어야 합니다. 드리는 것과 동시에, 순종의 아름다운 응답을 주님은 사용하십니다.

> "제자들에게 명하사 그 모든 사람으로 떼를 지어 푸른 잔디 위에 앉게 하시니 떼로 백 명씩 또는 오십 명씩 앉은지라"(막 6:39-40).

주님은 제자들에게 명령하셨습니다. 제자들로 하여금 잘 정리하게 하셨습니다. 어떤 제자들은 '어떻게 처리하실까' 두려워했을 것이고, 어떤 제자들은 '선생님이 무엇인가 위대한 일을 시작하실 것'이라는 믿음이 일어났을 것입니다.

순종은 '믿음'입니다. '믿음'은 바라는 것들의 실상이요, 보이지 않는 것들의 증거입니다. 제자들은 예수님이 위대한 일을 시작하실 것 같다는 기대와 믿음으로 사람들을 앉혔습니다. 기적의 마당이 준비된 것입니다. 주님은 왜 이들을 질서 정연하게 앉히셨을까요? 주님은 기적 그 뒤를 바라보고 계셨기 때문입니다. 하나님의 기적을 체험하게 될 이 많은 사람이 기적을 맛본 대중으로 끝나지 않고 하나의 공동체가 되도록 하기 위하여, 하나님의 은혜를 체험한 이들을 계속해서 전파하는 사람들로 세우기 위하여 당신 앞에 앉히신 것입니다. 어떤 학자들은 이때부터 신약 공동체가 마련되었다고 기록하고 있습니다.

아무리 많은 사람이 모였더라도 그들이 세상을 변화시키는 사람이 되기 위해서는 조직된 공동체가 되어야 합니다. 하나의 비전, 하나의 사상, 하나의 주인인 예수 그리스도를 위한 지체가 되어 진정한 공동체를 이룰 때 하나님이 쓰실 수 있다고 믿습니다.

모든 기적의 마당이 준비되었습니다. 순종한 제자들과 기대하며 앉은 사람들에게 기적은 시작됩니다.

"예수께서 떡 다섯 개와 물고기 두 마리를 가지사 하늘을 우러러 축사하시고 떡을 떼어 제자들에게 주어 사람들에게 나누어 주게 하시고 또 물고기 두 마리도 모든 사람에게 나누시매"(막 6:41).

위의 말씀에는 세 개의 동사가 나옵니다.

'축사하시고, 떡을 떼어, 나누어 주셨다.'

주님은 먼저 하나님께 감사드렸습니다. 그러고 나서 떡을 떼셨습니다(깨뜨리셨습니다). 이는 주님의 몸이 깨어짐을 상징합니다. 이 기적 이후에 예수님은 "내가 곧 생명의 떡이니라"(요 6:48)라고 말씀하십니다. 허기진 군중은 배고파하고 목말라합니다. 그러나 그들에게 정말 필요한 것은 십자가에서 우리의 허물과 죄를 대신하여 죽으신 예수 그리스도 그 자체입니다. 그렇기에 예수님은 당신을 깨뜨려 나누어 주신 것입니다. 이러므로 우리가 죄 사함과 구원을 받게 되었습니다.

이제 주님은 당신을 따르는 제자들에게 요구하십니다. 이러한 이기심을 깨뜨리는, 자신을 깨뜨리고 사랑과 복음을 나누는 일을 요구하십니다. 이 땅의 그리스도인들이 자신의 욕심을 깨뜨리고 이웃과 나눌 때, 기적은 반드시 일어날 것입니다. 이 시대에 기적의 도구가 되기 위하여 자신을 주님 앞에 깨뜨리는 사람, 그것이 우리의 모습이 되어야 할 것입니다.

헌신은 물질적인 것만이 아닙니다.

고통스러워하고 아파하는 이웃에게 건네줄 수 있는

말 한마디가 기적의 시작입니다.

작은 것이 주님 앞에 드려지는 순간,

기적은 시작됩니다.

"예수께서 즉시 제자들을 재촉하사 자기가 무리를 보내는 동안에 배 타고 앞서 건너편 벳새다로 가게 하시고 무리를 작별하신 후에 기도하러 산으로 가시니라 저물매 배는 바다 가운데 있고 예수께서는 홀로 뭍에 계시다가 바람이 거스르므로 제자들이 힘겹게 노 젓는 것을 보시고 밤 사경쯤에 바다 위로 걸어서 그들에게 오사 지나가려고 하시매 제자들이 그가 바다 위로 걸어오심을 보고 유령인가 하여 소리 지르니 그들이 다 예수를 보고 놀람이라 이에 예수께서 곧 그들에게 말씀하여 이르시되 안심하라 내니 두려워하지 말라 하시고 배에 올라 그들에게 가시니 바람이 그치는지라 제자들이 마음에 심히 놀라니 이는 그들이 그 떡 떼시던 일을 깨닫지 못하고 도리어 그 마음이 둔하여졌음이러라"(막 6:45-52).

22

괴로이
노를 저을 때

기도로 중보하시는
주님을 의지하라

하나님의 말씀을 연구하는 학문을 '신학'(theology)이라고 하는데, 이 것은 '하나님'과 '말씀'의 합성어입니다. 하나님의 말씀 중 무엇을 더 중요하게 여기느냐에 따라서 신학의 종류, 유형이 발생합니다.

지난 40-50년 동안 한국 교회에 가장 큰 영향을 미친 신학은 '번 영의 신학'입니다. 이 신학은 성경 말씀 중에서 특별히 축복을 강조 합니다. 그 전체가 잘못된 것은 아니지만, 이것은 성경을 너무 한 쪽으로만 편협하게 본다고 하여 비판의 대상이 되어 왔습니다. 그 럼에도 불구하고 이 번영의 신학이 한국 사회에 강한 영향을 끼칠 수 있었던 것은, 한국 사회의 토착적 신앙인 기복 신앙과 맞아떨어 졌기 때문입니다. 그래서 한국인의 정서에 강한 설득력을 가져왔습니다. 과거의 전도 현장에서 가장 많이 들을 수 있었던 말은 "예수 믿고 복 받으세요"였습니다. 복을 받기 위해서 예수님을 믿으라는 것입니다. 틀린 말은 아닙니다. 실제로 예수 믿고 축복을 받아 새 힘과 용기를 얻습니다.

그럼에도 불구하고 이 번영 신학의 결정적인 문제점은, 이것이 모든 그리스도인의 보편적 경험은 아니기 때문입니다. 예수 믿고 축복받기보다는 예수 믿고 손해 본 사람이 어쩌면 더 많을 수도 있습니다. 예수 믿고 신앙적으로, 양심적으로 살려고 했기 때문에 가정이나 회사에서 인간관계의 단절을 경험한 사람들도 있습니다. 신앙 때문에 박해받고 손해 보는 사람은 아직도 얼마든지 많습니다.

예수님은 오병이어의 기적을 행한 후에 제자들을 재촉하셨습니다. 다시 갈릴리 바다의 반대편으로 가라는 것입니다. 오병이어의 기적을 체험하면서 제자들은 예수님이 범상하지 않은 분이라는 것을 확신했습니다. 그들은 소문처럼 예수님이 정말 메시아일지도 모른다고 여겼습니다. 예수님의 기적의 놀라움을 체험했던 제자들은 그분에게 압도당했고, 순종하지 않을 수 없었을 것입니다. 그래서 순종하여 배를 타고 건너갑니다.

그런데 바다 한가운데서 갑자기 파도와 바람이 일어났습니다. 제자들은 본능적으로 목숨을 지키기 위해 사투를 벌여야 했습니다. 그들은 힘겹게 노를 저었습니다. 이것이 예수님의 명령에 순종한 결과입니다. 풍랑이 일고 있는 바다 위에서 생존을 유지하는 꼴이 된 것이 순종의 결과인 것입니다.

우리가 예수님을 믿고 신앙적으로 순종하며 양심의 소리에 따라 살기로 했기 때문에 삶이 더 어려워질 때, 그래서 바다 한가운데서 폭풍우를 만나 힘겹게 노를 젓는 것 같은 삶의 정황 속에 처할 때 우리는 무엇을 해야 합니까? 바르게 살려고 애썼지만 바다 위의 배처럼 표류하며 말할 수 없는 고통 속에 있을 때 우리는 무엇을, 어떻게 해야 합니까?

우리를 위해 기도하신다

첫째는, 그런 때에도 예수님은 우리를 보고 계신다는 사실을 기억해야 합니다. 본문 48절을 보십시오. 예수님이 보고 계셨습니다. 어쩌면 그들은 "이 풍랑 속에서 이렇게 고생하는데 예수님은 어디에 계시는 거지? 어째서 우리를 이러한 풍랑 가운데로 인도하셨을까?"라고 거침없이 원망하고 있었을지도 모릅니다. 그러나 성경 기자는 예수님이 제자들을 보고 계셨다고 말합니다. 실제로 예수님은 갈릴리 바다가 보이는 산 위에 계셨습니다(막 6:46 참조).

오병이어의 기적이 있은 후, 대중은 예수님을 자신들의 왕으로 삼기 원했습니다. 그러나 예수님은 이러한 세속적인 영광이 아닌 십자가가 당신의 길임을 알고 계셨습니다. 그러면서 이러한 때일수록 제자들과 군중으로부터 떠나 혼자 기도할 시간이 필요하다는 것을 아셨습니다. 그래서 산에 오르신 것입니다. 그분은 당신의 십자가를 위해 기도하면서 틀림없이 저 바다에서 허우적거리고 있는 제자들을 안타깝게 여기며 기도하셨을 것입니다.

이것이 오늘을 사는 우리에게 어떤 의미가 있습니까? 우리 삶이 폭풍우를 경험하며 풍랑 속에서 허우적거릴 때, 우리가 믿고 있는 예수님은 너무 멀리 계신다는 공간적인 괴리감을 느끼지 않았습니까? 그분이 우리의 고통을 알고 계실지, 우리를 이해하고 계실지 의심하지는 않았습니까?

그렇다면 이렇게 고통스러울 때 주님은 어디에 계신 걸까요? 성경은 우리를 위해 십자가를 지고 부활, 승천한 그분이 하나님의 우편에 앉아 계신다고 말씀합니다.

> "그는 하나님 우편에 계신 자요 우리를 위하여 간구하시는 자시니라"(롬 8:34).

도무지 주님이 우리 곁에 계시지 않는 것 같고 주님과 우리 사이가 너무 멀다고 느껴질 때, 우리의 고통과 아픔을 모르시는 것처럼 느껴질 때, 주님은 우리를 안타까이 바라보며 하나님 우편에서 기도하고 계신다는 말씀을 기억하기 바랍니다. 이 말씀을 기록한 바울은 이 사실을 묵상하다가 다음과 같이 말합니다.

> "누가 우리를 그리스도의 사랑에서 끊으리요 환난이나 곤고나 박해나 기근이나 적신이나 위험이나 칼이랴"(롬 8:35).

현재 일도, 장래 일도, 그 누구도, 그 어떤 것도 그리스도 안에 있는 하나님의 사랑에서 우리를 끊을 수 없습니다. 주님이 우리를 위해 기도하며 바라보신다면, 우리를 둘러싼 환경이 아무리 폭풍우 치는 상황이라도 염려할 것이 없습니다. 예수님은 우리를 바라보며 우리를 위해 기도하십니다.

가을철이 되면 어린 시절의 운동회가 생각납니다. 운동장에 모여서 백군, 청군으로 나눠 게임을 하던 그때, 부모들은 자기 아이들을 찾아서 응원합니다. 이처럼 우리가 괴롭게 노를 젓는 삶의 한복판에서 기억해야 할 것은, 주님이 우리를 바라보며 기도하고 계신다는 사실입니다.

"곧 오시리"

둘째는, 예수님이 곧 오실 것을 기대해야 합니다. 산 위에서 제자들을 안타깝게 바라보던 예수님은 기도만 하셨을까요?

> "바람이 거스르므로 제자들이 힘겹게 노 젓는 것을 보시고 밤 사경쯤에 바다 위로 걸어서 그들에게 오사 지나가려고 하시매" (막 6:48).

위의 말씀에서 동사를 보면 '보시고, 걸어서 오사'라고 되어 있습니다. 예수님은 보고만 계시지 않았습니다. 정확한 도움이 필요한 그때, 제자들 곁으로 달려오셨습니다.

이스라엘의 밤 사경이면 새벽 3시쯤입니다. 새로운 하루가 시작되는 시간입니다. 저녁 6시에 시작해서 그 이튿날 6시까지 밤을 4등분하여 일경은 오후 6-9시, 이경은 오후 9-12시, 삼경은 새벽 12-3시, 사경은 새벽 3-6시입니다. 즉, 그 시간은 어둠의 절정인 새벽 3시경 같습니다. 제자들이 모든 것을 포기했을지도 모르는, 이제 주님 없이는 영영 좌절할 수밖에 없는 시간에 주님이 그들에게 오셨습니다. 때로는 우리가 주님의 도움을 요구하는 시간과 주님께서 우리에게 오시는 시간에 차이가 있을 수 있습니다. 우리는 안타까워하며 지금 이 순간의 도움을 기다리지만, 주님은 아직 도움의 때가 아니라고 하실 수도 있음을 기억해야 합니다.

바닷가나 수영장에서 응급 구조를 하는 사람의 이야기를 들어 보면, 물에 빠진 사람이 살려 달라고 마구 소리칠 때는 구조하지 않는다고 합니다. 시간이 조금 지나 그가 지쳐 있을 때 시도해야 쉽고 안전하게 구조할 수 있다고 합니다. 우리는 '지금' 도와 달라고 주님께 안타깝게 간구하지만, 주님은 '아직' 간섭할 때가 아니라고 말씀하십니다. 그러나 기억할 것은, 주님은 '반드시 오신다'는 사실입니다. 주님의 도우심은 반드시 우리에게 임한다는 사실입니다. 조금만 더 이겨 내야 합니다.

한 할머니가 독일 나치 수용소에 있었을 때를 회상하며 많은 책을 출판했는데, 그 책에 나와 있는 많은 간증 중 라벤스부르크 수용소에 있었을 때를 회상한 글이 있습니다.

그 수용소 안에는 랍비 한 명이 있었습니다. 그는 자기 동족들에게 "여러분, 포기하지 마십시오. 주님은 반드시 우리를 도와주실 것입니다"라고 격려하며 기도회와 찬양을 인도했습니다. 이 랍비는 노래를 잘하지는 못했지만 아주 좋아했습니다. 그가 즐겨 하던 찬양은 "밤은 지나가리. 밤은 지나가리. 새벽은 밝아 오리. 메시아는 오시리, 곧 오시리"라는 가사의 곡이었습니다. 사람들은 그를 존경하고 따르며 그의 메시지에 용기를 얻었습니다. 그의 서툰 찬양조차도 소망이었습니다. 그러나 시간이 지날수록 사람들은 지치기 시작했습니다. 가스실에 들어가 다시는 돌아오지 않는 동료들을 바라보며 그들은 분노했습니다. 그러자 그들은 랍비를 거절하며 저주하기 시작했습니다.

"아니, 하나님이 어디 있단 말이오? 우리가 이렇게 고통을 당하는데, 당신이 말하는 하나님은 어디에 계신단 말이오?"

사람들은 이 랍비를 늙은 영감이라 부르며 다시는 예배드리지 않았습니다. 그러나 랍비는 여전히 혼자 기도하며 찬양했습니다.

그들이 도저히 살아서는 나갈 수 없을 것 같았던 절망의 순간, 어느 날 갑자기 제2차 세계대전이 종료되었고, 수용소의 문이 열리면서 그들은 해방되었습니다. 랍비를 늙은 영감이라고 저주했던 유대인들은 그를 껴안고 무등을 태운 후 갑자기 기적이 일어난 수용소를 나오면서 찬양을 불렀습니다.

"밤은 지나가리. 밤은 지나가리. 새벽은 밝아 오리. 메시아는 오시리, 곧 오시리."

주님은 곧 오실 것입니다. 반드시 오실 것입니다. 그러나 그 시간은 주님께 맡겨 드려야 합니다. 주님은 우리를 결코 버리지 않으십니다.

> "내가 너희를 고아와 같이 버려두지 아니하고 너희에게로 오리라"(요 14:18).

약속을 지키실 주님을 신뢰하십시오.

"내니라"

우리가 괴롭게 이 바다에서 노를 저을 때 기억해야 할 세 번째 교훈은, 예수님이 말씀 가운데 당신을 보여 주신다는 것입니다. 예수님은 제자들 곁에 와서 말씀하기 시작하십니다. 이것이 그 모든 상황을 바꿔 놓았습니다. 주님이 우리에게 말씀하시고 우리가 그것을 경험하는 순간, 모든 것이 달라질 것입니다.

> "그들이 다 예수를 보고 놀람이라 이에 예수께서 곧 그들에게 말씀하여 이르시되 안심하라 내니 두려워하지 말라 하시고"(막 6:50).

주님은 제자들에게 다가와 안심하라고 말씀하신 다음에 "내니라"라고 하십니다. 이 말은 아주 중요하고 독특한 표현입니다. 이것은 창조주 하나님을 나타낼 때 사용하는 표현입니다.

출애굽기에서 모세가 이스라엘 백성을 이끌고 나오라는 하나님의 명령을 받고 할 수 없다고 했을 때, 하나님은 당신이 함께 가니 할 수 있다고 하셨습니다. 이에 모세가 하나님께 여쭙습니다.

"당신은 누구십니까?"

이때 하나님은 독특한 당신의 존재를 계시하십니다.

"나는 스스로 있는 자이니라"("I AM THAT I AM"[KJV], 출 3:14).

요한복음에서는 예수님이 당신을 일컬을 때 "나는 길이요, 나는 진리요, 나는 선한 목자다"라고 말씀하시는데, 이는 보통의 '나'가 아니라 곧 창조주 하나님을 뜻하는 것입니다. 또한 로마 군인들이 겟세마네 동산에 예수님을 잡으러 왔을 때도 주님은 "내가 그니라"(요 18:5)라고 말씀하시며 그 독특한 단어를 쓰셨습니다. 이는 그분이 하나님이심을 나타냅니다.

괴롭고 지쳐 있을 때 우리를 이해하는 친구가 곁에서 말합니다.

"어보게, 걱정하지 말게나."

이 말이 얼마나 큰 힘이 됩니까? 가족 중 누군가가 "걱정하지 마세요. 내가 곁에 있잖아요" 하는 것도 큰 위로가 됩니다. 하물며 전능한 하나님이 우리 곁에 다가와 "나다, 안심해라. 두려워하지 말아라. 내가 함께한다"라고 말씀하신다면 어떻겠습니까? 이 말씀 속에 주님의 모습이 계시되는 순간, 모든 것은 달라집니다.

"배에 올라 그들에게 가시니 바람이 그치는지라"(막 6:51).

바람이 그쳤습니다. 풍랑이 이는 바다 한가운데서 작은 배에 오르시는 예수님의 모습을 상상해 보십시오. 예수님은 하나님이십니다. 하나님이 이 땅에 인간의 모습을 하고 오신 것입니다. 풍랑이 일고 있는 바다 같은 세상에 육신을 입고 오신 하나님, 그분이 바로 예수님이십니다. 그 예수님이 우리가 타고 있는 인생이라는 이 작은 배, 눈물짓고 고통스러워하는 인생의 뱃전에 기꺼이 오르며 이렇게 말씀하십니다.

"내가 있잖아. 나야, 안심해."

고해(苦海) 같은 인생, 거센 생활고에 절망하여 좌절하고 있습니까? 오늘 우리에게 들려주시는 주님의 음성을 들으십시오. 그리고 이렇게 기도하십시오.

"주님, 당신을 의지하겠습니다. 주님만 바라보겠습니다. 그리고 일어나겠습니다. 주님, 함께해 주십시오. 주님과 함께라면 우리는 승리할 것입니다."

—

주님이 우리를 위해 기도하며 바라보신다면,
우리를 둘러싼 환경이 아무리 폭풍우 치는 상황이라도
염려할 것이 없습니다.

"건너가 게네사렛 땅에 이르러 대고 배에서 내리니 사람들이 곧 예수 신 줄을 알고 그 온 지방으로 달려 돌아다니며 예수께서 어디 계시다 는 말을 듣는 대로 병든 자를 침상째로 메고 나아오니 아무 데나 예수 께서 들어가시는 지방이나 도시나 마을에서 병자를 시장에 두고 예수 께 그의 옷 가에라도 손을 대게 하시기를 간구하니 손을 대는 자는 다 성함을 얻으니라"(막 6:53-56).

23

다 성함을
얻기 위하여

손을 내밀어 치유자 되신
주님을 붙들라

병자가 들을 수 있는 가장 기쁜 소식은 말할 것도 없이 '병을 고칠 수 있다, 치유될 수 있다'일 것입니다. 그런데 성경은 병든 사람이 예수님 앞에 오면 다 치유될 수 있다고 선언합니다. 얼마나 기쁘고 복된 소식입니까? 물론 어떤 이들은, 예수님께 고침을 구했으나 고침 받지 못했던 사람들은 어떻게 말하겠느냐고 반문을 제기할 것입니다.

성함을 받는다는 것은 무조건적인 것이 아닙니다. 거기에는 전제가 있습니다. 주님 앞에 나오면 반드시 치유가 발생하는데, 그 치유를 발생하게 하는 상황적 조건이 있다는 것입니다. '다 성함을 얻었다'는 말 앞에는 '손을 대는 자'라는 전제가 있습니다.

성함을 얻는다는 것이 단지 육체의 고침을 얻는다는 뜻만은 아닙니다. 온전하게 된다는 것입니다. 육체적으로 잘되는 것뿐 아니라 정신적으로, 영적으로 잘된다는 뜻을 포함합니다. 다시 말하면, 성경은 육체적 차원뿐만이 아닌, 정신적이고 영적인 치유를 약속합니다. 영적인 치유의 핵심은 '구원'받는 것입니다. 구원받았다는 확신이 없는 신앙생활은 의미가 없습니다. 구원이야말로 치유의 시작입니다.

성경은 누구든지 구원받을 수 있다고 약속합니다. 그러나 무조건적으로 이루어지는 것은 아닙니다. 로마서 10장 13절은 "누구든지 주의 이름을 부르는 자는 구원을 받으리라"라고 선포합니다. '주의 이름을 부르는 자'라는 전제 조건이 있습니다. 어떤 신학자들은 '조건'을 좋아하지 않는 경향이 있습니다. 구원은 하나님의 선물이라는 것입니다. 따라서 이것은 조건적으로 주어지지 않기 때문에 조건이라는 말 대신에 '방편'이라고도 합니다. 어쨌든 구원을 받는 데는 상황적인 그 무엇이 필요합니다.

우리는 전도 집회를 준비하면서 믿지 않는 이들을 위해 기도하고, 이런 자리에 나온 자들이 마음의 치유를 받고 구원을 경험하기를 원합니다. 그들이 그렇게 되기 위해서는 무엇이 필요합니까?

예배는 황홀한 로맨스다

첫째, 그들은 예수님이 어디에 계시는지 알아야 합니다.

"건너가 게네사렛 땅에 이르러 대고"(막 6:53).

본문의 상황은 53절에 나와 있습니다. 갈릴리 바다는 그 지역의 마을 이름을 따라 여러 가지 이름으로 불리고 있습니다. '디베랴'에 사는 사람들은 '디베랴 바다'라 하고, '긴네렛' 마을에 사는 사람들은 '게네사렛 바다'라고 합니다. 이렇게 여러 이름으로 불리지만 한 호수를 가리킵니다.

게네사렛 마을에 예수님께서 오셨다는 소문이 퍼지자 사람들이 몰려오기 시작했습니다.

"그 온 지방으로 달려 돌아다니며 예수께서 어디 계시다는 말을 듣는 대로 병든 자를 침상째로 메고 나아오니"(막 6:55).

구원자 예수님, 치유자 예수님을 만난 사람마다 인생이 바뀌고 고침을 받아 새로운 삶이 시작되었다는 소식을 듣자 사람들이 달려오기 시작합니다. 그런데 우리의 질문은 예수님이 어디에 계시느냐는 것입니다. 이것은 무엇을 뜻하는 질문일까요?

그리스도인의 신앙 고백에서 가장 중요한 전제 조건은 우리가 믿고 있는 예수 그리스도, 그분이 누구시냐는 것입니다. 예수님은 바로 하나님이십니다. 이것이 가장 중요한 고백입니다. 예수님이 전지전능한 하나님이라면 그분은 어디에나 계십니다. 그러나 구약에 보면, 어디에나 계시는 하나님이 한 장소에서 당신의 임재와 당신의 모습과 영광과 기적을 나타내는 것을 기뻐하시는 것을 알 수 있습니다. 그래서 솔로몬이 하나님의 명령을 따라 성전을 짓습니다. 성전을 건축한 솔로몬은 감격에 겨워 이런 고백을 합니다.

"하나님이 참으로 땅에 거하시리이까 하늘과 하늘들의 하늘이라도 주를 용납하지 못하겠거든"(왕상 8:27).

하나님은 만물을 창조하신 분, 그래서 그 안에 계시기에는 너무도 크신 분, 만물을 초월하신 분입니다. 그런데 그 놀라운 하나님이 이 성소에 과연 계시겠느냐고 감격하는 솔로몬의 고백입니다.

이것을 신학적으로 말하면 하나님의 '초월성'과 '내재성'이라고 합니다. 우주도 초월하신 하나님은 때로 당신을 제한해서 어떤 특정한 장소에 당신의 영광과 임재와 능력과 모습을 나타내기를 기뻐하신다는 것입니다. 여기서 우리는 무교회주의자의 문제점을 알 수 있습니다. 그들은 하나님의 초월성은 인정하지만, 내재성은 인정하지 않습니다. 하나님은 어디든지 계시지만, 때때로 특정한 장소를 선택하여 계시하십니다.

구약의 성전에서 당신을 계시하신 하나님이 지금은 어떻게 역사하고 계십니까? 신약의 교회가 반드시 구약의 성전과 일치한다고는 보이지 않습니다. 교회로서 어떤 건물을 강조하는 것은 신약적으로 합당하지 않습니다. 이제 성전은 사라졌습니다. 그럼에도 불구하고 신약성경에는 '예수님을 믿는 사람들이 합심해서 기도하는 자리, 두세 사람이 예수님의 이름으로 모인 그곳에는 주님도 그들 중에 거하신다'는 약속이 나와 있습니다. 그래서 예배에는 특별한 의미가 있습니다. 예배는 주님을 특별한 의미로 체험하게 하는 것입니다.

이 시대의 탁월한 설교가인 마틴 로이드 존스(Martyn Lloyd Jones)는 "예배는 그리스도인이 이 땅에 살면서 체험할 수 있는 가장 황홀한 로맨스입니다"라고 했습니다. '로맨스'는 사랑하는 사람을 생각하는 것입니다. 하나님을 사랑하는 사람들이 함께 모여 주님을 찬양하고 예배하는 곳, 거기서 우리는 당신의 모습을 계시하시는 주님을 경험합니다. 찬양 중에, 기도 중에 그분을 만납니다. 우리의 삶을 변화시키시는 예수님을 예배 중에 만나는 것입니다.

예배에는 특별한 하나님의 축복이 있을 것입니다. 특별히 준비한 예배, 주님을 기대하고 갈급해하는 그곳에는 특별한 주님의 임재와 역사가 있을 것입니다. 과거 영적 부흥이 있었던 시대의 청교도들은 신앙생활에 중요한 철학을 가지고 있었습니다. 가급적 어떤 그리스도인의 모임에도, 예배에도 빠지지 않는 것이었습니다. 그가 빠진 그 예배에 하나님이 당신의 영광을 드러내실 수도 있다고 생각했기 때문입니다. 청교도들은 하나님의 영광을 놓치지 않기 위해 가능한 모든 예배에 참석하려고 했습니다.

교회에서는 때때로 특별한 준비와 기대감을 가지고 전도 집회를 준비합니다. 우리 주변에 가까이 있으나 복음을 듣지 못하고 예수님을 모르는 이들에게 주님이 역사하시기를 간절히 기대하며 변화하기를 구해야 합니다. 우리가 기대하고 사모할 때 주님은 당신의 영광을 계시하실 것입니다.

주님이 게네사렛 마을에 이르셨을 때 사람들이 그 소식을 듣고 달려왔던 것처럼, 주님 앞에 달려오는 영혼들을 기대해야 합니다. 예수님은 그곳에 계실 것입니다.

대가를 치러야 한다

둘째, 우리가 기도하며 마음에 품고 있는 사람들이 모두 온전히 구원 받기 위해서는 그들을 예수님께로 데리고 와야 합니다. 본문 55절에 보면 "병든 자를 침상째로 메고 나아오니"라고 되어 있습니다. 스스로 일어설 수 없어 주저앉아 있는 그를 아끼고 사랑하는 사람들이 도와야 합니다. 그의 침상을 들고 예수님께 나와야 합니다. 자신의 힘으로 주님 앞에 나올 수 없는 그들을 데리고 나오는 노력은 진정 소중합니다.

마가복음 2장에 보면 네 사람이 한 중풍 병자를 도왔습니다. 많은 사람 때문에 예수님 앞으로 오기까지는 너무나 어려웠지만, 네 사람은 포기하지 않고 지붕을 뜯어 자신의 친구를 주님께 데려왔습니다. 그것은 충격이었습니다. 놀란 사람들은 그들의 행동을 무례하다고 생각해 비난했을지도 모릅니다. 그러나 그들에게는 중풍 병자 친구가 주님을 만나 고침 받아야 한다는 강력한 소망이 있었고, 그것을 위해서라면 그 무엇도 감수하려는 각오가 있었습니다. 그들을 지배하고 있던 생각은 오직 이 병자가 예수님을 만나야 한다는 것이었습니다. 그들은 자신의 시간을 썼고, 사람들의 비난도 감수했습니다. 지붕을 뜯은 것에 대한 손해 배상을 했을지도 모릅니다. 그러나 그들은 기꺼이 이런 대가를 치렀을 것입니다.

누군가가 치유와 구원을 받기 위해서는 어떤 대가를 치러야 합니다. 왜 그러한 대가를 치러야 할까요? 하나님이 우리를 위해 독생자 예수 그리스도를 내놓으셨고, 그 예수님은 우리의 죄 사함을 위해 친히 십자가에서 피 흘림의 대가를 치르셨기 때문입니다.

빌리 그레이엄이 한국에서 전도 대회를 했을 때 기자 회견을 했습니다. 한 기자가 그에게 질문했습니다.

"당신들은 수없이 많은 돈과 경비를 들여서 이 전도 집회를 준비했는데, 그것이 과연 그만한 가치가 있습니까? 차라리 사회 봉사 기관에 기부하는 것이 낫지 않습니까?"

그러자 빌리 그레이엄이 대답했습니다.

"만약 이 전도 대회에서 한 사람이라도 구원을 받는다면, 저는 이 대회를 치르면서 들인 모든 경비의 값어치가 충분히 있다고 생각합니다. 한 영혼의 가치는 이 세상의 가치보다 더 소중하기 때문입니다."

이것이 하나님의 마음입니다. 우리를 구원받게 하려고 하나님은 외아들 예수 그리스도를 내놓으셨고, 우리가 예수님을 믿기까지 신앙의 성숙을 위해 무수히 많은 손길을 예비하셨습니다. 우리는 많은 사람의 관심과 기도로 하나님을 알게 되었고, 영접하게 된 것입니다.

우리는 빚진 자입니다. 당신을 위해 기도하고 수고한 그 많은 손길을 기억해 보십시오. 이제는 우리의 수고로 예수님 앞에 스스로 나올 수 없는 사람이 복음의 자리에 앉아서 복음을 받아들이고 이해할 수 있도록 해야 합니다. 우리가 진 빚을 갚아야 합니다. 우리 모두와 교회가 협력할 때, 주님은 믿지 않는 사람들에게 역사하실 것입니다. 그들을 데리고 와야 하고, 그들을 예수님께 치료받게 해야 합니다. 그들을 데려오겠습니까? 그리고 복음의 빚을 갚겠습니까?

손을 내밀게 하라

우리가 기도하고 있는 사람들이 다 성함을 얻기 위해, 다 변화되고 새로워지기 위해 세 번째로 할 일은, 그들이 예수님을 향해 손을 내밀도록 만드는 것입니다.

> "아무 데나 예수께서 들어가시는 지방이나 도시나 마을에서 병자를 시장에 두고 예수께 그의 옷 가에라도 손을 대게 하시기를 간구하니 손을 대는 자는 다 성함을 얻으니라"(막 6:56).

손을 댄다는 말은, 주님이 자신을 정말로 고쳐 주실 것이라는 믿음을 나타냅니다. 믿음으로 손을 내미는 것입니다. "예수님, 저를 고쳐 주세요. 저를 변화시켜 주세요. 당신을 믿습니다" 하고 손을 내밀어 예수님을 만지는 순간, 주님의 능력이 그에게로 흘러가 새로워지고 고침 받습니다. 변화가 일어납니다. 우리가 사랑하는 사람들에게 이러한 변화가 일어나도록 기도해야 합니다.

우리는 그들을 데려올 수 있습니다. 우리가 할 수 있는 일은 거기까지입니다. 복음을 설명해 줄 수도 있습니다. 그러나 그들로 하여금 믿는 마음을 갖게 하는 것은 할 수 없습니다. 그것은 성령의 역사이기 때문입니다. 그들이 예수님을 믿고 구원을 경험하게 하는 것은 우리가 할 수 없습니다. 이것은 하나님이 하시는 일입니다. 하지만 우리는 하나님이 역사하시도록 기도할 수 있습니다. 그들을 위해 기도할 때, 그들의 마음이 열릴 것입니다. 그러면서 믿음이 생기고, 예수님을 향해 손을 뻗을 것입니다.

미국 남북 전쟁 당시 에이브러햄 링컨은 자주 야전 병원을 찾아 부상자들을 위로했습니다. 하루는 가장 고통스러워하는 병사의 침상 곁으로 다가가 무엇을 도와주기를 원하느냐고 물었습니다. 그 병사는 자기 어머니에게 편지를 써 달라고 했고, 링컨은 그를 대신해서 편지를 써 주기 시작했습니다.

"어머니, 저는 전선에서 싸우다가 부상을 입었습니다. 그리고 다시 일어나지 못할지도 모릅니다. 어쩌면 생을 마감하게 될지도 모릅니다. 그렇지만 어머니, 저를 자랑스러워해 주십시오. 당신의 아들은 조국과 자유를 위하여 용감하게 싸웠습니다. 저는 편안히 눈을 감을 것입니다. 아들을 자랑스러워하며 어머니의 남은 생애가 행복하기를 기도합니다."

링컨은 병사가 불러 준 대로 편지를 썼습니다. 그러고는 마지막에 추신으로 "이 편지는 에이브러햄 링컨이 대서했습니다"라고 쓰고 자신의 사인을 했습니다. 병사는 편지를 보여 달라고 했습니다. 그는 고통스러운 표정으로 편지를 훑어보다가 깜짝 놀랐습니다. 편지를 대서해 준 사람이 링컨인 줄 몰랐던 것입니다. 링컨은 그 병사에게 다른 일도 도와주고 싶다고 했습니다. 병사는 편안히 천국에 가게 해 달라고 했습니다. 그러나 링컨은 그 일은 자신이 도와줄 수 없고 오직 하나님만이 하실 수 있는 일이라고 말했습니다. 그리고 이렇게 말했습니다.

"자네가 예수님을 마음속에 의지하면 하나님께서 당신을 받아들이실 것일세. 그리고 내가 할 수 있는 것은 자네가 편안히 하나님께 가도록 기도하는 것이네."

링컨은 병사의 손을 잡고 열심히 기도했습니다. 그때 병사가 소리쳤습니다.

"예수님, 오 예수님!"

그리고 얼마 후에 병사는 편안히 눈을 감았습니다. 링컨은 이 청년을 안으면서 말했습니다.

"이것은 남북 전쟁의 승리보다 더 중요하고 기쁜 일이야. 난 오늘 밤 이 친구가 천국의 황금길을 걷게 되는 꿈을 꿀 것이네. 예수님과 함께 말이야."

그러고는 그곳에 있던 이들과 함께 눈물을 흘리며 하나님께 감사 찬양을 드렸다고 합니다.

이러한 역사가 우리가 사랑하는 사람들에게도 일어나기를 기도 합시다. 그들이 천국의 황금길을 걷게 될 것입니다. 어쩌면 그들은 타의적으로 교회에 나오게 될지도 모릅니다. 들것에 실려 온 중풍 병자처럼 말입니다. 그렇지만 예수님을 만나게 되면, 그들은 곧 일어나 주님을 찬양할 것입니다. 우리의 인생이 빚진 인생이라는 것을 깨달았다면 이웃에 관심을 가져야 합니다. 그들이 누구든, 그들이 변화되기를 작정하고 그들을 주께서 붙잡아 치유해 주시기를 기도해야 합니다.

"바리새인들과 또 서기관 중 몇이 예루살렘에서 와서 예수께 모여들었다가 그의 제자 중 몇 사람이 부정한 손 곧 씻지 아니한 손으로 떡 먹는 것을 보았더라 (바리새인들과 모든 유대인들은 장로들의 전통을 지키어 손을 잘 씻지 않고서는 음식을 먹지 아니하며 또 시장에서 돌아와서도 물을 뿌리지 않고서는 먹지 아니하며 그 외에도 여러 가지를 지키어 오는 것이 있으니 잔과 주발과 놋그릇을 씻음이러라) 이에 바리새인들과 서기관들이 예수께 묻되 어찌하여 당신의 제자들은 장로들의 전통을 준행하지 아니하고 부정한 손으로 떡을 먹나이까 이르시되 이사야가 너희 외식하는 자에 대하여 잘 예언하였도다 기록하였으되 이 백성이 입술로는 나를 공경하되 마음은 내게서 멀도다 사람의 계명으로 교훈을 삼아 가르치니 나를 헛되이 경배하는도다 하였느니라 너희가 하나님의 계명은 버리고 사람의 전통을 지키느니라 또 이르시되 너희가 너희 전통을 지키려고 하나님의 계명을 잘 저버리는도다"(막 7:1-9).

24

전통이냐,
말씀이냐

십자가 목걸이가 아닌
십자가를 지라

'표리부동'(表裏不同)이라는 말이 있습니다. 겉과 속이 다르다는 뜻인데, 가끔 이 시대를 사는 사람들을 보면 지나치게 이중적인 모습을 볼 수 있습니다. 그리고 그리스도인 가운데서도 얼마든지 그런 사람을 볼 수 있습니다.

누구나 어느 정도의 이중성은 갖고 있지만, 지나칠 정도의 이중성은 왜 생기는 것일까요? 여러 원인 중에 하나로 유교적인 영향이 있습니다. 유교는 한국인의 정신과 가치관에 매우 중요한 기여를 했습니다. 어쩌면 기독교가 이 땅에 있기 전에 유교가 있었다는 것이 다행인지도 모릅니다. 그러나 유교가 가진 역기능도 많습니다. 그중에 하나가 형식의 틀을 너무나 강조한 나머지, 내용을 갖추지 못한 삶을 살도록 만드는 요인이 되었다는 점입니다.

예를 들면, 한국인의 출세관이나 명예관 등입니다. 한국 남성의 최고선은 언제나 출세와 밀접한 연관이 있었습니다. 그래서 옛날 어른들의 대화 속에는 언제나 조상 자랑이 빠지지 않았는데, 그것의 대부분은 어떤 자리나 간판에 그치는 무의미한 자랑인 경우가 많았습니다.

이런 경향은 지금도 계속되고 있습니다. 지금도 여전히 학교 간판이 중요시되고, 그것 때문에 자신이 어떤 삶을 살고 있는가 하는 내용에는 별로 신경을 쓰지 못하고 있는 실정입니다. 그래서 학교를 졸업하고 난 후에는 책과 거리가 멀어지는 경우가 많습니다. 간판은 있으나 실력이 없는 사회, 이것이 한국 사회의 한 단면입니다.

워싱턴에서 목회할 때 손님이 많이 찾아왔습니다. 그때마다 그분들을 위해 안내를 했고, 안내를 잘하기 위해서 많은 책을 연구했습니다. 그러나 손님들은 막상 그런 설명에는 별로 관심이 없고, 사진 찍기에 여념이 없었습니다. 어떤 곳에서 무엇을 보든지, 무엇을 하든지 중요한 것은 거기서 무엇을 배우고 느꼈는가 하는 것입니다.

예수님이 계셨던 당시에도 그런 사람들이 있었습니다. 예수님의 책망을 받았던 대표적인 사람들은 종교인이었던 바리새인과 서기관들이었습니다. 본문 6절에 보면 예수님이 이런 사람들에게 말씀하십니다.

"이사야가 너희 외식하는 자에 대하여 잘 예언하였도다 기록하였으되 이 백성이 입술로는 나를 공경하되 마음은 내게서 멀도다"(막 7:6).

그들에 대하여 외식하는 자들, 곧 겉에 집착하는 자들이라고 말씀하십니다. 바리새인이 왜 그런 사람이 되었을까요? 전통에 대한 집착이 그들의 생활 양식을 전통 중심의 삶으로 만든 것입니다. 물론 전통 그 자체는 나쁘지 않습니다. 그러나 전통만 붙들다가 잘못하면 과거에 집착하고 오늘의 삶의 내용을 상실하게 할 커다란 위험성을 가지고 있습니다. 형식이 계속 반복되다 보면 그 형식을 통해 고정된 규범이 생기고, 나중에는 그것이 불변의 진리처럼 여겨집니다. 어느 공동체에나 전통이 있습니다. 전통이 주는 좋은 점이 있지만, 전통 때문에 발전하지 못하는 경우도 많습니다. 또 전통의 본질에 다가서는 데 방해가 되는 것이 오히려 이 전통, 그 형식인 경우가 많습니다.

신앙생활에서도 마찬가지입니다. 과거에 어떻게 해 왔는지보다 지금 어떤 신앙의 삶을 사느냐가 중요합니다. 우리가 신앙의 내용과 본질에 다가서기 위해서는 때로 이 전통을 넘어설 줄도 알아야 합니다. 그러나 많은 경우에 이 전통을 넘어서지 못합니다. 그렇다면 신앙생활의 성숙과 핵심에 다가서는 데 방해가 되는 전통의 역기능적 요소는 무엇일까요?

마음이 멀어지는 것

첫째, 전통은 우리의 내면을 소홀하게 만드는 경향이 있습니다. 전통과 형식에 집착하다 보면 내용 관리에 소홀해집니다. 그 대표적인 경우가 '정결 규례'였습니다.

> "또 시장에서 돌아와서도 물을 뿌리지 않고서는 먹지 아니하며 그 외에도 여러 가지를 지키어 오는 것이 있으니 잔과 주발과 놋그릇을 씻음이러라"(막 7:4).

성경은 음식을 먹는 데도 지켜 오던 전통이 있었다고 말씀합니다. 그러나 정결 규례는 제사장들이 손을 씻는 데서 유래되었고, 손을 씻는 것은 우리의 행동을 씻는다는 뜻이었습니다. 하나님 앞에 거룩한 마음으로 나아간다는 상징으로 손을 씻는 것입니다. 거룩한 예배, 거룩한 제사가 가능하도록 그들 자신을 관리했던 것입니다. 따라서 손을 씻는 것이 중요한 것이 아니라, 깨끗한 마음이 훨씬 더 중요합니다.

그런데 하나님의 율법을 더 잘 지키기 위해서 본질을 따르기보다는 오히려 다른 규례들을 만들어 갔습니다. 유대인들은 이를 '율법의 울타리'라고 했습니다. 그렇지만 규칙이 너무 세분화되다 보니 그 규칙의 본질인 하나님의 말씀을 망각하게 되는 경우가 발생했습니다. 그리고 그 안에는 본질과 상관없는 이상한 법규까지 생기게 되었습니다. 하나님의 마음, 본질과 상관없는 이상한 현상들이 발생한 것입니다. 예수님은 벌써 그러한 현상들이 어떻게 진행되어 가고 있는지를 주목하면서 그들에게 중대한 경고를 하셨습니다.

본문 6절에서 주님은 "마음은 내게서 멀도다"라고 말씀하고 계십니다. 그들이 규례에 집착하는 동안, 마음은 점점 더 하나님으로부터 멀어져 간 것입니다. 처음에는 성전에 나가기 위한 법규가 나중에는 식사 법규로 변질되고, 그러한 본질에서 떠난 법규가 우리의 마음을 깨끗하게 하는 것으로 착각하게 되었습니다. 이러한 것에 집착하다 보면 하나님 앞에서 우리의 마음 상태가 어떤가에 대해서는 무관심해집니다. 우리의 외면에 대한 관심과 집착이 반드시 내면의 성결을 보장하지는 않습니다. 마음의 관리를 법규와 전통으로 할 수는 없습니다. 전통 중심의 신앙은 이런 내면의 관리를 소홀히 하는 경향이 있습니다.

회칠한 무덤같이

전통의 두 번째 역기능적 요소는, 전통으로 말씀을 대신할 위험이 있다는 것입니다. 전통이 진리로 둔갑할 수 있다는 말입니다. 예배도 전통이 생겨 그것이 법처럼 여겨지는 경우가 많습니다. 예배는 자신을 드리는 것입니다. 이것이 가장 중요합니다. 그러나 어떤 사람은 그 자리에 나간 것만으로 예배를 드렸다고 생각합니다. 그러나 그것이 예배를 드렸다는 보장이 될 수는 없습니다. 그가 어떻게 했느냐가 중요합니다. 정말 자신의 마음과 찬양을 그분께 드렸는지, 말씀 앞에 무릎 꿇고 성령과 하나님에게 붙잡혔는지, 그런 체험이 있을 때 예배를 드렸다고 할 수 있습니다.

예배는 내용이 중요하지, 형식이 중요한 것은 아닙니다. 주기도문을 하지 않았다고 해서 예배의 중요한 것을 빼먹은 것은 아닙니다. 기도를 배운 사람은 주기도문을 암송할 줄 아는 사람이 아니라, 그 정신을 아는 사람입니다. 주기도문의 핵심과 그 정신을 배우지 않고 암송했다는 사실만으로 주기도문을 다 배웠다고 하는 것은 잘못된 생각입니다. 아무리 암송을 했어도 그 기도의 정신이 그 사람 속에 살아 있지 않으면 아무 소용이 없습니다.

십자가는 기독교의 가장 중요한 상징입니다. 그러나 십자가만 건다고 무슨 소용이 있습니까? 십자가의 내용이 없다면, 우리를 죄에서 구원하여 새로운 생명을 주고 의롭다 하기 위해 주님이 십자가에 달려 죽으시고 부활하여 지금 우리 삶의 주인이 되신다는 고백이 없다면 십자가 그 자체가 무슨 소용이 있겠습니까? 가끔은 우리나라에 가득한 십자가가 부끄러워질 때가 있습니다. 정말 그 십자가의 물결만큼이나 그리스도의 정신과 혼을 이해하며 죄 사함을 받은 사람이 많은 것일까요? 그 많은 십자가만큼이나 그리스도의 삶을 따라 살아간다면 우리 사회가 왜 이렇게도 혼란스러운 것일까요?

내용이 있어야 합니다. 내용 없이 상징만 붙들고 있다면, 그것은 부적과 다를 바 없습니다. 샤머니즘과도 같은 것입니다. 미신입니다. 신앙의 확신도 없으면서 십자가 목걸이를 거는 것이 전부가 아닙니다. 성경에 나온 것처럼 십자가는 지는 것입니다.

교회의 직분도 마찬가지입니다. 한국 교회가 변화되려면 교회의 직분관도 변화되어야 합니다. 직분은 철저한 봉사의 자리를 얻는 것입니다. 정말 주님의 좋다운 종이 되지 못한다면 직분이 무슨 소용이 있습니까? 복음의 메시지를 전하지 않고 복음으로 사람을 섬기지 못한다면, 그 모든 타이틀이 무슨 소용이 있습니까? 형식은 필요합니다. 하지만 그 속에 내용이 없다면, 그 형식은 자신을 속이는 것일 뿐입니다.

하나님이 기뻐하실 수 없는 것들을 간직하고 있는 인생, 그들이 바리새인이었습니다. 그래서 주님은 그들을 책망할 때 '회칠한 무덤'이라고까지 하셨습니다. 무덤에 아무리 회칠을 했어도 그 안에는 썩어 가는 송장이 있을 뿐입니다. 겉이 중요한 것이 아니라 속이 중요합니다. 그것은 형식을 통해서 주어지는 것이 아니라, 복음을 통해서 주어지는 것입니다. 형식과 자리에 익숙해져서 무엇이 된 줄로 착각하는 사람이 되어서는 안 될 것입니다.

전통이 말씀을 대신할 위험성은 언제나 있습니다. 그래서 예수님은 전통에 집착하는 신앙을 경계하라고 경고하십니다.

하나님의 뜻을 악용

셋째, 전통은 심지어 말씀마저 폐기할 수도 있기에 조심해야 합니다. 그 대표적인 예가 예수님 당시에 있었던 '고르반' 제도였습니다.

> "너희는 이르되 사람이 아버지에게나 어머니에게나 말하기를 내가 드려 유익하게 할 것이 고르반 곧 하나님께 드림이 되었다고 하기만 하면 그만이라 하고 자기 아버지나 어머니에게 다시 아무것도 하여 드리기를 허락하지 아니하여 너희가 전한 전통으로 하나님의 말씀을 폐하며 또 이 같은 일을 많이 행하느니라 하시고"(막 7:11-13).

전통으로 하나님의 말씀을 폐기했습니다. 하나님의 뜻을 악용한 것입니다. 당연히 부모님께 드리고 도와야 할 것을 하나님께 드렸다고 하면서, 부모님께 드리고 싶지 않은 마음을 종교적 제도로 숨긴 것입니다. 당시에는 하나님께 드린 사람들이 너무 생활이 어려우면 교회에서 그들을 도왔습니다. 심지어는 교회 장로들을 통해서 헌금을 다시 돌려주는 경우도 있었습니다. 그런데 기가 막히게도 이 제도를 악용하는 사람들은 부모에게 가서, 돕고 싶지만 고르반을 했기 때문에 도울 수 없다고 말했습니다. 교회에 가서는 도와달라고 하고 드린 것을 도로 가져가는 경우도 많았습니다. 부모를 공경하라는 하나님의 명백한 말씀을 전통과 제도를 악용하면서 어졌습니다. 오늘날에는 이런 사람들이 없을까요?

바리새인들과 서기관들은 가장 큰 기회를 맞고 있었습니다. 예수님을 만나고 있었기 때문입니다. 그들이 가장 소중히 여기는 율법, 그 율법의 핵심이 예수님이기 때문입니다. 예수님은 '율법과 선지자의 글'이 당신에 대하여 증거하는 것이라고 말씀하셨습니다(눅 24:44 참조).

구약의 모든 율법의 핵심은 예수 그리스도입니다. 우리는 율법을 깨뜨렸습니다. 우리는 죄인입니다. 율법의 진노와 저주를 피할 수 없습니다. 그러한 우리를 속량하기 위해 하나님은 예수 그리스도를 보내 주신 것입니다. 율법은 예수 그리스도를 가리키고 있었던 것입니다. 그런 예수님이 율법을 가장 소중히 여기는 바리새인들 앞에 계십니다. 그러나 그들은 비본질적인 것으로 인해 흥분하고 있었습니다.

우리도 다른 교회 일에 관심을 갖는 것이 아니라, 예수님께 초점을 맞춰야 합니다. 예수님이 소망입니다. 예수님을 만나고 예배하고 사랑하는 것이 가장 중요합니다. 그 외에 다른 것은 그렇게 중요하지 않습니다. 찬송에도 클래식한 것과 복음 성가 같은 것이 있습니다. 그런 형식이 중요한 것이 아니라, 각자의 차이에 따라 그 안에 계시는 하나님을 경험하는 것이 중요합니다. 각자에게 맞는 스타일이 있는 것입니다.

그 무엇보다 더 중요한 것은 예수님입니다. 예수님만 만나고 사랑할 수 있다면 그 어떤 것도 가능합니다. 정말 본질적인 것, 즉 정말 예수님을 만나고 사랑할 수 있다면 때로는 전통이나 형식으로부터 자유할 필요가 있습니다.

바리새인들은 예수님 앞에 있었습니다. 그분을 만나 영원에 대한 대화를 나눌 수 있는, 예수님께 사랑을 고백할 수 있는 그 절호의 기회를 만났는데도 그들은 겨우 손 씻는 문제를 따지고 있었습니다. 비본질적인 것을 문제 삼으며 예수님을 만나지 못한 그들은, 인생에서 가장 큰 후회를 만들고 있었습니다.

당신은 예수님을 만났습니까? 구원을 경험하고 하나님을 만나는 놀라운 체험 속에 들어 있습니까? 주님은 우리가 전통과 형식에서 자유로워지고, 주님을 만나기를 원하십니다. 이 순간 예수님이 당신의 삶에 찾아와 동행하시는 놀라운 체험이 있기를 바랍니다. 그것이 가장 중요합니다. 본질과 메시지를 붙드는 신앙으로 예수님과 그분의 말씀이 당신의 삶을 움직이게 하며, 그 가운데서 놀라운 자유와 환희를 누리는 삶이 되기를 바랍니다.

———

겉이 중요한 것이 아니라 속이 중요합니다.

그것은 형식을 통해서 주어지는 것이 아니라,

복음을 통해서 주어지는 것입니다.

"예수께서 일어나사 거기를 떠나 두로 지방으로 가서 한 집에 들어가 아무도 모르게 하시려 하나 숨길 수 없더라 이에 더러운 귀신 들린 어린 딸을 둔 한 여자가 예수의 소문을 듣고 곧 와서 그 발아래에 엎드리니 그 여자는 헬라인이요 수로보니게 족속이라 자기 딸에게서 귀신 쫓아내 주시기를 간구하거늘 예수께서 이르시되 자녀로 먼저 배불리 먹게 할지니 자녀의 떡을 취하여 개들에게 던짐이 마땅치 아니하니라 여자가 대답하여 이르되 주여 옳소이다마는 상 아래 개들도 아이들이 먹던 부스러기를 먹나이다 예수께서 이르시되 이 말을 하였으니 돌아가라 귀신이 네 딸에게서 나갔느니라 하시매 여자가 집에 돌아가 본즉 아이가 침상에 누웠고 귀신이 나갔더라"(막 7:24-30).

25

부스러기
은혜라도

믿음은 부스러기 은혜라도
간절히 구한다

우리가 좋아하는 찬양 중에 〈나 같은 죄인 살리신〉(새찬송가 305장)이라는 곡이 있습니다. 이 곡은 영국의 존 뉴턴(John Newton)이라는 유명한 목사가 작사했습니다. 그가 남긴 이야기 중에 전 세계적으로 유명해진 것이 있습니다.

"천국에 가면 나는 세 가지 사실 때문에 놀랄 것입니다. 첫 번째는, 내가 천국에서 꼭 볼 것으로 기대했던 사람들이 천국에 없는 것을 알고 놀랄 것이고, 두 번째는, 내가 천국에서 볼 것으로 기대하지 않았던 사람들이 그곳에 있다는 것에 놀랄 것입니다. 세 번째는, 내가 그곳에 있는 것을 알고 놀랄 것입니다."

이 말은 성경적 교리를 부정하는 것이 아닙니다. 예수를 믿지 않는 사람이 천국에 간다든지 하는 의외성에 대한 이야기가 아니라고 생각합니다. 어떤 사람이 믿는 것 같았지만 사실은 믿지 않았다는 것은 얼마든지 있을 수 있는 일입니다. 그러한 사람들 때문에 우리는 천국에서 놀라게 될 것입니다. 또 어떤 사람들은 예수를 믿고 천국에서 큰 상을 받을 것 같았으나, 주님께 책망을 받을 수도 있습니다. 또 어떤 사람들은 그냥 조용한 사람인 것 같았으나, 천국에서 주님으로부터 크게 칭찬받을 수도 있습니다.

이런 신앙의 의외성의 모습들은 천국에서뿐 아니라 이 땅에서도 얼마든지 발견할 수 있습니다. 한 예로, 기독교의 역사를 살펴보면, 신앙이 아주 좋을 것 같았던 목사나 장로들도 기독교 박해가 있을 때 어떤 사람은 순교까지 했지만, 예수님을 부인하고 떠나는 사람도 적지 않았습니다. 이런 것은 우리를 실망하게 하는 의외성의 모습 중 하나입니다.

저는 목회를 하면서 심방을 다닐 때나 성도들과 이야기를 나눌 때 깜짝깜짝 놀라는 경우가 많습니다. 아주 평범한 성도라고 생각했는데 의외로 순전하고 아름다운 믿음의 소유자라는 사실을 발견하게 되는 경우에 그렇습니다.

예수님 당시에도 그런 모습이 있었습니다. 예수님 주위에서 예수님을 향한 믿음이 가장 좋다고 하는 사람들은 제자들이었습니다. 그중에서도 대표적인 사람은 베드로와 야고보와 요한일 것입니다. 가까이서 예수님을 모시고 그분의 말씀을 들었기 때문입니다. 그런데 복음서를 읽다 보면 예수님이 자주 제자들에게 믿음이 적다고 말씀하시는 것을 보게 됩니다. 그런가 하면 아주 대표적으로 믿음이 크다고 칭찬받은 사람도 있습니다.

본문에 등장하는 수로보니게 여인과 말씀만으로 자신의 하인이 나을 것이라고 한 백부장도 마찬가지입니다. 누군가에게 치료를 부탁하려면 찾아와 달라고 해야 할 텐데, 이 백부장은 주님의 말씀만으로도 나을 수 있다고 믿었습니다. 예수님을 절대적으로 믿은 것입니다. 예수님은 그를 보며 "이스라엘 중 아무에게서도 이만한 믿음을 보지 못하였노라"(마 8:10)라고 칭찬하셨습니다. 백부장은 이스라엘 사람이 아니었습니다. 로마에서 왔고, 신앙의 배경도 전혀 없었습니다. 그렇지만 예수님께 큰 칭찬을 받았습니다. 그리고 본문에 나타난 수로보니게 여인에게 예수님은 "네 믿음이 크도다"(마 15:28) 하며, 그녀의 믿음대로 되리라고 말씀하셨습니다.

그 여인은 자녀 때문에 예수님 앞에 나왔습니다. 예수님을 믿게 되는 동기는 사람마다 다르지만, 자식에 대한 안타까운 마음을 가지고 인간의 한계를 느끼면서 예수님 앞에 나오는 사람이 많습니다. 그들은 자식들의 문제를 끌어안고 예수님께 접근하는 과정에서 예수님에 대한 믿음을 가집니다.

예수님은 이들의 믿음을 크다고 칭찬하셨습니다. 두 사람 중 더 큰 믿음의 소유자는 수로보니게 여인이 아닌가 생각합니다. 그 여인은 어떤 큰 기적이나 대우, 은혜를 바란 것이 아니었고, 그녀의 대답처럼 '부스러기'라도 좋다고 했기 때문입니다. '부스러기 은혜'라도 말입니다.

그러나 그녀는 부스러기가 아닌 큰 은혜를 경험했습니다. 예수님은 이 여인의 믿음이 크다고 칭찬하셨습니다. 우리는 우리를 둘러싸고 있는 답답한 현실 속에서 하나님께 구할 때, 이 여인에게서 배워야 할 점이 있습니다. 하나님의 은혜를 소망하는 사람마다, 자신의 문제에 대한 응답을 구하는 사람마다 이 여인에게서 배울 점이 있습니다. '큰 믿음'입니다. 그렇다면 이 여인이 가지고 있던 큰 믿음의 특징은 무엇입니까?

불리한 조건이 은혜의 통로로

첫째, 이 여인의 믿음은 불리한 상황 조건을 극복한 믿음이었습니다. 환경을 극복했습니다. 예수님을 믿을 만한 좋은 조건이 없음에도 불구하고 그녀는 주님을 믿었습니다. 그녀에 대한 소개를 보십시오.

> "그 여자는 헬라인이요 수로보니게 족속이라 자기 딸에게서 귀신 쫓아내 주시기를 간구하거늘"(막 7:26).

이 여자는 헬라인입니다. 그리스 사람이었습니다. 그런데 마태복음에서는 이 여인을 가나안 여자라고 했습니다. 왜 이런 표현이 나왔을까요? 그 당시 이스라엘 사람들은 유대인이 아닌 모든 사람을 통상적으로 헬라 사람이라 불렀습니다. 헬라 문화가 가장 번성하던 시기였기 때문입니다. 이스라엘 백성은 이 가운데서 독특한 자기 문화를 지키려 했고, 자신들을 제외한 모든 사람을 헬라 사람이라고 했던 것입니다. 그렇지 않으면 가나안 사람이라고 통칭했습니다.

그런데 본문은 이 여인이 수로보니게 족속이라고 말씀합니다. '수로보니게'는 두 가지 단어가 합쳐진 말입니다. '시리아'와 '베니게'가 그것입니다. '베니게'는 '페니키아'를 말합니다. 시리아의 베니게 여인이었던 것입니다.

이 사건이 발생한 지역은 '두로'라는 곳이었습니다. 본문을 보면 예수님이 '두로'로 가셨다고 했습니다. '두로'는 갈릴리 해안에 있는 곳으로, 이스라엘 지경 밖에 있는 장소였습니다. 이 두로는 레바논에 속해 있으며 시돈과 비슷한 도시입니다. 이스라엘과 이웃하고 있지만, 아주 사이가 안 좋은 도시이기도 했습니다. 두로에는 유대인에 대한 적개심을 가지고 있는 사람들이 살고 있었으며, 이스라엘 사람들도 그곳을 철저한 '이방인의 땅', '어둠의 땅'으로 생각하고 있었습니다. 이스라엘 사람들은 특별히 이방인에 대한 편견을 가지고 있었기 때문에, 이방인을 부르는 최대의 모욕적 표현으로 '개'라는 표현을 썼습니다.

예수님은 왜 두로 지방에 가셨을까요? 본문의 사건에 이르기까지의 일련의 과정들을 보면, 예수님은 이스라엘 땅에서 바리새인과 논쟁을 벌이고 그들과 싸우셨으며, 바리새인들은 예수님을 율법을 파괴하려는 사람으로 간주했습니다. 박해받고 논쟁하던 예수님은 휴식이 필요하셨는지도 모릅니다. 그래서 이스라엘 지경 밖으로 나가 두로 지방에 가신 것입니다. 그런데 뜻밖에도 이 이방 지역에서 예수님을 믿고 사랑하는 아름다운 믿음의 사람을 만났습니다. 이 사실은 예수님에게 감격이었을 것입니다. 이방인들에게 신앙적인 배경은 없었지만, 그것이 신앙을 가질 수 없는 이유가 될 수는 없었습니다. 그렇기에 오히려 더 순수한 신앙을 가졌는지도 모릅니다. 지금도 전혀 신앙적인 배경이 없는 사람들의 믿음이 더 크고, 모태 신앙을 가진 사람들에게 더 많은 문제가 있는 경우를 보기도 합니다.

또한 그녀가 가지고 있던 불리한 조건은 성별입니다. 여자는 그 당시에 이류의 인간이었기 때문입니다. 옛날 유대인 남자들은 아침에 일어나면 세 가지 감사 기도를 드렸습니다. 첫째는 자신이 유대인으로 태어난 것에 감사했고, 둘째는 자신이 여자로 태어나지 않은 것에, 셋째는 노예가 아닌 자유인으로 태어난 것에 감사했습니다. 우리에게 삶의 열등한 조건이나 무력함이 있지만, 우리가 무력하기에 전능하신 하나님이 필요하지 않습니까? 우리의 무지를 알기 때문에 모든 것을 아시는 하나님의 지혜가 더 필요한 것입니다.

통상적으로 사람들이 말하는 인생의 불리한 조건이 반드시 신앙의 불리한 조건은 아닙니다. 우리가 연약하기에 하나님의 치유를 바라고 주님 앞에 나왔다면, 우리 인생의 불리한 조건이 주님을 만나게 되는 은혜의 통로가 됩니다. 그런 의미에서 이 여인은 불리한 조건을 극복하고 믿음에 도달한 사람이었습니다. 불리한 조건을 극복한 믿음, 여기에 그녀에게서 배워야 하는 믿음의 한 모습이 있는 것입니다.

냉소적 거절을 극복한 믿음

두 번째로 이 여인에게 배워야 할 것은, 냉소적 거절을 극복한 믿음입니다.

> "그 여자는 헬라인이요 수로보니게 족속이라 자기 딸에게서 귀신 쫓아내 주시기를 간구하거늘 예수께서 이르시되 자녀로 먼저 배불리 먹게 할지니 자녀의 떡을 취하여 개들에게 던짐이 마땅치 아니하니라"(막 7:26-27).

모욕에 가까운 예수님의 거절입니다. 어떤 사람들은 이 말씀을 보고 예수님도 인간에 대한 편견을 가지고 계셨다고 흥분합니다. 그러나 이것은 편견이 아닙니다. 편견의 특성은 오래갑니다. 편견은 쉽게 깨지지 않습니다. 예수님이 편견을 가지고 계셨다면, 이방인과 여인에 관한 편견을 가지고 계셨다면, 조금 후에 완전히 말을 바꾸어 그녀를 칭찬하지는 않으셨을 것입니다.

이것은 편견이 아닌 '테스트'였습니다. 주님은 이 여인이 어떻게 반응하나 시험하셨던 것입니다. 예수님은 이 여인의 순수한 믿음을 테스트하고 싶어 하셨습니다.

삶은 시험입니다. 우리가 날마다 살아가는 모습을 하나님은 지켜보고 계십니다. 생각하면 참 무서운 일입니다. 우리의 행동 하나하나를 모두 테스트받고 있는 것입니다. 사람의 눈은 피할 수 있어도, 전능하신 하나님의 눈은 피할 수 없습니다. 사건과 사람 앞에 어떻게 반응하는가, 주님께서 모두 바라보고 계십니다.

본문의 사건을 통해, 주님은 이 여인의 믿음이 드러나는 장을 제공하고 계십니다. 여인은 주님의 시험에 합격했습니다. 마태복음에 보면 처음에 예수님은 한마디도 대답하지 아니하셨다고 되어 있습니다. 때때로 우리가 도와 달라고 기도할 때 주님이 응답하시지 않는다고, 거절하셨다고 느낄 때가 있습니다. 그리고 스스로 자신을 저주하면서 신앙의 길에서 후퇴합니다. 그것은 우리가 참된 믿음을 갖지 못했다는 구체적인 증거일 수 있습니다.

믿음은 지속적입니다. 한 번 기도해서 응답이 오면 믿고 그렇지 않으면 안 믿는다는 것은 믿음이 아닌 흥정입니다. 우리가 일회용 자동판매기처럼 기도의 응답을 기다린다면, 그것이 우리 믿음의 수준입니다. 우리가 하나님을 믿는다는 것은 어떤 상황에서도 계속 믿는 것입니다. 무엇이 최선인가를 아시는 하나님을 믿는다는 것은 '하나님을 사랑하는 자 곧 그의 뜻대로 부르심을 입은 자들에게는 모든 것이 합력하여 선을 이룬다'(롬 8:28)는 것을 신뢰하는 것입니다. 이 전능하신 하나님을 믿는다는 것은, 지금 당장 어떤 응답이 없더라도 계속하여 믿는 것입니다. 여기에 우리의 기도와 신앙에 대한 시험이 있습니다.

누가복음 18장에는 불의한 재판장에게 요청하는 과부의 이야기가 나옵니다. 그 본문은 이렇게 시작됩니다.

> "항상 기도하고 낙심하지 말아야 할 것을 비유로 말씀하여 이르시되"(눅 18:1-2).

과부는 재판장에게 찾아가 억울한 일을 호소합니다. 그 재판장은 불의한 사람이었습니다. 그러나 이 과부가 계속 도와 달라고 호소하자 계속되는 간청에 못 이겨 그녀의 요구를 들어주었습니다. 예수님은 이 말씀을 하면서 불의한 재판장의 행동을 보라고 하십니다. 그리고 "하물며 하나님께서 그 밤낮 부르짖는 택하신 자들의 원한을 풀어 주지 아니하시겠느냐 그들에게 오래 참으시겠느냐"(눅 18:7)라고 말씀하십니다. 불의한 재판장도 들어주었는데, 좋으신 하나님, 전능하신 하나님, 은혜로우신 하나님, 우리를 긍휼히 여기시는 하나님께서 밤낮 부르짖는 자의 기도를 들어주시지 않을 리 없다는 것입니다.

주님은 이 말씀에 더해서 "그러나 인자가 올 때에 세상에서 믿음을 보겠느냐"(눅 18:8)라고 말씀하십니다. 주님은 믿음을 매개체로 하여 응답하십니다. 여기서 말하는 믿음이란 지속적인 신뢰를 뜻합니다. 인격적 신뢰를 말하는 것입니다. 하늘이 어둡고 응답에 대한 어떤 사인이 없을 때, 하나님조차 침묵하고 우리를 버리신 것 같은 때에 중요한 것은 그때에도 하나님을 신뢰하는 것입니다. 이렇게 힘겨울 때 필요한 것이 믿음입니다. 지속적인 신뢰입니다.

신앙인에게는 상대방이 뭐라고 하든 포기하지 않고 오래 참는 우직함이 필요합니다. 그리고 하나님께 계속해서 끈질기게 구해야 합니다. 그럴 때 주님은 응답하십니다. 거절하시는 것 같지만, 주님은 거절하지 않으십니다. 거절하시는 것 같은 그 뒤에서 미소 지으십니다. 그렇게 하신 주님의 진정한 의도를 파악해야 합니다. 냉소적 거절을 극복할 수 있었던 믿음, 그것이 이 여인의 믿음이었습니다.

부스러기가 아닌 놀라운 은혜

셋째는, 주님의 은혜에 매달리는 믿음이었습니다.

> "여자가 대답하여 이르되 주여 옳소이다마는 상 아래 개들도 아이들이 먹던 부스러기를 먹나이다"(막 7:28).

얼마나 재치 있는 말입니까? 때때로 주님 앞에 나오려면 자존심을 극복해야 합니다. 주님께 은혜를 받기 위해서는 이렇게 자신을 낮추어야 합니다. 여인의 마음 바탕에는 이미 주님에 대한 진정한 신뢰가 있었습니다.

그녀는 예수님을 '주'라고 불렀습니다. 예수가 주인이시라는 믿음이 그 마음속에 있었던 것입니다. 예수님을 자기 삶의 주인, 자신의 메시아로 불렀습니다. 똑같은 기사를 마태복음에서 보면 "주 다윗의 자손이여 나를 불쌍히 여기소서"(마 15:22)라고 말합니다. 다윗의 자손은 메시아를 말합니다. 그녀에게는 예수님이 메시아라는 믿음이 있었던 것입니다. 그리고 이 여인은 성경을 알고 있었던 것 같습니다. 구약에 보면 메시아의 약속 가운데 그 구원이 이스라엘뿐 아니라 이방인에게도 있었습니다(사 60-61장 참조). 이 여인은 그것을 알고 있었을 것입니다. 그래서 그 말씀을 붙든 것입니다.

본문 27절이 표면상으로는 거절처럼 보이지만, 적어도 이 수로보니게 여인에게는 그렇지 않았을 수 있습니다. 은혜를 받으려면 말씀을 능동적으로 자세히 보아야 합니다. '자녀로 먼저'라는 말이 있습니다. 여기서 자녀는 이스라엘을 뜻합니다. 예수님이 팔레스타인 땅에 오셨습니다. 주님의 구원의 섭리는 먼저 이스라엘 땅에 복음을 전하고 그 후에 이방인에게 전해지는 것이었습니다. 자세히 주님의 말씀을 듣고 있던 여인은 이 말씀을 붙잡았을 것입니다. 그리고 자신의 차례를 기다렸습니다.

은혜 받는 사람들에게는 말씀을 붙드는 증거가 있습니다. 그들에게는 말씀에 대한 애정이 나타납니다. 말씀이 얼마나 소중하게 느껴지는가와 우리 사이의 거리는 하나님과 우리 사이의 거리입니다. 은혜를 받은 사람의 증거는 말씀이 자신의 것으로 다가온다는 것입니다. 모든 진리의 말씀이 자신을 붙들어 바꾸고 있다는 사실을 깨닫는 것입니다.

이 여인은 그 말씀을 붙들었습니다. 이스라엘에 먼저 역사를 나타내시지만, 부스러기라도 달라고 매달리는 심정으로 이방인인 자신에게 올 은혜를 기다렸을 때, 주님은 부스러기가 아닌 놀라운 은혜를 주셨습니다. 주님은 그녀를 테스트하셨고, 겸손히 주님 앞에 엎드린 그녀는 합격했습니다. 큰 은혜를 받게 되었습니다. 그녀의 딸이 고침 받았습니다. 가정의 평안을 얻게 되었습니다. 주님의 은혜 앞에 물러서지 않고 계속하여 신뢰하며 간구하는 자에게 주님의 은혜가 임할 것입니다.

우리가 하나님을 믿는다는 것은
어떤 상황에서도 계속 믿는 것입니다.
무엇이 최선인가를 아시는 하나님을 믿는다는 것은
'하나님을 사랑하는 자 곧 그의 뜻대로
부르심을 입은 자들에게는 모든 것이 합력하여
선을 이룬다'(롬 8:28)는 것을 신뢰하는 것입니다.

"예수께서 다시 두로 지방에서 나와 시돈을 지나고 데가볼리 지방을
통과하여 갈릴리 호수에 이르시매 사람들이 귀먹고 말 더듬는 자를 데
리고 예수께 나아와 안수하여 주시기를 간구하거늘 예수께서 그 사람
을 따로 데리고 무리를 떠나사 손가락을 그의 양 귀에 넣고 침을 뱉어
그의 혀에 손을 대시며 하늘을 우러러 탄식하시며 그에게 이르시되 에
바다 하시니 이는 열리라는 뜻이라 그의 귀가 열리고 혀가 맺힌 것이
곧 풀려 말이 분명하여졌더라 예수께서 그들에게 경고하사 아무에게
도 이르지 말라 하시되 경고하실수록 그들이 더욱 널리 전파하니 사람
들이 심히 놀라 이르되 그가 모든 것을 잘하였도다 못 듣는 사람도 듣
게 하고 말 못 하는 사람도 말하게 한다 하니라"(막 7:31-37).

26

에바다!
열려라

주님을 만날 때
닫힌 세계가 열린다

오래전에 큰 인기를 끌었던 《마음을 열어주는 101가지 이야기》
(도서출판 이레 역간)라는 책이 있습니다. 이 책에 보면 '춤추는 사람'이
라는 이야기가 나옵니다.

미국의 오클랜드와 샌프란시스코를 연결하는 골든 게이트 브릿
지(또는 금문교)가 있습니다. 골든 게이트 브릿지로 가는 입구에는
열일곱 개의 톨게이트가 있는데, 어느 날 아침에 저자가 한 징수
대를 통과하려고 보니 그 안에서 한 사람이 음악을 아주 크게 틀
어 놓고 춤을 추면서 돈을 받는 것입니다. 그 모양이 너무 재미있
어서, "무얼 하십니까?" 하고 물었더니, "파티를 열고 있습니다"라
고 대답했습니다.

"파티라니요? 누구를 초대하셨나요?"

"제가 저 자신을 초대했지요."

얼마 후, 같은 징수대를 통과하면서 보니 먼젓번 그 사람이 음악을 틀어 놓고 전에 보았던 것과 거의 동일한 몸짓으로 춤을 추면서 돈을 받고 티켓을 내 주고 있었습니다. "아, 오늘도 파티를 열고 계십니까?"라고 말하니까, "아, 물론이지요"라고 대답했습니다.

호기심이 발동한 이 사람이 질문을 했습니다.

"그런데 왜 다른 사람들은 파티를 열고 있지 않습니까?"

"아, 저 사람들이요? 저 사람들이 들어가 있는 곳은 관이에요. 정말 관이죠. 아침 8시 30분에 출근해서 오후 4시 30분에 퇴근하기까지 저 사람들은 관 속에 갇혀 있는 시체들이란 말입니다."

이 색다른 대답 앞에 더욱 호기심이 발동하여 계속 질문을 했습니다.

"당신이 저 사람들하고 다른 이유는 뭡니까?"

"하, 나요? 나는 중요한 미션이 있어요."

"그 미션이 뭡니까?"

"저는 댄스 교수가 될 예정입니다. 저는 지금 이 연습장에서 돈을 받으면서 연습을 하고 있는 중입니다. 저 사람들을 잘 보세요. 이곳이 저들에게 닫혀 있는 관이라면, 제게는 열려 있는 무대입니다."

에바다, 열려라

우리가 인생에서 경험할 수 있는 최대의 비극은 외부 세계와 완전히 단절된 채 폐쇄된 공간, 닫힌 공간 안에서 혼자 외로워하다가 쓸쓸히 죽어 가는 것이라고 할 수 있습니다. 본문에서 예수님은 그런 유형의 사람을 만나셨습니다. 이 사람은 장애인이었습니다. 장애 중에서도 중증의 겹 장애를 안고 있는 사람이었습니다. 귀가 들리지 않을 뿐 아니라 말도 어눌한, 언어를 잃어버려 말하는 것이 거의 불가능한 사람이었습니다. 그는 들을 수도 없고, 말할 수도 없는 고통 속에서 살고 있었습니다. 의사소통이 불가능한, 완전히 외부 세계와 단절된 상태에서 살고 있었던 것입니다.

그는 사람들에게 이끌려 예수님 앞에 나왔습니다. 예수님은 말할 수 없는 연민과 긍휼로 이 사람을 쳐다보다가 유명한 한마디를 하셨습니다. 아람어 "에바다"(ephphatha)는 '열려라'라는 뜻입니다. 그러자 이 사람의 귀가 열렸습니다. 또 입술이 열렸습니다. 그는 듣기 시작했고, 말하기 시작했습니다. 새로운 인생이 열린 것입니다. 이 극적인 기적의 상황을 본문은 이렇게 기록하고 있습니다.

> "그의 귀가 열리고 혀가 맺힌 것이 곧 풀려 말이 분명하여졌더라"(막 7:35).

그는 분명한 말을 하기 시작했습니다. 새로운 인생이 시작된 것입니다. 구약의 이사야서 6장에 보면 하나님이 선지자 이사야를 백성에게 보내십니다. "누가 우리를 위하여 갈꼬"(사 6:8)라는 물음 앞에 이사야 선지자는 "내가 여기 있나이다 나를 보내소서"(사 6:8)라고 대답했습니다. 그때 하나님은 백성의 상태를 이렇게 말씀하셨습니다.

"저들은 눈이 있어도 보지 못하고, 귀가 있어도 듣지 못하는 사람들이다."

육체적인 장애보다도 훨씬 더 불행한 장애는 정신적 장애, 영적인 장애라고 할 수 있습니다. 귀가 있어도 들을 수 없습니다. 지금도 하나님의 거룩한 말씀을 듣지 못하는 사람이 얼마나 많습니까? 보지 못하는 사람들도 있습니다. 이 세상은 하나님의 영광으로 꽉 차 있는데, 그 하늘의 영광, 하나님의 영광을 보지 못하는 사람이 얼마나 많습니까? 그래서 외롭고 답답한, 자기만의 세계 속에 폐쇄된 채 살고 있는 사람이 얼마나 많습니까?

그들이 들어야 할 음성은 예수님의 말씀입니다. 예수님의 말씀은 권능의 말씀입니다. 하나님은 이 말씀으로 천지를 창조하셨습니다. 세상을 창조하신 그분은 이 괴롭고 어두운 그리고 모든 질서가 뒤바뀐 세상 속에 내려와 다시 한번 세상을 고치고자 하십니다. 치유하고자 하십니다. 예수님은 세상을 창조했던 동일한 말씀의 권능으로 이 사람을 향해서 이렇게 말씀하신 것입니다.

"에바다! 열려라."

그리고 열렸습니다. 귀가 열리고, 눈이 열렸습니다. 가슴이 열렸습니다. 새로운 인생이 시작되었습니다.

우리 주변에는 이렇게 귀가 열리고 마음이 열려야 하는 인생, 열리지 못하고 닫힌 세계 안에서 괴롭게 외로워하면서 살아가고 있는 이웃이 얼마나 많습니까? 그들을 어떻게 도울 수 있을까요? 닫힌 인생의 벽, 인생의 관에서 어떻게 탈출해 새로운 삶, 부활의 인생을 살아갈 수 있을까요?

본문을 통해서 주님이 이 사람에게 어떻게 이 기적을 베푸셨는가를 주목해 볼 필요가 있습니다. 말씀으로 명령하기 전에 주님이 그에게 어떻게 접근하셨는지 보십시오. 만약 우리가 주님의 이 교훈을 배워 닫힌 세계 속에 살고 있는 불행한 이웃들에게 예수님처럼 접근한다면, 이웃들의 삶이 열리는 기적이 일어날 것입니다.

각 사람에게

이웃들에게 새로운 삶을 열어 주기 위해서 우리는 어떻게 접근해야 할까요? 먼저는, 개인적인 접촉을 시도해야 합니다.

> "예수께서 그 사람을 따로 데리고 무리를 떠나사 손가락을 그의 양 귀에 넣고 침을 뱉어 그의 혀에 손을 대시며"(막 7:33).

'따로 데리고'라는 단어를 주목해 보십시오. 예수님은 무리 가운데서, 이 많은 군중 가운데서 그 사람을 분리해 내셨습니다. '따로 데리고' 가셨습니다. 공개적 접촉이 아닌 개인적인 접촉을 시도하신 것입니다.

듣지 못하고 말이 어눌하여 고통스러운 상태에 있는 이 사람을 공개적으로 다루셨다면 그가 당황하지 않았겠습니까? 아마도 주님은 그의 처지를 배려해서 개인적으로 따로 데리고 가셨을 것입니다. 그의 처지를 깊이 알고 개인적으로 접근해 가시는 예수님의 모습을 주목하십시오.

드디어 치유가 시작됩니다. 어떻게 치유하셨습니까? 주님은 아주 흥미로운 방법을 사용하셨습니다. 예수님은 사람들을 다룰 때, 사람들에게 접근할 때, 병자를 위해서 기도할 때 같은 방법을 쓰시지 않았습니다. 늘 다르게, 그 사람의 처지에 맞는 방법으로 다가가셨습니다.

이 사람을 위해서 기도할 때 주님은 어떻게 하셨습니까? 먼저는 손가락을 양 귀에 넣으셨고, 그다음에는 침을 뱉어 그의 혀에 손을 대셨습니다. '침을 뱉어'라고 기록되어 있기에 그냥 '퉤!' 하고 침을 뱉는 것이 연상될 것입니다. 제가 번역한다면, '침을 묻혀'라고 하겠습니다.

"침을 묻혀 그의 혀에 손을 대시며."

예수님이 양 손가락을 귀에 대셨을 때 그는 무엇을 느꼈을까요? 또 예수님이 침 묻힌 손을 그의 혀에 대는 순간 무엇을 느꼈을까요? 주님의 손가락이 들어오는 순간 비로소 그는 무엇인가를 느꼈을 것입니다.

'아, 내 귀에 무엇인가 놀라운 일이 일어날 모양이다.'

말을 하지 못했던 그의 혀, 쓸모가 없었던 그의 혀, 고통받고 있었던 그의 혀에 예수님의 침 묻힌 손가락이 닿는 그 순간, '아, 내 혀에도 무슨 일이 생기겠구나!' 기대했을 것입니다. 그분의 사랑과 친절 그리고 그분의 구체적인 만지심 속에서 이 사람은 주님을 향한 어떤 기대감을 가졌을 것입니다.

이같이 주님은 각 사람에게 꼭 필요한 방법으로, 개인적 관심 속에서, 개인적으로 필요한 처방을 가지고 접근하십니다. 한 사람, 한 사람을 향한 주님의 개인적인 관심을 보십시오.

성경은 예수님을 '세상의 빛'이라고 말씀합니다. 그러나 막연한 세상의 빛이 아닙니다. 추상적으로 그냥 세상의 빛이라고 선포되신 분이 아닙니다. 요한복음 1장 9절에 보면 "참 빛 곧 세상에 와서 각 사람에게 비추는 빛이 있었나니"라고 했습니다. 우리 한 사람, 한 사람에게 비취는 참 빛입니다.

목자는 양의 이름을 부른다

주님은 개인적 관심을 가지고 한 사람, 한 사람에게 다가오십니다. 우리의 처지와 갈등을 아십니다. 우리의 고민을 아십니다. 우리의 좌절, 우리가 숨기고 있는 비밀, 두려움, 불안을 아시는 주님은 개인적으로 다가와 우리 각자의 이름을 부르십니다. 복음서를 읽을 때마다 늘 제 마음에 감동이 되는 것은, 예수님이 사람들을 이름으로 부르고 계신다는 사실입니다. 요한복음 10장 3절에 보면, 선한 목자 되신 우리 주님이 양의 이름을 '각각' 불러 인도하여 낸다고 했습니다.

이름은 원래 사람에게 붙여집니다. 개나 고양이 같은 애완동물에게 붙여집니다. 그런데 팔레스타인에서는 양들에게도 이름을 붙입니다. 그리고 목자는 양 한 마리, 한 마리를 이름으로 부릅니다.

성경에는 주님이 직접 이름을 부르시는 장면이 많이 나옵니다.

"삭개오야!"

"마리아야!"

"마르다야!"

예수님의 사랑하는 친구였던 나사로, 세상을 서둘러 떠난 그의 주검 앞에서 예수님은 아픈 가슴으로 친구의 이름을 부르셨습니다.

"나사로야! 나사로야, 나오너라!"

예수님은 친구의 죽음을 계기로 부활에 대한 위대한 가르침을 위해 무덤을 보면서 이렇게 부르십니다.

"나사로야, 나오너라!"

그때 만약 예수님이 "나사로야, 나오너라!" 하지 않고 "송장아, 나오너라!" 하셨다면 볼만했을 것입니다. 죽어 있던 송장들이 다 일어났을 것입니다. 그러나 아직은 부활의 시간이 아니었기에 주님은 한 사람만 살려 내고자 하셨습니다. 그래서 그의 이름을 부르셨습니다.

"나사로야!"

우리의 처지, 우리의 절망, 우리의 고독, 우리의 눈물을 아시고, 우리에게 가장 합당한 방법으로 다가오면서 우리의 이름을 부르는 주님이십니다. 그 주님은 우리를 고칠 수 있는 분이십니다. 우리의 이웃을 고칠 수 있는 분이십니다. 우리의 이웃들이 주님을 만나 그들의 인생이 새로워지는 경험을 하게 되기를 원합니까? 우리도 주님처럼 그들에게 개인적으로 다가서야 합니다. 주님이 그들에게 개인적인 관심과 사랑을 갖고 계신다는 것을 알릴 필요가 있습니다. 기적은 거기서부터 시작됩니다. 이웃들의 눈이 열리고, 귀가 열리고, 그들의 세상이 새로워지는 위대한 기적을 소망합니까? 개인적 접촉을 시도하십시오.

하늘의 도움을 구하라

이웃들에게 새로운 삶을 열어 주기 위해서는 둘째로, 하늘의 도움을 구해야 합니다.

> "하늘을 우러러 탄식하시며 그에게 이르시되 에바다 하시니 이는 열리라는 뜻이라"(막 7:34).

예수님은 하늘을 우러러보셨습니다. 하나님의 도우심을 구했다는 말입니다. 언제부터인가 기도한다고 하면 고개를 숙이고 눈을 감는 습관이 기독교 전통에 들어왔는데, 왜 그런지 모르겠습니다. 집중한다는 차원에서는 좋은 것이지만, 그것이 기도의 유일한 형태는 아닙니다. 성경, 특히 복음서에는 기도할 때 고개를 숙이고 눈을 감았다는 표현이 한 번도 나오지 않습니다. 저는 기도 방법이 그렇게 하나만으로 고정된 것은 유감이라고 생각합니다. 기도한다고 하면 으레 고개를 숙이고 눈을 감습니다. 그게 기도의 유일한 방법이라고 생각하기 때문에 눈을 감지 않으면 기도가 안 된다고 생각합니다.

그러나 기도의 방법은 다양합니다. 눈뜨고도 얼마든지 기도할 수 있습니다. 그래야 항상 기도할 수 있는 것입니다. 차를 운전하면서도 기도할 수 있습니다. 기도의 자세 중 성경에 제일 많이 나오는 모습이 바로 '하늘을 우러러' 기도한 사례입니다. '하늘을 우러러', 얼마나 열린 모습입니까? 이따금 하늘을 우러러보면서 기도해 보십시오. 얼마나 기도가 열려 있고 실감 나겠습니까?

주님은 하늘을 우러러 하나님의 도우심을 구하셨습니다. 그를 고치기 전에 먼저 하나님의 도우심을 구하며 기도하셨던 것입니다. 하늘의 도움이 필요 없을 만큼 유일한 분이 있다면, 바로 예수님입니다. 그런데도 예수님은 하늘의 도우심을 구하셨습니다. 복음서를 읽다 보면 예수님의 이런 고백을 자주 접하게 됩니다.

"나는 아버지의 뜻을 떠나서는 스스로 아무것도 하지 아니한다."

주님은 늘 하나님의 도우심을 구하면서 당신의 사역을 수행하셨습니다.

그리스도인들의 봉사 현장에서 일어날 수 있는 무섭고도 안타까운 비극 가운데 하나는, 하나님의 도움 없이도 하나님의 일을 할 수 있다는 생각입니다. 하나님의 도우심을 구하지 않고 하나님의 일을 하고 있다는 현실, 이것은 무서운 것입니다. 특히 열심이 많은 사람들이 일을 하다 보면, 하나님의 도우심과 상관없이 일할 때가 있습니다. 자신에게 능력이 있으니까, 열정이 있으니까 일을 하는 것입니다. 그러나 그것은 자기만의 열정일 수 있습니다. 이런 유형의 봉사는 종종 그 일의 결과가 하나님이 목표하셨던 것과는 상관없는 자신만의 성취일 가능성이 큽니다.

교회마다 봉사의 영역이 무한히 많은데, 그중에 늘 제 마음속에서 제일 수고를 많이 한다고 생각하는 분들은 바깥 주차장에서 일하시는 분들입니다. 그분들에게 제일 고마운 마음이 듭니다. 주차장에서 봉사하다 보면 같은 교인들에게도 박해를 당한다고 합니다. 다른 곳에 세우라고 하면 "세울 데가 여기밖에 없다"고 하고, 때로는 "교회가 여기밖에 없느냐"며 화를 내기도 한다고 합니다. 환난과 박해 중에도 열심히 바깥에서 봉사하는 분들에게 늘 고맙게 생각하고 있습니다. 그분들이 월급을 받습니까? 아닙니다. 순수한 봉사입니다.

그런데 걱정이 하나 있습니다. '저렇게 하다가 지치지 않을까? 어려움을 당하면 지쳐 버리지 않을까?' 하는 생각이 듭니다. 그래서 그런 봉사를 하는 분들일수록 더 필요한 것이 제대로 드리는 예배라고 생각합니다. 한 번 드리는 예배라도 제대로 드려야 합니다. 기도하면서 봉사해야 합니다. 주님을 바라보면서 봉사하고 예배를 드리면 힘을 얻지 않습니까? 기도하면 새로운 힘이 주어집니다. 그 힘과 지혜와 능력을 가지고 봉사하면 지치지 않습니다. 그리고 하나님이 기뻐하시는 태도로 봉사할 수 있습니다.

봉사하는 사람일수록, 선교하는 사람일수록, 중요한 일을 하는 사람일수록 하늘의 도우심을 지속적으로 바라보는 것이 매우 중요합니다. 다시 한번 경고합니다. 하나님의 도움 없이도 하나님의 일을 할 수 있다는 비극적인 생각에 빠지지 말아야 합니다. 하늘의 도우심을 바라보십시오. 하나님의 도우심을 필요로 하지 않을 수 있었던 유일한 분, 그럼에도 불구하고 하늘을 향해서 도우심을 구하면서 이웃에게 접근하신 예수님을 바라보십시오.

주변에 도움의 손길이 필요한 사람이 얼마나 많습니까? 내 힘, 내 자원, 내 정성만 가지고 일하다 보면 조금 하다가 지쳐 버립니다. 우리는 먼저 하늘에 계시는 아버지 앞으로 나와야 합니다. 고개를 들어 하늘을 바라보십시오. 그리고 하나님의 도우심을 구하기 바랍니다. 새로운 능력이 임할 것입니다. 용솟음치는 능력을 경험할 것입니다. 그 능력, 그 기쁨으로 이웃들을 섬기기 바랍니다. 그러면 기적이 일어날 것입니다.

이웃의 아픔을 공감할 수 있어야 한다

우리가 이웃들의 삶 속에 기적이 열리기를 원한다면 셋째로, 그들의 고통에 공감할 수 있어야 합니다. 본문 34절을 보면 '하늘을 우러러' 다음에 무슨 단어가 나옵니까? '탄식하시며'입니다.

J. B. 필립스(Jhon Bertram Phillips)가 쓴 《필립스 성경》(아바서원 역간)에서는 '탄식'을 그냥 탄식이 아니라, '아주 깊은 탄식'(deep sigh)이라고 옮겼습니다. 예수님은 그냥 탄식이 아니라 아주 깊은 탄식을 하신 것입니다. 상대방의 아픔을 당신의 아픔으로 느끼신 것입니다. 우리는 여기서 상대방의 아픔을 공감하면서 상대방과 동일시하시는 주님의 모습을 볼 수 있습니다.

듣지 못하는 아픔, 제대로 말할 수 없는 고통으로 얼마나 괴로웠을까요? 주변 사람들에게 무시당하고 조롱당하는 아픔이 얼마나 심했을까요? 견딜 수 없는 고독, 소외, 단절의 아픔 등을 주님은 당신의 아픔처럼 함께 느끼면서 한숨을 내쉬고 계십니다. 탄식하십니다. 눈물을 흘리셨을지도 모릅니다.

《탈무드》에 이런 말이 있습니다.

"이웃의 고통을 함께 느낄 수 있을 때, 비로소 우리는 이웃의 고통을 치료하는 도구로 쓰임 받을 수 있다."

중요한 말입니다. 우리가 이웃의 고통을 함께 느낄 때 비로소 우리는 이웃의 고통을 치료하는 도구로 쓰임 받을 수 있습니다.

예수님이 사람들을 효과적으로 치유할 수 있었던 이유는 물론 그분이 권능과 기적을 행하는 하나님이셨기 때문이지만, 또 하나는 이웃에게 공감하는 마음이 있으셨기 때문이라고 생각합니다. 히브리서 4장 15절에서 기자는 예수님을 소개하면서 '우리에게 있는 대제사장'이라고 묘사했습니다.

> "우리에게 있는 대제사장은 우리의 연약함을 동정하지 못하실 이가 아니요."

이중 부정이 나옵니다. 다시 말하면, 우리와 더불어 연약함을 함께 동정하신다는 말씀입니다. '동정'의 본래의 뜻은 '함께 느끼다', '더불어 같이 느끼다'입니다.

그렇습니다. 예수님은 우리의 고통을 함께 느끼십니다. 우리의 좌절을 아시고, 분노를 아시며, 우리의 속상함을 아십니다. 우리의 고통과 눈물을 아시며, 방황을 아시며, 우리의 답답함을 아십니다. 또한 우리의 억울함을 아십니다. 우리의 견딜 수 없는 부끄러움과 우리의 무기력함도 아십니다. 우리의 어쩔 수 없는 좌절을 그분만은 이해하십니다. 그래서 그분은 우리를 고치실 수 있습니다.

같이 울었어요

심리학자인 레오 버스카글리아(Leo Buscaglia)의 글에는 이런 이야기가 나옵니다. 어느 할아버지가 암 진단을 받았습니다. 이 할아버지는 암 진단을 받은 날부터 갑자기 성격이 매우 난폭해졌습니다. 식구들이나 주변 사람들에게 욕을 퍼붓고, 아무도 만나려 하지 않고, 입원해서도 아무도 만나지 않았습니다. 간호사와 의사들에게도 포악하게 대했습니다. 어떻게 도울 수 없을까 해서 옛날 친구들을 들여보냈지만 도움이 되지 못했습니다. 소리를 지르며 쫓아 버리고 말았습니다. 또 그와 절친하게 지냈던 은사들을 보내 봤지만, 그들도 소용이 없었습니다. 목사님도 욕만 먹고 쫓겨났습니다. 상담가도 소용이 없었습니다.

그러던 어느 날, 동네에서 이 할아버지가 가끔 만나던 어린 꼬마가 할아버지가 아프다는 소식을 듣고 병원으로 왔습니다. 식구들은 호기심 반, 기대 반으로 "한번 들어가서 할아버지를 만나 보렴" 하며 그 꼬마를 들여보냈습니다. 그런데 한 20-30분 동안 이 어린 소년이 할아버지를 만나고 나온 후에 이 할아버지가 변한 것입니다. 태도가 갑자기 누그러지고 부드러워지면서 사람들도 만나고 이야기도 하는 것이었습니다. 너무나 이상해서 소년을 붙들고 사람들이 물어보았습니다.

"너, 할아버지하고 무슨 이야기를 했니?"

소년은 대답했습니다.

"아무 이야기도 안 했어요."

"그러면 도대체 할아버지랑 20-30분 동안이나 뭘 했니?"

그랬더니 어린 소년이 대답했습니다.

"저요? 할아버지하고 같이 울었어요."

이 할아버지의 아픔을 자신의 아픔으로 느끼면서 함께 우는 순간, 더불어 껴안고 울던 그 눈물 속에서 할아버지의 아픔과 질병이 치유된 것입니다. 우리가 공감할 때, 그 아픔을 함께 느낄 때 치유의 능력이 솟아납니다.

목회를 하다 보면 교인들에게 "기도해 주십시오"라는 부탁을 많이 받게 됩니다. 어떤 때는 제 몸이 너무나 피곤하지만, 기도해 달라는 부탁을 받고 목사가 기도를 안 할 수는 없어서 형식적으로 기도할 때가 있습니다. 그렇게 기도를 하고 나면 틀림없이 안 낫습니다. 아무 일도 일어나지 않습니다. 그런데 제 마음에 여유가 생길 때는 어떤 기도 부탁에도 정중하게 마음으로 반응합니다. 같이 아파하면서 같은 심정으로 기도합니다. 그러면 거의 틀림없이 그분들에게 변화가 일어납니다. 치유가 일어납니다.

이웃의 아픔을 공감한다는 것은 얼마나 중요한지 모릅니다. 왜 십자가가 능력이라고 고백할 수 있습니까? 거기에서 우리의 허물과 죄를 담당하신 분, 그렇게 죽어야 할 필요가 없고 그렇게 고통을 받아야 할 필요가 전혀 없는 분이 세상에서 가장 극악한 죄인의 모습으로 매달려 가장 처참한 고통을 받으면서, 가장 처절한 외로움과 배신을 경험하면서, "아, 내가 목마르다. 하나님, 나를 어찌하여 버리십니까?" 하고 고통 속에서 부르짖으면서 돌아가셨기 때문입니다.

십자가는 우리의 고통, 우리의 오해받음, 우리의 배신, 우리의 눈물, 우리 죄악의 치욕과 부끄러움을 이해합니다. 그렇게 우리의 죄를 담당하고 보배로운 피를 쏟아 내신 바로 예수 그리스도 때문에, 십자가 앞에 오는 사람을 우리 주님은 구원하실 수 있는 것입니다. 십자가는 구원입니다. 십자가는 능력입니다. 십자가는 위로입니다. 십자가는 소망입니다.

에바다 이야기

어느 날 설교를 준비하다가 '에바다'에 대한 본문을 근거로 잘 풀어 쓴 작자 미상의 시를 하나 발견했습니다. 무려 세 장이나 되기에 다 나눌 수는 없고, 일부분만 나누겠습니다.

에바다 이야기

나는 열 개의 마을로 이루어진
데가볼리 지방에서 살고 있었지요.
눈을 뜨면 맑은 햇살과 고운 새들을 보았지만
이 세상의 소리는 하나도 들을 수 없었지요.
어머니의 따스한 음성도
형제들의 고운 노랫소리도 들을 수 없었지요.
나의 삶은 절망이었습니다.

어느 날, 유난히 햇살이 창문을 비집고 들어오던 날,

친구들이 내게 몰려왔지요.

그리고 다짜고짜 나를 붙들고 어디론가 데려갔지요.

친구가 이렇게 손으로 말했지요.

너도 말할 수 있어.

너의 좌절을 희망으로 바꿀 거야. 들을 수 있어.

들을 수 있어? 들을 수 있다고? 미친놈들.

말할 수 있다고? 나를 놀리는 거냐? 나는 태어나면서부터 이랬어.

나는 병신이야. 제발 그냥 그대로 놔 줘.

그때 내 눈 안에 누군가를 볼 수 있었죠.

그렇게 부자처럼 보이지도 않았고, 좋은 옷을 입고

훌륭한 가문의 사람처럼 보이지도 않았고,

그러나 무엇인지 힘이 있어 보였지요.

막연히 이런 마음이 생겼어요.

그래 이분이 내 귀를 열고 내 입을 열어 주실지도 몰라.

그분은 나를 보자마자 나를 따로 불러 세우시고

조용히 아무도 몰래

왼손을 들어 나의 귀를 막으셨습니다.

어떠한 따스함이 일어났어요.

그리고 오른손을 들어 침을 묻히시고 내 혀에 그 손을 대셨지요.

그리고 무엇인가를 말씀하셨지요.

하늘을 보며 탄식하시며 눈물을 흘리며

이 닫힌 세상이여, 이 막힌 사람들이여,

사랑치 못한 사람들이여, 답답한 형제들이여,

귀가 있어도 말씀을 못 들으며

입이 있어도 전하며 찬양치 못하는 자들이여,

닫힌 마음을, 닫힌 가슴을, 닫힌 입을 열어라!

에바다!

천지가 깜깜해지고 온몸이 부르르 떨리더니

귀에 막힌 것이 열리고 입에 맺힌 것이 풀렸지요.

아! 아! 나의 말은 탄식을 토해 놓고

그렇게 그리던 말을 하며 그렇게 그리던 소리를 듣게 되었지요.

할렐루야! 위대하고 전능하신 주 당신을 찬양합니다.

나의 찬양을 들으소서.

"에바다!"

지금 이 음성을 들어야 할 사람이 얼마나 많습니까? 닫힌 공간에서 외로워하고, 괴로워하고, 고통스러워하는 그들을 주님은 아십니다. 주님은 당신의 마음속 깊은 고통까지도 어루만지기를 원하십니다. 그리고 지금 이 시간에도 말씀하십니다.

"네 닫힌 마음과 세계가 열릴지어다. 에바다! 에바다! 열릴지어다! 하나님의 능력과 사랑이 임할지어다! 하나님의 구원이 임할지어다. 에바다!"

이 말씀이 우리에게 새로운 세상을 열어 줄 것입니다.

성경에 나오는 이 사람 못지않게 외롭고 닫힌 자기의 세상 안에서 듣지 못하고, 말하지 못하고, 마음대로 소리쳐 부르지 못하고, 노래를 잃어버리고, 가슴이 답답한 사람이 있습니까? 지금 다가오시는 주님의 모습을 보십시오. 그분이 손을 내미십니다. 그분이 눈을 만지시고, 손을 만지시고, 마음을 만지십니다. 깊은 고통의 상처들을 만지십니다. 그리고 이렇게 말씀하십니다.

"에바다!"

만약 그분의 손길을 받아들이기만 한다면 우리는 치유될 것입니다. 변화될 것입니다. 우리 이웃들의 세상도 열릴 것입니다.